D1108766

LE DOMPTEUR DE LIONS

"Actes noirs"

DU MÊME AUTEUR

LA PRINCESSE DES GLACES, Actes Sud, 2008 ; Babel noir n° 61.
LE PRÉDICATEUR, Actes Sud, 2009 ; Babel noir n° 85.
LE TAILLEUR DE PIERRE, Actes Sud, 2009 ; Babel noir n° 92.
L'OISEAU DE MAUVAIS AUGURE, Actes Sud, 2010 ; Babel noir n° 111.
L'ENFANT ALLEMAND, Actes Sud, 2011 ; Babel noir n° 121.
CYANURE, Actes Sud, 2011 ; Babel noir n° 71.
LA SIRÈNE, Actes Sud, 2012 ; Babel noir n° 133.
LE GARDIEN DE PHARE, Actes Sud, 2013 ; Babel noir n° 158.
LA FAISEUSE D'ANGES, Actes Sud, 2014.

JEUNESSE
SUPER-CHARLIE, Actes Sud Junior, 2012.
SUPER-CHARLIE ET LE VOLEUR DE DOUDOU, Actes Sud Junior, 2013.
LES AVENTURES DE SUPER-CHARLIE. MAMIE MYSTÈRE, Actes Sud Junior, 2015.

CUISINE
À TABLE AVEC CAMILLA LÄCKBERG, Actes Sud, 2012.

Titre original :
Lejontämjaren
Éditeur original :
Bokförlaget Forum, Stockholm
© Camilla Läckberg, 2014
publié avec l'accord de Nordin Agency, Suède

© ACTES SUD, 2016
pour la traduction française
ISBN 978-2-330-06402-0

CAMILLA LÄCKBERG

Le dompteur de lions

roman traduit du suédois
par Lena Grumbach

ACTES SUD

À Simon.

Le cheval flaira l'odeur de peur avant même que la fille ne surgisse de la forêt. Sa cavalière l'encouragea, serra ses talons contre ses flancs, bien que cela soit inutile. Leur entente était telle qu'il avait déjà compris sa volonté de presser le pas.

Le martèlement sourd, rythmé des sabots troublait le silence. Durant la nuit, une fine couche de neige était tombée, et les pas de l'animal ouvraient de nouveaux sillons, soulevant un léger nuage de poudre blanche autour de ses jambes.

L'adolescente ne courait pas. Sa démarche était vacillante, elle semblait errer au hasard, les bras collés au corps.

La cavalière l'interpella. Un cri strident qui confirma au cheval que la situation n'était pas normale. La fille poursuivit sa progression chancelante sans y prêter attention.

S'approchant d'elle, il accéléra encore. À l'odeur âcre et puissante de terreur se mêla autre chose, un ressenti indéfinissable si effrayant qu'il coucha les oreilles. Il voulut s'arrêter, faire demi-tour et repartir au galop vers la sécurité de son box. Cet endroit n'avait rien de rassurant.

La route les séparait. Elle était déserte, et une brume immobile de flocons caressait le goudron.

La fille se dirigeait vers eux. Elle était pieds nus et les taches rouges sur ses bras et ses jambes nus contrastaient violemment avec la blancheur du paysage. Les sapins enneigés se profilaient derrière elle en toile de fond immaculée. Elle les avait presque rejoints maintenant, de l'autre côté de la route, et il entendit la cavalière l'interpeller à nouveau. Sa voix était familière, mais elle lui parut curieusement étrangère à cet instant.

Soudain la fille s'arrêta, se tint immobile au milieu de la route, la neige virevoltant autour de ses pieds. Ses yeux étaient bizarres. On aurait dit des trous noirs dans son visage blanc.

La voiture surgit de nulle part. Le crissement des freins retentit dans le silence, il perçut le choc sourd d'un corps heurtant le sol. La cavalière tira si fort sur les rênes que le mors lui blessa la bouche et, obéissant, il stoppa net. Ils ne formaient qu'un, elle et lui. C'est ce qu'il avait appris.

Sur la chaussée, la fille gisait, inerte. Ses yeux étranges tournés vers le ciel.

Erica Falck se gara devant le centre de détention et l'examina en détail pour la première fois. Durant ses précédentes visites, elle avait été tellement obnubilée par la rencontre imminente qu'elle n'avait prêté attention ni au bâtiment ni aux environs. Elle allait cependant avoir besoin de toutes les impressions qui s'en dégageaient quand elle écrirait son livre sur Laila Kowalska, la femme qui avait si brutalement assassiné son mari quelque vingt ans auparavant.

Elle réfléchit à la manière de rendre l'atmosphère qui planait sur cette bâtisse aux allures de bunker, de communiquer à ses lecteurs l'enfermement et l'absence d'espoir. Située à une bonne demi-heure de route de Fjällbacka, dans un coin désert et isolé, l'établissement était entouré de clôtures et de fils de fer barbelés, sans les miradors toutefois ni les gardes armés qu'on voyait toujours dans les films américains. Cette architecture était avant tout fonctionnelle, le but étant d'y garder enfermés des détenus.

Vu de l'extérieur, l'institution paraissait complètement vide, mais elle savait désormais qu'il n'en était rien. Bien au contraire. Restrictions budgétaires et volonté de faire des économies obligeaient un très grand nombre de personnes à se partager cet espace. Aucun homme politique du canton n'était particulièrement disposé à financer un nouveau centre de détention, entreprise qui risquait de faire perdre des voix. On se contentait donc du centre existant.

Sentant le froid traverser ses vêtements, Erica se dirigea vers l'entrée. À l'intérieur, elle tendit sa carte d'identité au gardien qui l'examina mollement et hocha la tête, sans croiser son regard. Il se leva et elle le suivit dans le couloir, tout en pensant à sa matinée infernale. Ces derniers temps, c'était le même cirque tous les matins. Dire que les jumeaux avaient atteint l'âge du non serait bien en dessous de la vérité. Elle n'arrivait pas à se rappeler que Maja ait été aussi difficile à deux ans, ni à aucun autre âge d'ailleurs. Noel était particulièrement pénible. S'il avait toujours été plus turbulent que son frère, celui-ci lui emboîtait volontiers le pas. Quand Noel criait, Anton enchaînait. Ça tenait du miracle que Patrik et elle ne soient pas devenus sourds, vu le niveau de décibels à la maison.

Et ce supplice d'enfiler les vêtements d'hiver! Elle renifla discrètement l'une de ses aisselles. Elle sentait déjà la sueur. Après avoir lutté pour habiller les jumeaux et les conduire avec Maja au jardin d'enfants, elle n'avait pas eu le temps de se changer. Bon, d'un autre côté, elle ne se rendait pas non plus à un cocktail.

Les clés du trousseau du gardien cliquetèrent quand il ouvrit la salle des visites. Ça lui semblait bizarrement anachronique qu'ils utilisent encore des serrures à clés. Mais se procurer le code d'une serrure électronique était sans doute plus facile que de voler une clé, si bien qu'il ne fallait peut-être pas s'étonner de voir les vieilles solutions prendre le pas sur la modernité.

Laila était assise à l'unique table de la pièce, le visage tourné vers la fenêtre, de sorte que le soleil d'hiver l'éclairait et formait une auréole autour de ses cheveux blonds. Les barreaux aux fenêtres formaient des carrés de lumière sur le sol, où des grains de poussière en suspension trahissaient un ménage fait à la va-vite.

— Bonjour, dit Erica en s'asseyant.

Elle se demandait vraiment pourquoi Laila avait accepté de la rencontrer de nouveau. C'était la troisième fois qu'elles se voyaient, et pourtant Erica n'avait fait aucun progrès notable. Au début, Laila avait catégoriquement refusé de la recevoir, malgré les appels téléphoniques et les lettres suppliantes qu'Erica lui adressait à intervalles réguliers. Puis, quelques mois plus tôt, Laila avait soudain dit oui. Ses visites représentaient probablement une rupture bienvenue dans la vie monotone de l'établissement, et tant que Laila consentait à la recevoir, Erica viendrait. Il y avait longtemps qu'elle n'avait pas ressenti une telle envie de raconter une histoire et, sans l'aide de Laila, elle n'y arriverait pas.

— Bonjour Erica.

Laila la fixa de son étrange regard bleu ciel. En le découvrant pour la première fois, Erica avait pensé aux chiens de traîneau. Après sa visite, elle avait cherché le nom de cette race. Les huskys. Laila avait des yeux de husky sibérien.

— Pourquoi acceptes-tu de me rencontrer si tu ne veux pas parler de l'affaire ? demanda Erica de but en blanc.

Elle regretta aussitôt d'avoir employé un mot aussi formel. Pour Laila, ce qui s'était passé n'était pas une affaire. C'était une tragédie, un désastre qui la tourmentait encore chaque jour.

Laila haussa les épaules.

— Je ne reçois pas d'autres visites, répondit-elle, confirmant ainsi l'intuition d'Erica.

Erica sortit de son sac le dossier contenant les articles, les photos et les notes.

— Je n'ai pas encore abandonné, dit-elle en le tapotant.

— Je suppose que c'est le prix à payer pour un moment de compagnie, plaisanta Laila avec malice, dévoilant un sens de l'humour surprenant qu'Erica avait déjà entraperçu à quelques reprises.

Un simple petit sourire transformait tout son visage. Erica avait vu des photos d'elle datant d'avant le drame. Elle n'était pas belle, plutôt mignonne d'une façon originale et assez fascinante. Ses cheveux blonds étaient longs et brillants, sur la plupart des photos ils tombaient épars sur ses épaules. Aujourd'hui, ils étaient coupés très court, la même longueur sur toute la tête. Pas une véritable coiffure, juste une coupe à ras témoignant qu'il y avait longtemps que Laila ne se souciait plus de son apparence. Et pourquoi le ferait-elle ? Elle n'était pas sortie dans le monde réel depuis de nombreuses années. Pour qui s'apprêterait-elle ici ? Pour des visiteurs qui ne venaient jamais ? Pour les autres internés ? Pour les gardiens ?

— Tu as l'air fatigué aujourd'hui, remarqua Laila en examinant Erica de près. Le matin a été compliqué?

— Matinée compliquée, soirée de la veille compliquée, après-midi probablement tout aussi compliqué. Mais j'imagine que c'est toujours comme ça avec des enfants en bas âge…

Erica laissa échapper un gros soupir et essaya de se détendre. Elle sentait combien elle était crispée après la corrida de tout à l'heure.

— Peter était toujours si gentil, dit Laila, et un voile recouvrit ses yeux clairs. Je ne me souviens pas d'un seul jour de conflit.

— Il était assez silencieux, m'as-tu dit la dernière fois.

— Oui, au début on croyait même qu'il n'était pas normal. Il n'a pas prononcé un seul mot avant ses trois ans. Je voulais l'emmener chez un spécialiste, mais Vladek refusait.

Elle souffla par le nez et ses mains posées sur la table se serrèrent sans qu'elle semble s'en rendre compte.

— Que s'est-il passé quand il a eu trois ans?

— Un jour il s'est mis à parler, tout simplement. Des phrases entières. Beaucoup de vocabulaire. À part un petit cheveu sur la langue, c'était comme s'il avait toujours parlé. Comme si les années de mutisme n'avaient jamais existé.

— On ne vous a pas donné d'explication médicale?

— Non, c'était impossible. Vladek ne voulait demander d'aide à personne. Les gens extérieurs à la famille n'avaient pas à se mêler de nos affaires, disait-il toujours.

— Et toi, pourquoi crois-tu que Peter est resté muet aussi longtemps?

Laila tourna son visage vers la fenêtre et la lumière forma de nouveau une auréole autour de sa brosse blonde. L'éclat du jour révélait cruellement les sillons creusés par les années sur son visage. Comme une carte de toute la souffrance qu'elle avait endurée.

— Il comprenait sans doute qu'il valait mieux se rendre aussi invisible que possible. Se faire tout petit. Peter était un garçon sage.

— Et Louise? Elle a parlé tôt?

Erica retint sa respiration. Jusque-là, Laila avait fait comme si elle n'entendait pas les questions concernant sa fille.

Elle ne dérogea pas à la règle cette fois non plus.

— Tout petit, Peter adorait trier les objets. Il voulait que tout soit rangé. Il empilait des cubes, il faisait des tours parfaites, toutes droites, et ça le rendait toujours tellement triste quand…

Laila s'arrêta net.

Erica vit ses mâchoires se contracter, et par la seule force de sa pensée elle essaya de l'encourager à poursuivre, à laisser sortir ce qu'elle avait si soigneusement enfermé. Mais l'instant passa. Exactement comme lors de ses visites précédentes. Parfois c'était comme si Laila se tenait au bord d'un gouffre dans lequel, en vérité, elle avait envie de se précipiter. Comme si elle voulait se laisser tomber mais qu'une force mystérieuse la retenait, l'obligeant à retourner se réfugier parmi les ombres.

Ce n'était pas par hasard qu'Erica pensait à des ombres. Dès leur première rencontre, elle avait eu l'impression que Laila vivait dans un monde à part. Une existence qui courait parallèlement à la vie qu'elle aurait dû avoir, celle qui avait disparu dans des ténèbres sans fin ce jour-là, tant d'années auparavant.

— Tu ressens parfois que tu es sur le point de perdre patience avec les garçons ? Que tu es près de franchir la frontière invisible ?

Outre un intérêt sincère, on percevait un ton implorant dans la voix de Laila.

La question n'était pas facile. Tous les parents sentaient probablement à un moment ou à un autre qu'ils frôlaient la limite entre l'autorisé et l'interdit. Ils comptaient mentalement jusqu'à dix, la tête sur le point d'exploser en imaginant de quoi ils seraient capables pour mettre fin aux disputes et aux caprices. La différence était cependant grande entre ressentir et passer à l'acte. Erica secoua la tête.

— Je ne pourrais jamais leur faire de mal.

Tout d'abord, Laila ne répondit pas. Elle se contenta de fixer Erica de ses yeux bleus et brillants. Quand le gardien frappa à la porte pour annoncer que la visite était terminée, elle dit à mi-voix, les yeux toujours rivés sur Erica :

— C'est ce que tu crois.

Avec un frisson, Erica songea aux photographies dans le dossier.

D'un geste régulier, Tyra étrillait Fanta. Comme toujours, elle se sentait mieux à proximité des chevaux. En réalité, elle aurait préféré s'occuper de Scirocco, mais Molly ne laissait personne d'autre s'en charger. C'était tellement injuste. Elle obtenait toujours tout ce qu'elle voulait juste parce que le centre équestre appartenait à ses parents.

Pourtant, Tyra adorait Scirocco. Elle l'adorait depuis la première fois qu'elle l'avait vu. Il l'avait regardée comme s'il la comprenait. C'était une communication muette qu'elle n'avait jamais connue avec qui que ce soit d'autre, animal ou humain. D'ailleurs, avec qui cela aurait-il bien pu lui arriver? Sa mère? Lasse? Rien qu'en pensant à lui, elle se mit à brosser Fanta plus vigoureusement, et la grande jument blanche ne s'en plaignait pas. Au contraire, elle appréciait les coups d'étrille, elle s'ébrouait, abaissait et relevait la tête comme si elle la saluait. Un instant, Tyra eut l'impression qu'elle l'invitait à danser, et elle sourit et caressa son museau gris.

— Tu es un bon cheval, toi aussi, dit-elle, comme si l'animal avait pu lire dans ses pensées son affection pour Scirocco.

Puis elle ressentit une pointe de mauvaise conscience. Regardant sa main sur le museau de Fanta, elle comprit combien sa jalousie était mesquine.

— Victoria te manque, c'est ça, hein? chuchota-t-elle en appuyant sa tête contre l'encolure du cheval.

Victoria, qui avait été le responsable de Fanta. Victoria, qui était introuvable depuis plusieurs mois. Victoria, qui avait été – qui était – sa meilleure amie.

— Elle me manque à moi aussi, tu sais.

Tyra sentit la crinière soyeuse du cheval contre sa joue, sans que cela ne lui procure l'apaisement espéré.

Normalement elle aurait dû se trouver en cours de maths ce matin, mais elle n'avait pas eu la force de repousser sa tristesse et de faire bonne figure. Elle avait feint de partir prendre le car scolaire, puis elle s'était réfugiée dans l'écurie, le seul endroit où elle trouvait un peu de consolation. Les adultes ne comprenaient rien. Ils ne voyaient que leur propre inquiétude, leur propre chagrin.

Victoria était plus qu'une amie. Elle la considérait comme une sœur. Elles étaient devenues copines dès le premier jour au jardin d'enfants et étaient restées inséparables depuis. Il n'y avait rien qu'elles n'aient partagé. À moins que… Se pouvait-il qu'elle se trompe ? Tyra ne savait plus. Les derniers mois avant la disparition de Victoria, un changement s'était produit. Un mur s'était dressé entre elles. Tyra n'avait pas voulu insister. Elle s'était dit qu'en temps voulu Victoria lui dirait sûrement de quoi il retournait. Puis le temps était passé, et Victoria avait disparu.

— Je suis sûre qu'elle va revenir, dit-elle à Fanta, alors qu'au fond d'elle, elle en doutait.

Si personne ne le disait, tout le monde le savait. Quelque chose de grave était arrivé. Victoria n'était pas du genre à disparaître de son plein gré, si toutefois ce genre existait. Elle était heureuse de vivre, pas du tout téméraire. Elle préférait rester à la maison ou à l'écurie, ne venait jamais faire la fête à Strömstad le week-end. Et sa famille était en tout point l'inverse de celle de Tyra. Ils étaient tous adorables, le frère aîné de Victoria y compris. Il était toujours d'accord pour conduire sa sœur au centre équestre, même tôt le matin. Tyra se sentait à l'aise chez eux, parfaitement à sa place. Parfois elle avait souhaité que ce soit sa propre famille. Une famille normale et ordinaire.

Fanta la poussa doucement de la tête. Quelques larmes mouillèrent le museau de la jument, et Tyra s'essuya rapidement les yeux.

Soudain elle entendit du bruit à l'extérieur. Fanta aussi dressa les oreilles, les pointa vers l'avant et leva la tête si violemment qu'elle heurta le menton de Tyra. Le goût métallique du sang remplit sa bouche. Elle poussa un juron et, en appuyant fort la main contre ses lèvres, sortit pour voir ce qui se passait.

En ouvrant la porte de l'écurie, elle fut aveuglée par le soleil, mais ses yeux s'habituèrent rapidement à la lumière. Elle vit Valiant arriver dans la cour en plein galop, monté par Marta. Celle-ci retint l'étalon si brutalement qu'il faillit se cabrer. Elle cria quelque chose. Tout d'abord Tyra ne comprit pas ce qu'elle hurlait, puis les mots finirent par se frayer un chemin jusqu'à son cerveau :

— Victoria ! On a retrouvé Victoria !

Patrik Hedström était installé à son bureau au commissariat de Tanumshede, profitant du calme ambiant. Il était parti tôt le matin, laissant à Erica le soin d'habiller les jumeaux et de les emmener au jardin d'enfants, des rituels qui avaient pris l'allure de séances de torture depuis leur mutation. Après avoir été deux bébés adorables, ils ressemblaient maintenant à Damien dans le film *La Malédiction*. Comment deux êtres aussi petits pouvaient-ils se révéler aussi épuisants ? Le moment qu'il préférait désormais passer avec eux, c'était le soir quand il les regardait dormir, assis à leur chevet. Il pouvait alors s'abandonner à l'amour pur et sincère qu'il ressentait pour eux, sans être torturé par l'énorme frustration qu'il éprouvait quand ils hurlaient : "NOOON, VEUX PAS !"

C'était tellement plus simple avec Maja. Tellement simple que parfois il se sentait coupable de prêter trop d'attention à ses petits frères et pas assez à elle. Elle était si sage et si douée pour s'occuper toute seule qu'Erica et lui présumaient qu'elle était satisfaite. Malgré son jeune âge, elle semblait aussi posséder un don pour calmer ses frères pendant les crises les plus violentes. Mais ce n'était pas juste. Patrik décida que ce soir il consacrerait du temps à Maja, un instant privilégié rien qu'à eux deux, des câlins et une histoire pour dormir.

Au même instant, le téléphone sonna. Il répondit sur un ton absent, ayant toujours Maja en tête. Il fut cependant aussitôt tiré de ses rêveries et se redressa sur sa chaise.

— Qu'est-ce que tu dis ? D'accord, on arrive tout de suite.

Il enfila sa veste et se précipita dans le couloir en criant :

— Gösta ! Mellberg ! Martin !

— Eh ben quoi, y a le feu ? grogna Bertil Mellberg.

Une fois n'est pas coutume, il fut le premier à sortir de son bureau. Très vite, Martin Molin et Gösta Flygare le rejoignirent, ainsi qu'Annika, la secrétaire du commissariat, pourtant installée à l'accueil, assez loin du bureau de Patrik.

— Ils ont retrouvé Victoria Hallberg. Elle a été renversée par une voiture à l'entrée est de Fjällbacka, une ambulance l'emmène à l'hôpital d'Uddevalla. Gösta, toi et moi, on y va.

— Oh putain, dit Gösta.

Il courut à son bureau enfiler une veste, lui aussi. Personne n'aurait pris le risque de sortir sans vêtements chauds cet hiver, quelle que soit l'urgence de la situation.

— Martin, toi et Bertil, vous irez sur le lieu de l'accident, vous interrogerez le conducteur, poursuivit Patrik. Appelle la brigade technique aussi et demande-leur de vous rejoindre.

— C'est toi qui donnes des ordres maintenant? marmonna Mellberg. Mais bon, tu as raison, en tant que chef de ce commissariat, c'est évidemment à moi d'aller sur le lieu de l'accident. Chacun son métier, et les vaches seront bien gardées.

Patrik soupira mentalement, sans faire de commentaires. Avec Gösta sur les talons, il se rua vers une des deux voitures de service, s'y engouffra et démarra le moteur.

Saleté de verglas, se dit-il quand la voiture dérapa dans le premier virage. Il n'osait pas conduire aussi vite qu'il aurait souhaité. La neige tombait de nouveau et il ne voulait pas risquer une sortie de route. Il frappa le volant avec impatience. On n'était qu'en janvier et vu les longs hivers suédois, cette calamité pouvait durer encore deux bons mois.

— Vas-y doucement, dit Gösta en s'agrippant à la poignée de maintien. Qu'est-ce qu'ils ont dit au téléphone?

La voiture patina de nouveau sur la chaussée et Gösta inspira profondément.

— Pas grand-chose. Seulement qu'il y a eu un accident et que la victime est Victoria. Apparemment un témoin sur place l'a reconnue. Elle semble mal en point, malheureusement, et elle a d'autres lésions qui ne seraient pas dues à l'accident.

— Quels types de lésions?

— Je ne sais pas, on verra sur place.

À peine une heure plus tard ils arrivèrent à l'hôpital d'Uddevalla et se garèrent devant l'entrée. À toutes jambes, ils se rendirent au service des urgences et trouvèrent rapidement un médecin qui, d'après le badge épinglé sur sa poitrine, s'appelait Strandberg.

— Ah, vous voilà, tant mieux. La jeune fille entre en salle d'opération, mais nous ne sommes pas sûrs de pouvoir la sauver. Nous avons appris par vos services qu'elle avait disparu. Les circonstances sont tellement particulières que nous préférons que ce soit la police qui avertisse la famille. Je suppose que vous avez déjà été en contact avec eux, peut-être régulièrement même?

— Je vais les appeler, dit Gösta.

— Avez-vous des informations sur ce qui s'est passé? demanda Patrik.

— Rien, à part qu'elle a été renversée par une voiture. Elle a d'importantes hémorragies internes, et une blessure à la tête dont nous ne connaissons pas encore la gravité. Nous la maintiendrons sous anesthésie après l'opération, pour limiter les lésions au cerveau. Si elle survit, je veux dire.

— On a cru comprendre qu'elle avait des blessures antérieures à l'accident.

— Oui... dit Strandberg à contrecœur. Nous n'avons pas encore déterminé lesquelles proviennent de l'accident et lesquelles sont plus anciennes. Euh... – Le médecin se concentra et sembla chercher ses mots. – Les deux yeux ont disparu. La langue aussi.

— Disparu?

Incrédule, Patrik le fixa et perçut le regard tout aussi ahuri de Gösta.

— Oui, sa langue a été coupée et les yeux ont d'une façon ou d'une autre été... retirés.

Gösta plaqua sa main sur la bouche. Sa peau avait pris une teinte légèrement verdâtre.

Patrik ravala sa salive. Un instant il se demanda s'il était en plein cauchemar et s'il allait se réveiller avant de se retourner dans son lit et de se rendormir. Mais non, c'était bien la réalité. Une réalité nauséabonde.

— L'opération durera combien de temps, d'après vous?

Strandberg secoua la tête.

— Difficile à dire. Les hémorragies internes sont massives. Deux, trois heures. Au moins. Je vais vous montrer où vous pouvez attendre.

Il les accompagna jusqu'à une vaste salle d'attente.

— Bon, je vais prévenir la famille alors, déclara Gösta, et il s'éloigna un peu pour téléphoner.

Patrik ne lui enviait pas sa mission. La joie et le soulagement que ressentiraient les parents de Victoria d'apprendre qu'elle avait été retrouvée seraient aussitôt remplacés par le même désespoir, la même angoisse qu'ils avaient connus ces quatre derniers mois.

Des images des mutilations de Victoria fusaient dans sa tête quand il prit place sur une des chaises. Ses pensées furent cependant interrompues par une infirmière stressée qui pointa la tête et appela Strandberg. Le médecin sortit tellement vite de la salle d'attente que Patrik eut du mal à comprendre ce qu'elle disait. Dans le couloir, il entendit Gösta parler au téléphone, dire à la famille de Victoria qu'elle avait été retrouvée. Restait à savoir ce qu'on allait leur annoncer à leur arrivée à l'hôpital.

Ricky contempla le visage tendu de sa mère pendant qu'elle téléphonait. Il essaya de décrypter chaque changement d'expression, de comprendre chaque parole. Son cœur battait fort dans sa poitrine et il avait du mal à respirer. Son père était assis à côté de lui, Ricky devina que son cœur battait tout aussi vite. C'était comme si le temps s'était figé, comme s'il avait été stoppé net. Tous leurs sens se trouvaient étrangement aiguisés. Il percevait les autres bruits de la pièce dans leur moindre détail, tout en focalisant son attention sur la conversation téléphonique. Il sentait nettement la nappe en toile cirée sous ses mains crispées, le cheveu qui grattait sous son col, le lino sous ses pieds.

La police avait retrouvé Victoria. C'est la première chose qu'ils comprirent. Sa mère s'était jetée sur le téléphone en reconnaissant le numéro, et Ricky et son père avaient cessé leur mastication morose au moment où elle répondait par un : "Que s'est-il passé?"

Pas de "bonjour", pas de formule de politesse, elle n'avait même pas dit son nom en répondant, comme elle le faisait d'habitude. Ces derniers temps, tous les usages – la courtoisie, les règles sociales, ce qu'il fallait faire, ce qui convenait – s'étaient transformés en futilités appartenant à la vie d'avant la disparition de Victoria.

Les voisins, les amis avaient défilé en un flot ininterrompu, apportant de la nourriture et des paroles maladroites de consolation. Ça n'avait pas duré très longtemps. Leurs questions avaient fini par incommoder ses parents – la sollicitude, l'inquiétude, la compassion qu'ils lisaient dans les yeux de tous. Ou le soulagement, toujours ce même soulagement de ne pas être à leur place. De savoir leurs propres enfants en sécurité à la maison.

— On arrive.

Sa mère raccrocha et posa lentement le portable sur le plan de travail vieillot en inox. Pendant des années, elle avait mis la pression sur leur père pour qu'ils le remplacent, elle voulait un plan de travail moderne, mais il marmonnait toujours qu'il n'y avait aucune raison de jeter ce qui est fonctionnel et en bon état. Elle n'avait pas insisté. Elle se contentait d'évoquer le sujet de temps en temps, dans l'espoir que son mari change soudain d'avis.

Ricky ne pensait pas que sa mère se préoccupe encore du plan de travail. C'était étrange comme, du jour au lendemain, plus rien n'avait vraiment d'importance. La seule chose qui comptait, c'était de retrouver Victoria.

— Qu'est-ce qu'ils ont dit ?

Son père s'était levé, tandis que Ricky restait assis, les yeux rivés sur ses poings fermés. Le visage de sa mère révélait qu'ils n'allaient pas aimer ce qu'elle avait à dire.

— Ils l'ont trouvée. Elle est grièvement blessée, ils l'ont emmenée à l'hôpital d'Uddevalla. Gösta a dit qu'on ferait mieux de venir tout de suite. C'est tout ce que je sais.

Elle fondit en larmes, s'effondra comme si ses jambes ne la portaient plus. Son père eut juste le temps de l'attraper avant qu'elle tombe. Il lui caressa doucement les cheveux en murmurant des "allons, allons", les larmes ruisselant sur ses joues aussi.

— Il faut qu'on parte maintenant, ma chérie. Mets ta veste, on va y aller. Ricky, aide maman. Moi, je vais démarrer la voiture.

Ricky hocha la tête et s'approcha de sa mère. Prenant son bras, il le passa doucement autour de ses propres épaules et la guida dans le vestibule. Il lui tendit sa doudoune rouge et l'aida à la mettre comme on aide un enfant. Un bras, puis l'autre, avant de remonter la fermeture éclair.

— Voilà, dit-il en posant ses bottes devant elle, puis il s'accroupit et les lui enfila.

Il s'habilla rapidement lui-même et ouvrit la porte d'entrée. Son père avait réussi à démarrer la voiture. Ricky le vit racler les vitres pour enlever le givre qui volait comme un nuage autour de lui, se mélangeant à la vapeur de son souffle.

— Putain d'hiver! cria-t-il, et il se mit à gratter tellement fort qu'il devait sûrement rayer le pare-brise. Putain de saloperie d'hiver à la con!

— Monte dans la voiture, papa. Je vais le faire.

Ricky lui prit la raclette des mains, après avoir installé sa mère sur le siège arrière. Son père lui obéit sans résister. Ils avaient toujours laissé le père croire qu'il était celui qui décidait dans la famille. Tous les trois – sa mère, Victoria et lui-même – ils avaient un accord tacite : faire comme si Markus menait réellement la barque, alors que tout le monde savait qu'il était trop gentil pour commander qui que ce soit. Du coup, c'était Helena qui veillait subtilement à ce que les choses se fassent à sa façon. Après la disparition de Victoria, sa détermination s'était dégonflée comme une baudruche, au point que Ricky se demandait si elle avait jamais existé. Sa mère avait peut-être toujours été cette femme découragée, affaissée à l'arrière de la voiture, le regard perdu dans le vide. Aujourd'hui, pour la première fois depuis longtemps, il apercevait néanmoins autre chose dans ses yeux, un éclat d'impatience mêlée de panique, allumé par l'appel de la police.

Ricky prit le volant et se plongea dans ses réflexions. Il constata, étonné, que les vides laissés dans une famille se comblaient naturellement. De son propre chef, il s'était avancé pour prendre la place de sa mère. Comme s'il avait en lui une force qu'il avait toujours ignorée.

Victoria lui avait souvent dit qu'il était comme Ferdinand le taureau. Paresseux, bête et brave en façade mais, en cas de besoin, capable de s'opposer à n'importe qui. Il feignait toujours de la frapper pour son "paresseux, bête et brave", alors que, secrètement, il aimait la façon dont sa sœur le décrivait. Il voulait bien être Ferdinand le taureau. Seulement, il n'avait plus l'esprit assez apaisé pour se contenter de respirer le parfum des fleurs. Ça, il ne pourrait le faire que quand Victoria serait de retour.

Ses larmes commencèrent à couler et il les essuya avec la manche de son blouson. Il ne s'était pas autorisé à imaginer qu'elle ne reviendrait pas. S'il l'avait fait, sa vie entière se serait écroulée.

Maintenant, on avait retrouvé Victoria. Ils ne savaient cependant pas encore ce qui les attendait à l'hôpital. Et il avait le pressentiment qu'il serait sans doute préférable de rester dans l'ignorance.

Helga Persson regarda par la fenêtre de la cuisine. La cour avait retrouvé son calme après l'arrivée tout à l'heure de Marta sur son cheval au galop. Elle vivait ici depuis un bon bout de temps, le cadre lui était familier, même s'il avait été transformé au fil des ans. La vieille grange était toujours là, alors que l'étable des vaches avait été démolie. C'est Helga qui s'était occupée des vaches. Sur son emplacement se dressait désormais l'écurie que Jonas et Marta avaient fait construire pour leur centre équestre.

Elle était heureuse que son fils ait choisi de s'établir si près d'elle, qu'ils soient voisins. Leurs maisons étaient situées à une centaine de mètres seulement l'une de l'autre. Il avait aussi installé son cabinet vétérinaire à domicile, ce qui lui permettait de faire fréquemment un saut chez elle. Chacune de ses visites meublait son quotidien, l'égayait, et Dieu sait qu'elle en avait besoin.

— Helga! Heeeelgaaa!

La voix d'Einar remplit chaque recoin de la maison et l'encercla de toutes parts. Debout devant l'évier, elle ferma les yeux et serra les mâchoires. Mais il n'y avait plus en elle la moindre volonté de fuir. Ça faisait bien des années qu'il la lui avait ôtée à force de coups. Bien qu'à présent il soit sans défense et dépendant d'elle, elle était incapable de partir. Elle n'y songeait même pas. Partir pour aller où?

— HEELGAAA!

Seule la voix d'Einar avait conservé sa puissance d'antan. Si les maladies et l'amputation des deux jambes – conséquence de son attitude négligente face au diabète – l'avaient privé de sa force physique, cette voix demeurait toujours aussi exigeante.

Elle soumettait Helga aussi efficacement que l'avaient fait ses poings autrefois. Le souvenir des coups, des douleurs causées par une côte cassée, des meurtrissures à répétition restait tellement vivace que le seul son de sa voix ravivait la peur et la crainte de ne pas survivre la prochaine fois.

Elle se redressa, inspira profondément et lança :

— J'arrive!

D'un pas vif, elle monta l'escalier. Certes, Einar n'aimait pas attendre, ne l'avait jamais supporté, mais elle ne comprenait pas ce qui pouvait être aussi urgent. Il passait ses journées à se plaindre de tout et de rien, du temps qu'il faisait jusqu'à la manière dont le gouvernement dirigeait le pays.

— Il y a une fuite, annonça-t-il à son arrivée.

Elle ne répondit pas, se contentant de remonter les manches de son chemisier et de s'approcher de lui afin de constater l'étendue des dégâts. Elle savait qu'il en tirait du plaisir. Il ne la maintenait plus prisonnière par la violence, mais en revendiquant des soins qui auraient dû être réservés aux enfants qu'elle n'avait pas eus, ceux qu'elle avait perdus par sa faute. Un seul avait survécu. Parfois elle se disait qu'il aurait peut-être mieux valu que cet enfant aussi se fût échappé d'entre ses jambes dans un flot de sang. Mais que serait-elle devenue sans lui? Jonas était toute sa vie.

Einar avait raison. La poche de stomie avait fui. Et pas qu'un peu. La moitié de sa chemise était mouillée et souillée.

— Pourquoi tu n'es pas venue tout de suite? Tu n'as pas entendu que je t'appelais? Qu'est-ce que tu peux bien avoir de si important à faire?

Il la fixa de ses yeux larmoyants.

— J'étais aux toilettes. Je suis venue aussi vite que j'ai pu.

Elle déboutonna sa chemise, tira doucement sur les manches pour l'enlever sans salir davantage son corps.

— J'ai froid.

— Je vais te donner une autre chemise. Il faut d'abord que je te nettoie, dit-elle avec toute la patience qu'elle était capable de mobiliser.

— Je vais attraper une pneumonie.

— Ça sera vite fait. Tu n'auras pas le temps de t'enrhumer.

— Ah bon, parce que tu as une formation médicale maintenant ? Tu en sais plus que les docteurs, peut-être ?

Elle garda le silence. Il cherchait seulement à la déstabiliser. Sa plus grande satisfaction, c'était de la voir pleurer et le supplier de cesser. Dans ces cas-là, une calme jouissance faisait briller ses yeux. Mais elle n'avait pas l'intention de lui accorder ce plaisir. En général, désormais, elle parvenait à l'éviter. La source de ses larmes avait probablement tari au fil des ans.

Helga alla remplir d'eau la bassine dans la salle de bains jouxtant la chambre. La marche à suivre était inscrite dans son ADN : remplir la bassine d'eau savonneuse, mouiller le gant de toilette, essuyer le corps souillé d'Einar, lui mettre une chemise propre. Elle avait évoqué le sujet avec le médecin. Il lui avait répondu que les poches ne pouvaient pas fuir aussi souvent, c'était impossible. Or, les poches continuaient de fuir. Et elle continuait de nettoyer.

Einar tressaillit quand le gant frôla son ventre.

— C'est glacé !

— Je vais y ajouter de l'eau chaude.

Helga se leva, retourna dans la salle de bains, mit la bassine sous le robinet et fit couler l'eau chaude. Puis elle revint.

— Aïe ! C'est brûlant ! Tu essaies de m'ébouillanter, espèce de garce ?

Le hurlement d'Einar la fit sursauter. Elle ne dit rien, se contentant de saisir la bassine encore une fois et d'aller y ajouter de l'eau froide. Elle vérifia soigneusement que l'eau soit un peu plus chaude que la température corporelle, puis retourna dans la chambre. Cette fois, il ne dit rien quand le gant toucha sa peau.

— Quand est-ce qu'il vient, Jonas ? demanda-t-il pendant qu'elle rinçait le gant dans l'eau qui prit une teinte brun clair.

— Je ne sais pas. Il travaille. Il est chez les Andersson. Ils ont une vache qui va vêler, le veau se présente mal.

— Fais-le monter quand il arrive, dit Einar, et il ferma les yeux.

— Oui, répondit Helga à voix basse en essorant de nouveau le gant.

Gösta les vit arriver dans le couloir de l'hôpital, courant presque, et il dut combattre l'instinct de fuir dans la direction opposée. L'annonce qu'il s'apprêtait à leur faire se lisait sur son visage, il le savait. Il savait aussi ce qui se passerait ensuite et il eut raison. Dès que Helena croisa son regard, elle tâtonna à la recherche du bras de Markus avant de s'effondrer. Ses cris résonnèrent dans le couloir, interrompant tous les autres bruits.

Ricky resta comme pétrifié. Le visage blanc, il s'était arrêté derrière sa mère, tandis que Markus continuait machinalement d'avancer. Gösta déglutit avant d'aller à leur rencontre. Markus le dépassa, comme aveugle, comme s'il n'avait pas compris, comme s'il n'avait pas lu le même message que sa femme sur le visage de Gösta. Il continua d'avancer dans le couloir, sans but apparent.

Gösta ne l'arrêta pas. S'approchant de Helena, il la releva doucement et la prit dans ses bras. Ce n'était pas un geste auquel il était habitué. De toute son existence, il n'avait admis que deux personnes dans son intimité : sa femme, et la petite fille qui était restée avec eux durant une courte période et qui, grâce aux voies insondables du destin, était réapparue dans sa vie. Cela ne lui était donc pas tout à fait naturel d'étreindre une femme qu'il connaissait si peu. Mais depuis la disparition de Victoria, Helena l'avait appelé tous les jours, tantôt pleine d'espoir, tantôt résignée, furieuse et triste, pour demander des nouvelles de son enfant. Il n'avait jamais pu lui apporter autre chose que davantage d'inquiétude et de points d'interrogation. Et cette fois, il était celui qui mettait fin à tous ses espoirs. L'entourer de ses bras et la laisser pleurer contre sa poitrine était le moins qu'il puisse faire.

Gösta croisa les yeux de Ricky au-dessus de la tête de Helena. C'était un garçon remarquable. Il était la colonne vertébrale qui avait maintenu debout la famille de Victoria au cours de ces derniers mois. Se tenant là devant Gösta, visage blafard et expression hagarde, il avait retrouvé son air d'adolescent. Un adolescent qui venait de perdre pour toujours la candeur qui n'est donnée qu'aux enfants, la certitude que tout finit par s'arranger.

— On peut la voir ? demanda Ricky, la voix épaisse.

Gösta sentit Helena se figer. Elle se dégagea, essuya sa morve et ses larmes avec la manche de son manteau et le supplia des yeux.

Gösta fut incapable de soutenir ce regard. Comment allait-il leur expliquer qu'ils ne voulaient vraiment pas voir Victoria ? Et pourquoi.

Son cabinet de travail était encombré de papiers. Des notes mises au propre, des Post-it, des articles, des copies de photos. Un chaos total, dans lequel elle se sentait bien. Quand elle démarrait un nouveau livre, Erica tenait à s'entourer de toute la documentation dont elle disposait, de toutes les réflexions que lui inspirait l'affaire.

Mais cette fois, elle avait peut-être vu trop grand. Elle avait rassemblé un matériau énorme, une masse de données qui cependant provenaient uniquement de sources de deuxième main. Quelle que soit la qualité de ses livres, quel que soit le brio avec lequel elle relatait un cas d'homicide et répondait aux questions soulevées, tout dépendait toujours des informations, qui devaient impérativement être de première main. Jusqu'ici elle y était toujours parvenue. Parfois, les personnes concernées étaient faciles à convaincre. Certaines pouvaient même se montrer excessivement volubiles, brûlant d'envie de figurer dans les médias et de connaître leur quart d'heure de célébrité. D'autres fois, il fallait du temps. Elle devait user de diplomatie et expliquer en détail ce qui la motivait à ressortir un vieux dossier criminel, et la manière dont elle voulait raconter leur histoire. Pour finir, elle réussissait toujours. Jusqu'à maintenant, en tout cas. Avec Laila, c'était l'impasse. Lors de ses visites, elle avait tout tenté pour lui faire enfin raconter ce qui était arrivé. En vain. Laila parlait volontiers, mais pas de ça.

Frustrée, Erica posa les pieds sur son bureau et laissa divaguer ses pensées. Elle devrait peut-être appeler Anna. Sa petite sœur lui soufflait souvent de bonnes idées et de nouveaux angles d'attaque. Mais Anna n'était plus elle-même. Elle avait traversé tant d'horreurs ces dernières années, comme s'il n'y aurait jamais de fin à ses misères. Sa sœur avait beau être responsable d'une partie de ses propres malheurs, Erica était incapable de la juger. Elle comprenait la raison de tout ce qui était arrivé. La question était de savoir si Dan la comprendrait un jour, et lui pardonnerait. Erica en doutait. Elle connaissait Dan depuis toujours, ils avaient même été en couple dans leur jeunesse, et elle savait à quel point il pouvait se montrer buté. L'obstination et la fierté, qui figuraient parmi ses premières qualités, le pénalisaient plutôt dans les circonstances actuelles. Résultat : tout le monde, Anna, Dan, les enfants, et même Erica, était malheureux. Elle aurait tellement voulu que sa sœur connaisse enfin un peu de joie après l'enfer qu'elle avait vécu avec Lucas, le père de ses enfants.

C'était injuste que leurs vies aient pris des tours si différents. Erica était heureuse avec Patrik, leur mariage était solide et plein d'amour, elle avait trois enfants en bonne santé et une carrière d'écrivain qui décollait. Pour Anna, en revanche, les drames s'étaient succédé, et aujourd'hui, Erica ne savait plus comment l'aider. Cela avait toujours été son rôle : celle qui protège, celle qui soutient, celle qui prend soin. Anna avait été une personne gaie et épanouie qui croquait la vie à pleines dents. Mais le destin s'était chargé d'effacer cette femme-là, dont il ne restait plus qu'une coquille terne et égarée. L'ancienne Anna manquait à Erica.

Je l'appellerai ce soir, songea-t-elle, avant de saisir une chemise où elle avait réuni des articles de journaux qu'elle se mit à lire. Il régnait un silence merveilleux dans la maison. C'était tellement agréable d'avoir un métier lui permettant de travailler chez elle. Elle n'avait jamais ressenti le besoin d'avoir des collègues ou un bureau en ville. Elle aimait beaucoup trop sa propre compagnie.

Bizarrement, elle aurait voulu qu'il soit déjà l'heure d'aller chercher les jumeaux et Maja. Comment pouvaient cohabiter des sentiments aussi contradictoires face au quotidien familial ? Ce va-et-vient incessant entre l'euphorie et la contrariété l'épuisait. Elle pouvait serrer fort les poings dans ses poches pour ne pas exploser, et l'instant d'après inonder ses enfants de bisous jusqu'à ce qu'ils demandent grâce. Elle savait que Patrik ressentait la même chose.

Penser à Patrik et aux enfants la ramena tout naturellement à l'entretien qu'elle avait eu avec Laila. C'était tellement inconcevable. Comment pouvait-on franchir la frontière invisible et pourtant si nette entre le permis et l'interdit? N'était-ce pas ça, l'essence même de la nature humaine : la capacité de freiner ses instincts les plus primitifs et de ne faire que ce qui est bon et moralement acceptable? La capacité de respecter les lois et les codes qui régissent la société des hommes et lui permettent de fonctionner?

Erica parcourut divers articles pendant une petite heure. C'était vrai, ce qu'elle avait dit tout à l'heure à Laila. Jamais elle ne pourrait faire de mal à ses enfants. Même pendant ses phases les plus noires, quand elle avait sombré dans la dépression après la naissance de Maja, au milieu du chaos de l'arrivée des jumeaux, pendant les nuits blanches ou les crises de colère qui parfois semblaient durer des heures, même quand les enfants répétaient "Non!" chaque fois qu'ils ouvraient la bouche, elle n'avait jamais songé à leur faire du mal. Pourtant, ses notes, le paquet de documents sur ses genoux, les photos sur son bureau constituaient la preuve que cette frontière pouvait être transgressée.

Elle savait que les habitants de Fjällbacka appelaient la maison qui apparaissait sur ces photos la "Maison de l'horreur". Le qualificatif n'était pas particulièrement original mais approprié. Personne n'avait voulu l'acheter après la tragédie, et elle s'était lentement délabrée. Erica observa une photo de l'époque. Rien ne révélait ce qui s'y était passé. Blanche aux huisseries grises, un peu isolée en haut d'une colline et entourée de rares arbres, elle semblait tout à fait normale. Erica se demanda quel aspect elle pouvait bien avoir aujourd'hui.

Puis elle se redressa et posa la photographie sur la table. Pourquoi ne l'avait-elle jamais visitée? En général, elle cherchait toujours à voir les lieux de crime. Elle avait procédé ainsi pour tous ses livres sauf celui-ci. Quelque chose l'avait retenue. Ça n'avait même pas été une décision consciente de sa part – elle ne l'avait pas fait, simplement.

Ça attendrait le lendemain. Il était l'heure d'aller chercher les petits monstres. Son ventre se noua dans un mélange d'envie et de fatigue.

La vache luttait vaillamment. Jonas était trempé de sueur après avoir tenté pendant plusieurs heures de tourner le veau dans le bon sens. Récalcitrante, la grande laitière ne comprenait pas qu'il cherchait à l'aider.

— Bella est notre meilleure vache, dit Britt Andersson.

Avec Otto, son mari, elle gérait la ferme située à quelques kilomètres de la propriété de Marta et Jonas. L'exploitation n'était pas grande mais dynamique, les vaches représentant la première source de revenus. Britt était une femme énergique. À ce que lui rapportait le lait qu'elle vendait à la laiterie coopérative, elle ajoutait les gains d'une petite boutique rurale où elle commercialisait ses propres fromages. Elle semblait inquiète en regardant sa vache.

— Oui, c'est une bonne bête, notre Bella, dit Otto.

Il se gratta la nuque d'un air soucieux. C'était le quatrième vêlage de Bella et les trois autres s'étaient bien passés. Mais ce veau se présentait dans une mauvaise posture et refusait catégoriquement de sortir. Bella s'épuisait de plus en plus.

S'il renonçait maintenant, la vache et le veau mourraient tous les deux. Jonas essuya la sueur de son front et se prépara à une nouvelle tentative pour remettre le veau dans la bonne position. Il passa une main rassurante sur le pelage soyeux de Bella. Sa respiration était courte et saccadée et ses yeux exorbités.

— Allez, ma belle, on va essayer de le sortir maintenant, ton veau.

Il enfila de nouveau les longs gants en plastique. Lentement, avec détermination, il introduisit sa main dans l'étroit conduit jusqu'à ce qu'elle atteigne le veau. Il fallait qu'il attrape une des pattes du petit animal pour le retourner, fermement mais avec douceur afin de ne rien casser.

— Je tiens un des sabots, dit-il, et du coin de l'œil il vit Britt et Otto s'étirer pour mieux voir. Tout doux maintenant, ma vieille, ça va aller.

En parlant d'une voix basse et agréable, il commença à tirer sur la patte. Aucun résultat. Il exerça une traction un peu plus forte, mais en vain.

— Comment ça se passe, il bouge?

Otto se grattait tellement fort les cheveux que Jonas se dit qu'il allait finir tout déplumé.

— Pas encore, répondit-il entre ses dents.

La sueur coulait et il était obligé de cligner sans cesse pour essayer d'éloigner un cheveu de sa frange blonde qui s'était pris dans ses cils. Il ne pensait cependant qu'à une seule chose : extraire le veau. La respiration de Bella se fit de plus en plus superficielle et elle posa la tête sur la paille, comme prête à abandonner.

— J'ai peur de casser quelque chose, ajouta-t-il.

Il mobilisa toutes ses forces, tira encore un peu plus, retint son souffle et pria pour ne pas entendre le bruit d'une fracture. Et soudain, il sentit le veau se dégager de la position où il était coincé. Encore quelques efforts, et le petit animal atterrit sur le sol, secoué et poisseux, mais vivant. Britt se précipita vers lui et se mit à le frotter avec de la paille. D'une main ferme et pleine d'amour, elle l'essuya et le massa, et ils le virent s'animer peu à peu.

Bella gisait immobile sur le flanc. Son veau était né, cette vie qui avait grandi en elle pendant près de neuf mois, mais elle ne montra aucune réaction. Jonas la contourna et s'accroupit près de sa tête.

— Ça y est, c'est fini. Tu as été courageuse, ma belle.

Il frotta son doux pelage noir et continua à lui parler, comme il l'avait fait pendant tout le vêlage. Elle ne réagit pas. Puis elle finit par lever péniblement la tête et regarder en direction de son veau.

— Tu as eu une jolie petite fille. Regarde, Bella, dit Jonas en continuant à la flatter.

Il sentit son pouls se calmer. Le veau était tiré d'affaire, et Bella s'en tirerait probablement aussi. Il se releva, parvint enfin à éloigner le cheveu de ses cils et hocha la tête en direction de Britt et Otto.

— Ça me semble un très joli petit veau, celui-là.

— Merci, Jonas, dit Britt, et elle vint le serrer contre elle.

Un peu mal à l'aise, Otto tendit sa grosse pogne.

— Merci, t'as vraiment été à la hauteur, dit-il en secouant vigoureusement la main de Jonas.

— Je n'ai fait que mon boulot.

Il afficha un grand sourire. C'était toujours satisfaisant quand les choses finissaient bien. Il n'aimait pas les situations insolubles, que ce soit dans son travail ou dans la sphère privée.

Content que l'épisode se soit si bien terminé, il sortit son portable de sa poche et fixa l'écran quelques secondes. Puis il se précipita vers sa voiture.

FJÄLLBACKA, 1964

Les bruits, les odeurs, les couleurs. Tout était époustouflant et respirait l'aventure. Laila tenait sa sœur par la main. Elles étaient trop grandes pour ça, mais Agneta et elle cherchaient souvent la main de l'autre quand un événement particulier se produisait. Et un cirque à Fjällbacka, ça sortait vraiment de l'ordinaire.

De leur vie, elles avaient à peine quitté le petit port de pêche. Deux excursions d'une journée à Göteborg, voilà les plus longs voyages qu'elles aient jamais faits, et ce cirque leur apportait des promesses du vaste monde.

— C'est quoi, cette langue qu'ils parlent ?

Agneta chuchotait, alors que dans le brouhaha ambiant personne n'aurait pu les entendre, même si elles avaient hurlé.

— Tante Edla dit que c'est un cirque polonais, répondit Laila à mi-voix elle aussi, en serrant la main humide de sa sœur.

L'été s'était déroulé en une suite infinie de journées ensoleillées, mais celle-ci était probablement la plus chaude de toutes. La propriétaire de la mercerie où Laila travaillait avait daigné lui accorder son après-midi. Elle se réjouissait de chaque minute qu'elle n'était pas obligée de passer dans la petite boutique étouffante.

— Regarde, un éléphant !

Tout excitée, Agneta montra l'énorme animal gris qui les dépassait d'un pas tranquille, mené par un homme d'une trentaine d'années. Elles s'arrêtèrent pour admirer le pachyderme, d'une beauté impressionnante. Sa présence était terriblement incongrue dans ce pré des environs de Fjällbacka où le cirque avait établi son campement.

— Allez, on va voir les autres animaux. J'ai entendu dire qu'ils ont aussi des lions et des zèbres.

Agneta l'entraîna et Laila la suivit, hors d'haleine. Elle sentait la transpiration perler dans son dos et tacher sa fine robe d'été fleurie.

Elles couraient entre les différentes roulottes-cages installées autour du chapiteau qu'on était en train de dresser. Des hommes costauds en débardeur blanc travaillaient dur afin que tout soit prêt pour le lendemain lorsque le Cirkus Gigantus donnerait sa première représentation. Ils étaient nombreux à venir visiter l'installation dès aujourd'hui, incapables d'attendre le spectacle. Ils ouvraient de grands yeux face à ces nouveautés si étrangères à leur univers. Mis à part les deux ou trois mois d'été où les estivants s'installaient avec leurs mœurs de citadins, le quotidien à Fjällbacka était assez uniforme. Les jours se succédaient sans qu'il ne se passe rien de particulier, si bien que la nouvelle de la venue d'un cirque s'était répandue comme un feu de prairie.

Agneta l'entraînait toujours, vers une cage où une tête rayée pointait entre deux barreaux.

— Oh, regarde comme il est beau !

Laila ne put qu'acquiescer. Le zèbre était incroyablement mignon, avec ses grands yeux et ses longs cils, et elle fut obligée de se retenir de tendre la main pour le caresser. Elle présuma qu'on n'avait pas le droit de toucher les animaux, mais c'était difficile de résister.

— *Don't touch !*

Une voix derrière elles les fit sursauter.

Laila se retourna. Jamais elle n'avait vu un tel homme. Grand et musclé, il se dressait devant elle. Il avait le soleil dans le dos, de sorte qu'elle dut mettre sa main en visière pour le voir. Quand elle croisa son regard, un courant électrique lui parcourut tout le corps. C'était une sensation qu'elle n'avait jamais connue ni imaginée auparavant. Elle se sentit confuse et prise de vertige, et sa peau devint brûlante. C'était sans doute la canicule.

— *No… we… no touch.*

Elle essaya de trouver les mots corrects. Même si elle avait étudié l'anglais à l'école et retenu pas mal de vocabulaire dans les films américains qu'elle avait vus, elle n'avait jamais eu l'occasion de pratiquer cette langue.

— *My name is Vladek.*

L'homme tendit une pogne calleuse qu'elle saisit après quelques secondes d'hésitation. Elle vit sa main disparaître dans la sienne.

— *Laila. My name is Laila.*

Elle transpirait à grosses gouttes maintenant.

Il secoua sa main et répéta son prénom, et dans sa bouche, celui-ci sonna étranger, différent. Oui, dans sa bouche il sembla presque exotique, plus du tout un prénom ordinaire et sans intérêt.

Elle chercha fébrilement les mots dans sa mémoire et prit son élan :

— *This… this is my sister.*

Elle montra Agneta, et l'homme de grande taille la salua également. Laila eut un peu honte de son anglais bancal, mais sa curiosité l'emporta sur sa timidité.

— *What… what do you do? Here? In the circus?*

Il s'illumina.

— *Come, I show you.*

Il leur fit signe de le suivre puis partit sans attendre de réponse. Elles trottinaient derrière lui et Laila sentit son sang circuler à toute vitesse dans ses veines. Il passa devant les caravanes et le chapiteau qu'on montait, en direction d'une roulotte installée un peu à l'écart. C'était plutôt une cage, avec des barreaux de fer à la place des parois. Derrière les barreaux, deux lions allaient et venaient.

— *This is what I do. This is my babies, my lions. I am… I am a lion tamer!*

Un dompteur de lions !

Laila fixa les fauves. En elle, un nouveau sentiment germa, un sentiment effrayant et merveilleux à la fois. Sans réfléchir à ce qu'elle faisait, elle prit la main de Vladek.

Les murs jaunes de la cuisine du commissariat paraissaient plutôt gris dans la brume d'hiver qui enveloppait Tanumshede à cette heure matinale. Tout le monde était silencieux. Ils n'avaient pas eu beaucoup d'heures de sommeil et un masque de fatigue recouvrait leurs visages. Les médecins avaient vaillamment lutté pour sauver la vie de Victoria, mais en vain. À 11 h 14 la veille, le décès avait été déclaré.

Martin avait servi du café à tous et Patrik lui jeta un regard inquiet. Depuis la disparition de Pia, il ne souriait pratiquement jamais, et tous leurs efforts pour ressusciter l'ancien Martin avaient échoué. De toute évidence, Pia avait emporté une partie de lui dans la tombe. Les médecins avaient donné un an à sa femme, tout au plus, mais en réalité c'était allé beaucoup plus vite. Trois mois après l'annonce de sa maladie, elle était morte, et Martin se retrouvait seul avec leur petite fille. Putain de cancer, pensa Patrik, et il se leva.

— Comme vous le savez, Victoria Hallberg est décédée de ses blessures après s'être fait percuter par une voiture. Le conducteur du véhicule n'est soupçonné d'aucun crime.

— Je confirme, ajouta Martin. Je lui ai parlé hier. Il dit que Victoria a surgi d'un coup sur la route devant lui, il n'avait aucune chance de freiner à temps. Il a tout fait pour l'éviter, mais la chaussée était très glissante et il a perdu le contrôle de son véhicule.

Patrik hocha la tête.

— Il y a un témoin de l'accident. Marta Persson. Elle se promenait à cheval, elle a vu la jeune fille sortir de la forêt juste avant que la voiture ne la renverse. C'est elle qui a alerté la police et les secours, et qui a reconnu Victoria. Elle était sous le choc hier, si j'ai bien compris. Nous irons la voir aujourd'hui. Tu peux t'en charger, Martin ?

— Bien sûr, je m'en occupe.

— Il faut absolument qu'on progresse dans cette enquête, qu'on trouve celui ou ceux qui l'ont enlevée et qui lui ont fait subir des violences aggravées.

Patrik se frotta le visage. La vision de Victoria morte sur son chariot s'était imprimée sur sa rétine. Il était parti directement de l'hôpital au commissariat où il avait consacré quelques heures à étudier les éléments en leur possession : les entretiens avec la famille, avec ses copains et copines de l'école et du club d'équitation ; les tentatives d'établir une image claire de son entourage ainsi que des dernières heures avant sa disparition en quittant le centre équestre pour rentrer chez elle ; les informations qu'ils avaient reçues concernant d'autres filles qui avaient disparu ces deux dernières années. Évidemment, ils n'avaient aucune certitude, mais le fait que cinq jeunes filles du même âge et d'un physique semblable se soient volatilisées dans un périmètre relativement restreint ne pouvait pas relever du simple hasard. La veille, Patrik avait fait parvenir toutes les nouvelles données aux autres districts de police en leur demandant de l'informer à leur tour s'ils avaient du nouveau. Un élément avait pu passer inaperçu.

— Nous allons poursuivre la collaboration avec les districts de police concernés et unir autant que possible nos forces dans cette enquête. Victoria est la seule qui a été retrouvée. L'issue est tragique, c'est certain, mais elle pourra peut-être nous mener aux autres jeunes filles disparues. Et nous aider à mettre un terme à ces enlèvements. Un être humain capable d'une cruauté telle que celle que Victoria a subie… eh bien, il ne mérite pas d'être en liberté.

— C'est un malade, ce type, marmonna Mellberg.

Ernst, le chien, leva immédiatement la tête, inquiet. Comme d'habitude, il somnolait la tête posée sur les pieds de son maître, et détectait le moindre changement d'humeur.

— Que faut-il penser de ces mutilations ? demanda Martin en se penchant en avant. Qu'est-ce qui peut bien pousser quelqu'un à commettre de telles atrocités ?

— J'aimerais le savoir. J'ai envisagé de faire appel à un spécialiste qui nous dresserait un profil psychologique. Nous n'avons pas grand-chose pour servir de base, mais il y a peut-être un schéma intéressant, un lien entre les affaires qui nous échappe.

— Un profil psychologique ? Tu veux dire qu'un expert va venir nous expliquer comment faire notre boulot ? Un de ces spécialistes qui savent tout mieux que tout le monde sans jamais avoir été en contact avec de vrais criminels ?

Mellberg secoua la tête, et les quelques cheveux rabattus en haut de son crâne pour tenter de dissimuler sa calvitie retombèrent sur son oreille. D'une main sûre, il les remit promptement en place.

— Ça vaut le coup d'essayer, rétorqua Patrik.

Il connaissait par cœur la résistance de Mellberg à toute forme de nouveauté au sein de leur travail. En théorie, Bertil Mellberg était le chef du commissariat, mais il était de notoriété publique que c'était en réalité Patrik qui assurait tout le travail. Somme toute, c'était grâce à lui que des affaires criminelles avaient été résolues dans le district.

— Très bien, c'est toi qui seras tenu pour responsable si tout ça part en sucette et que les patrons se mettent à gueuler qu'on jette l'argent par les fenêtres. Moi, je m'en lave les mains.

Mellberg se renversa sur sa chaise et croisa les doigts sur son ventre.

— Je vais voir si je peux trouver une personne qui convienne, proposa Annika. Il vaut peut-être mieux se renseigner d'abord auprès des autres districts, ils ont pu faire réaliser ce genre de portrait en oubliant de nous tenir informés. Inutile de gaspiller du temps et des ressources.

— Tu as tout à fait raison. Merci !

Patrik se tourna vers le tableau blanc où ils avaient affiché une photo de Victoria et noté des renseignements personnels à son sujet.

Plus loin dans le couloir, une radio diffusait une chanson de variété entraînante. La mélodie et les paroles accrocheuses formaient un contraste violent avec la lourde atmosphère de la pièce. Le commissariat disposait d'une salle de conférences où ils auraient pu s'installer, mais elle était froide et impersonnelle, et ils préféraient de loin se réunir dans la cuisine accueillante. De plus, ici, le café était à portée de main, et il leur en faudrait des litres avant d'avoir fini.

Patrik s'étira et distribua les tâches après un instant de réflexion.

— Annika, tu constitueras un dossier avec tout le matériel que nous possédons sur Victoria, ainsi que toutes les données fournies par les autres districts. Tu pourras ensuite envoyer ce dossier à la personne qui nous dressera éventuellement ce portrait psychologique. Tu veilleras aussi à ce que le dossier soit régulièrement mis à jour.

— Pas de problème, je note tout, répondit Annika, stylo et papier devant elle sur la table.

Patrik avait essayé de lui faire adopter un ordinateur portable, mais elle refusait. Et quand Annika ne voulait pas faire quelque chose, elle ne le faisait pas.

— Bien. Prépare une conférence de presse pour seize heures cet après-midi. Sinon, on va crouler sous les appels.

Du coin de l'œil, Patrik remarqua que Mellberg se lissait les cheveux d'un air satisfait. Rien, vraisemblablement, ne pourrait l'en tenir éloigné.

— Gösta, tu vois avec Pedersen quand nous pouvons espérer avoir les résultats de l'autopsie. Il nous faut tous les éléments factuels au plus vite. Tu peux aussi retourner voir la famille, des fois que quelque chose d'utile pour l'enquête leur serait revenu à l'esprit.

— Mais on les a déjà questionnés, et pas qu'une fois. On devrait les laisser en paix un jour comme aujourd'hui, non?

Le regard de Gösta exprimait un certain découragement. Il avait eu la lourde mission de s'occuper des parents et du frère de Victoria à l'hôpital, et Patrik voyait bien qu'il était à bout.

— Certes, mais je suis sûr qu'ils tiennent aussi à ce qu'on poursuive les recherches et qu'on mette la main sur celui qui a fait ça. Tu prendras des gants. Nous allons devoir recontacter d'autres personnes que nous avons déjà entendues. Maintenant que Victoria est morte, ils oseront peut-être raconter des détails qu'ils ne voulaient pas révéler avant. La famille, ses amis, des personnes qui fréquentent le centre équestre… Quelqu'un a pu remarquer quelque chose au moment de sa disparition. Par exemple, Tyra Hansson, la meilleure amie de Victoria. Tu t'en charges, Martin ?

Martin marmonna un oui.

Mellberg émit un raclement de gorge signifiant : Et moi ? Comme d'habitude, il faudrait lui attribuer une mission anodine, une tâche qui lui donnerait l'impression d'être important, tout en lui évitant de causer trop de dégâts. Patrik réfléchit. Parfois, le plus sage était de garder Mellberg sous la main, afin de pouvoir le surveiller de près.

— J'ai eu Torbjörn au téléphone hier soir, l'examen technique n'a rien donné. La neige a compliqué le travail, ils n'ont pas trouvé d'empreintes de Victoria qui auraient pu nous renseigner sur l'endroit d'où elle venait. Ils n'ont plus de ressources à y consacrer. Du coup, je me suis dit qu'on allait rassembler des bénévoles qui chercheront dans une zone plus large. Elle a pu être maintenue prisonnière dans une vieille cabane ou une résidence secondaire dans la forêt. Elle a surgi pas très loin de l'endroit où elle a été vue pour la dernière fois, elle a peut-être été retenue tout près.

— J'y ai pensé, dit Martin. Ce qui laisserait supposer que le coupable vit à Fjällbacka ?

— Pas nécessairement, répondit Patrik. Pas si la disparition de Victoria est liée aux autres. Cela dit, nous n'avons pas encore trouvé de corrélation entre les autres lieux et Fjällbacka.

Mellberg se racla la gorge de nouveau et Patrik se tourna vers lui.

— J'ai pensé que tu pourrais m'aider là-dessus, Bertil. On ira dans la forêt, et avec un peu de chance on trouvera l'endroit où elle a été détenue.

— Ça me va, dit Mellberg. Mais avec ce foutu froid, ça ne sera pas une partie de plaisir.

Patrik ne répondit rien. Qu'il fasse froid ou pas était le dernier de ses soucis.

Sans enthousiasme, Anna triait le linge. Elle était en congé maladie depuis l'accident de voiture et les cicatrices sur son corps s'effaçaient peu à peu. À l'intérieur, en revanche, les blessures n'avaient pas encore guéri. Non seulement elle se débattait avec le deuil de l'enfant qu'elle avait perdu, mais elle devait aussi lutter contre une douleur dont elle était la cause.

Elle se sentait incroyablement fatiguée et la culpabilité la rongeait comme une nausée permanente. Chaque nuit, elle restait éveillée à ressasser ce qui était arrivé, à passer en revue ses motivations. Mais même quand elle essayait d'être indulgente envers elle-même, elle n'arrivait pas à comprendre comment elle avait pu se retrouver au lit avec un autre homme. Elle aimait Dan. Pourtant elle en avait embrassé un autre, elle avait laissé un autre homme la caresser.

Son estime de soi était-elle si faible, son besoin de reconnaissance si fort pour qu'elle ait cru que les mains et la bouche d'un autre homme lui donneraient ce que Dan n'arrivait pas à lui donner? Elle ne le comprenait pas elle-même, alors comment Dan aurait-il pu? Lui qui était la sécurité et la loyauté incarnées. On ne pouvait jamais tout savoir d'autrui, bien sûr, mais elle était certaine que Dan n'avait jamais songé à la tromper. Jamais il n'aurait touché une autre femme. Tout ce qu'il avait voulu, c'était l'aimer, elle.

Après la colère, les mots durs avaient été remplacés par le silence, ce qui était bien pire. Un silence lourd et étouffant. Ils se tournaient autour comme deux bêtes blessées, et Emma, Adrian et les filles de Dan étaient presque devenus otages dans leur propre maison.

Ses rêves de monter sa propre agence d'architecture intérieure, où elle imaginerait de jolis meubles et de beaux objets, étaient morts à l'instant où le regard humilié de Dan s'était arrêté sur elle. Ce fut la dernière fois qu'il posa ses yeux sur elle. Désormais, s'il était obligé de lui adresser la parole – au sujet des enfants ou pour une demande aussi banale que de lui passer le sel à table –, il murmurait, les yeux baissés. Elle aurait voulu crier, le secouer, mais elle n'osait pas. Si bien qu'elle aussi, elle gardait les yeux baissés. De honte plus que de douleur.

Les enfants ne saisissaient évidemment pas ce qui s'était passé. Ils ne comprenaient pas, mais souffraient des conséquences. Tous les jours, ils allaient et venaient dans le silence de la maison en essayant de faire comme si tout était normal. Il y avait longtemps, cependant, qu'elle n'avait pas entendu leurs rires.

Le cœur tellement empli de regrets qu'elle pensait qu'il allait éclater, Anna se pencha en avant, enfouit son visage dans le linge et pleura.

C'est ici que tout s'était déroulé. En faisant très attention, Erica entra dans la maison qui semblait prête à s'écrouler à tout moment. Exposée aux intempéries, elle était restée vide et abandonnée pendant des années, et aujourd'hui, peu de choses venaient rappeler qu'elle avait été habitée.

Erica se baissa pour éviter une planche qui pendait du plafond. Du verre brisé crissait sous ses grosses chaussures d'hiver. Pas un seul carreau aux fenêtres n'était intact. Le sol portait des traces de visiteurs. Sur les murs, des graffitis de prénoms et de mots qui n'avaient de signification que pour ceux qui les avaient écrits, des termes sexuels et des injures, beaucoup de fautes d'orthographe. Les personnes qui s'employaient à taguer des maisons abandonnées faisaient rarement preuve d'un grand talent littéraire. Le sol était jonché de canettes de bière, et un paquet de préservatifs vide traînait à côté d'une couverture tellement immonde qu'Erica en eut des haut-le-cœur. La neige s'était infiltrée à l'intérieur avec le vent et formait de petits tas par-ci, par-là.

La maison entière respirait la misère et la solitude. Erica ouvrit son sac et sortit les photos qu'elle avait apportées pour tenter d'avoir une autre vision des lieux. Elles montraient une maison différente, un intérieur agréable où des gens avaient vécu. Pourtant, elle frissonna, car elle y décelait aussi les traces de ce qui s'était passé. Elle examina la pièce du regard. Oui, on pouvait toujours distinguer la tache de sang sur le plancher. Et quatre marques au sol à l'emplacement du canapé. Regardant de nouveau les photographies, Erica essaya de se repérer. Elle parvint à se faire une idée de la pièce telle qu'elle était à l'époque, elle visualisa le canapé, la table basse, le fauteuil dans le coin, la télé sur son petit meuble, le lampadaire à gauche du fauteuil. C'était comme si tous les objets se matérialisaient sous ses yeux.

Mais elle pouvait aussi imaginer le corps meurtri de Vladek. Ce grand corps musclé affalé sur le canapé. L'entaille rouge béante en travers de sa gorge, les blessures sur son torse laissées par le couteau, son regard dirigé vers le plafond. Et le sang qui formait une mare au sol.

Les photos de Laila prises par la police après le meurtre la montraient le regard éteint. Le devant de son pull était ensanglanté, et son visage portait des traces rouges. Ses longs cheveux blonds pendaient librement autour de son visage. Elle avait l'air si jeune. Si différente de la femme qui était enfermée à vie.

Sa culpabilité n'avait jamais suscité de doutes. Il y avait une sorte de logique, que tout le monde avait acceptée. Pourtant, Erica avait l'impression tenace que quelque chose clochait, et six mois plus tôt elle avait décidé d'en faire un livre. Depuis son enfance, elle entendait parler de l'affaire, du meurtre de Vladek et du terrible secret de la famille. La Maison de l'horreur avait suscité quantité de récits à Fjällbacka, jusqu'à se transformer en légende au fil des ans. Cette maison était un endroit où les enfants pouvaient se lancer des défis. Une maison hantée pour faire peur aux copains, montrer son courage et braver la peur du mal qui imprégnait les murs.

Elle se détourna de l'ancien salon de la famille pour monter à l'étage. Il régnait en ce lieu un froid qui figeait ses articulations, et elle sauta à pieds joints deux, trois fois pour se réchauffer avant de se diriger vers l'escalier. Elle tâtonna du pied les marches avant d'y prendre appui. Personne ne savait qu'elle était ici, et elle ne tenait pas à passer à travers une planche pourrie et restait là à agoniser, le dos brisé.

Les marches supportèrent son poids, mais elle resta vigilante une fois parvenue à l'étage, car le plancher grinçait dangereusement. Elle eut l'impression que le sol résistait et poursuivit d'un pas plus déterminé tout en regardant autour d'elle. La maison était petite, il n'y avait qu'un modeste palier et trois chambres à l'étage. La plus grande, celle de Vladek et Laila, se trouvait juste en haut de l'escalier. Les meubles avaient été enlevés ou volés, il ne restait que des rideaux sales et déchirés.

Ici aussi, il y avait des canettes de bière, ainsi qu'un matelas crasseux témoignant qu'on s'était planqué ici, ou qu'on avait utilisé la maison pour des escapades amoureuses, loin des yeux vigilants des parents.

Elle s'efforça de visualiser la pièce à partir des photos. Un tapis orange au sol, un lit deux places en pin massif et un drap-housse imprimé de grandes fleurs vertes. La chambre respirait les années 1970 et, à en juger par les clichés pris après le meurtre, elle avait été parfaitement propre et rangée. Erica s'en était d'ailleurs étonnée la première fois qu'elle les avait vus, car d'après les éléments dont elle disposait, elle s'était attendue à un intérieur chaotique, sordide et sens dessus dessous.

Elle sortit de la chambre de Vladek et Laila et entra dans une autre, plus petite. Elle chercha parmi les tirages qu'elle tenait à la main celui qui correspondait. C'était la chambre de Peter. Elle aussi avait été jolie et rangée, même si le lit n'était pas fait. Aménagée de façon classique, revêtue de papier peint bleu décoré de personnages et d'animaux de cirque. Des clowns joyeux, des éléphants la tête ornée d'un panache de plumes d'autruche, un phoque jonglant avec un ballon rouge sur le nez. Un joli papier peint pour enfant, et Erica comprenait pourquoi ils avaient choisi ce motif-là précisément. Elle leva les yeux et examina la pièce. De petits restes de tapisserie subsistaient par endroits, mais la plus grande partie s'était décollée ou était recouverte de graffitis. De l'épaisse moquette il ne restait rien, à part quelques traces de colle sur le plancher. L'étagère remplie de livres et de jouets n'existait plus, ni les deux petites chaises devant la table basse parfaitement adaptée à un enfant qui voudrait dessiner. Le lit qui s'était trouvé dans le coin à gauche de la fenêtre avait disparu. Erica eut un frisson. Comme partout dans la maison, les carreaux étaient cassés, et un peu de neige virevoltait au-dessus du sol.

Elle avait volontairement gardé pour la fin la dernière chambre de l'étage. Celle de Louise. Elle était voisine de celle de Peter, et quand Erica regarda la photo, elle dut se blinder. Le contraste était frappant. Tandis que celle de Peter était jolie et accueillante, la chambre de Louise ressemblait à une cellule de prison, ce qu'elle avait effectivement été, en un certain sens. Erica passa son doigt sur la grosse barre qui était toujours là, mais ne pendait plus aujourd'hui que par quelques vis. Une barre qui avait servi à maintenir la porte solidement fermée de l'extérieur. Afin de séquestrer une enfant.

Erica tint la photographie devant elle en franchissant le seuil. Elle sentit le duvet sur sa nuque se dresser. Elle eut l'impression qu'une ambiance funèbre régnait ici, mais c'était son esprit qui lui jouait des tours. Ni les maisons ni les pièces ne sont capables de conserver de souvenirs. C'était parce qu'elle savait ce qui s'y était déroulé qu'elle ressentait un tel malaise dans la chambre de Louise.

La pièce à l'époque était totalement nue. L'unique objet était un matelas posé à même le sol. Pas de jouets, pas de vrai lit. Erica s'approcha de la fenêtre, obstruée par des planches. Si elle n'avait pas été parfaitement renseignée, elle aurait cru qu'on les avait clouées là pendant ces années où la maison était restée vide. Elle regarda la photo. Les mêmes planches s'y trouvaient déjà. Une enfant, enfermée à clé dans sa propre chambre. Et pourtant, ce n'était pas la pire des horreurs que la police eût découvertes en arrivant à la maison après avoir été avertie du meurtre de Vladek. Erica frémit. C'était comme si un vent froid l'avait secouée, qui ne viendrait pas d'un carreau brisé, mais de la pièce elle-même.

Refusant de céder à l'oppressante atmosphère, elle s'obligea à y rester encore un peu, mais poussa malgré tout un soupir de soulagement en regagnant enfin le palier. Elle descendit les marches avec la même prudence qu'à l'aller. Il ne lui restait plus qu'un endroit à explorer maintenant. Elle arriva dans la cuisine, où on avait retiré les portes des meubles. La cuisinière et le réfrigérateur avaient disparu, et des crottes à leurs emplacements indiquaient que les souris avaient trouvé des passages commodes pour aller et venir comme chez elles.

D'une main légèrement tremblante, elle appuya sur la poignée de la porte donnant accès à la cave. Le même froid bizarre qu'elle avait senti dans la chambre de Louise l'accueillit. Elle poussa un juron face à l'obscurité compacte. Elle n'avait pas pensé à emporter une lampe de poche. Son inspection de la cave devrait peut-être attendre. Mais en tâtant le long du mur, elle finit par trouver un interrupteur à l'ancienne. La cave s'alluma comme par miracle. Il ne pouvait s'agir d'une ampoule à incandescence des années 1970 qui fonctionnait encore. Et elle nota dans un coin de sa tête que quelqu'un avait dû la changer.

Son cœur cognait sa poitrine quand elle descendit. Elle évita de justesse une toile d'araignée. Et fit de son mieux pour ignorer la sensation d'avoir des bestioles grouillant partout sur son corps.

Une fois arrivée sur le sol en béton, elle prit une grande respiration pour se calmer. Après tout, ce n'était qu'une cave vide dans une maison abandonnée. Qui ressemblait à n'importe quelle cave. Il restait quelques étagères ici, et un vieil établi qui avait été celui de Vladek, mais sans les outils. À côté était posé un bidon vide, et quelques journaux froissés étaient jetés dans un coin. Rien de sensationnel. Mis à part un détail : la chaîne longue de trois mètres vissée au mur.

Les mains d'Erica tremblaient violemment quand elle chercha les photographies correspondantes. La chaîne était la même, juste un peu plus rouillée. Il manquait les menottes. La police les avait emportées. Elle avait lu dans le dossier de l'enquête qu'on avait été obligé de les scier parce qu'on n'avait pas trouvé de clé. Elle s'accroupit, toucha la chaîne, la soupesa dans sa main. Lourde et incassable, elle aurait résisté à une personne bien plus grande qu'une enfant de sept ans maigre et sous-alimentée. C'était ahurissant, ce qui pouvait se passer dans la tête des gens.

Erica sentit la nausée monter. Il lui faudrait sûrement suspendre ses visites à Laila quelque temps. Elle aurait le plus grand mal à supporter un tête-à-tête avec elle après avoir vu de ses propres yeux ce dont elle avait été capable. Les photographies, c'était une chose mais, accroupie ici avec la lourde et froide chaîne dans ses mains, elle se représentait encore plus nettement la scène que les policiers avaient eue sous les yeux ce jour-là, en mars 1975. Elle ressentit l'horreur qu'ils avaient dû éprouver lorsqu'ils avaient descendu l'escalier et découvert une enfant enchaînée au mur.

Il y eut un léger cliquetis dans un coin et Erica se redressa vivement. Son cœur se remit à tambouriner. La lumière s'éteignit et elle poussa un cri. La panique la saisit de toute sa force, elle respira par saccades superficielles tandis que, la gorge nouée, elle cherchait à rejoindre l'escalier. Partout elle entendait des petits bruits bizarres, et lorsque quelque chose frôla son visage, elle poussa de nouveau un cri hystérique. Elle fit de gros moulinets désordonnés avec les bras, avant de réaliser qu'elle avait foncé droit dans une toile d'araignée. Dégoûtée, elle se lança dans la direction où devait se trouver l'escalier et prit la rampe en plein ventre. La lumière clignota puis revint. La terreur la tenait dans ses griffes, l'empêchant de respirer. Elle saisit la main courante, monta l'escalier en trébuchant, loupa une marche et se cogna le tibia, puis parvint malgré tout à grimper et à débouler dans la cuisine.

Soulagée, elle tomba à genoux après avoir claqué la porte derrière elle. Sa jambe et son ventre lui faisaient mal, mais elle ignora la douleur et se concentra sur son souffle. Il fallait à tout prix qu'elle respire plus calmement pour surmonter la panique. Elle se sentit un peu ridicule, ainsi agenouillée. La peur du noir de l'enfance semblait ne jamais vouloir la quitter et, en bas, dans la cave, elle avait été presque paralysée par l'épouvante. Pendant quelques instants elle avait vécu un fragment de ce que Louise avait vécu ici. Mais elle avait pu se précipiter vers la lumière et la liberté, tandis que Louise était restée là, dans l'obscurité.

L'horreur du sort de la fillette la frappa pour la première fois de plein fouet, et Erica appuya sa tête contre ses genoux et se mit à pleurer. Elle pleura pour Louise.

Martin observa Marta préparer le café. Il ne l'avait jamais rencontrée auparavant mais, comme tout le monde dans la région, il connaissait l'existence du vétérinaire de Fjällbacka et de sa femme. Les gens avaient raison : elle était belle, mais d'une beauté pour ainsi dire inaccessible, et cette sorte de froideur était renforcée par sa pâleur saisissante.

— Vous devriez peut-être parler avec quelqu'un, suggéra-t-il.

— Avec un pasteur, vous voulez dire ? Ou un psychologue ? Ce n'est pas moi qu'il faut plaindre. Je suis juste un peu… bouleversée.

Elle secoua la tête, le regard rivé au sol, mais releva rapidement les yeux pour fixer Martin.

— Je pense sans cesse à la famille de Victoria. Alors qu'ils la retrouvent enfin, ils la perdent à nouveau. Elle était si jeune, si douée…

— Oui, c'est effroyable.

Martin examina la cuisine. Elle n'était pas désagréable, mais il devina que l'aménagement intérieur n'était pas la tasse de thé des occupants de la maison. Les objets paraissaient posés là par hasard, et même si le ménage était fait, une faible odeur de cheval flottait dans la pièce.

— Est-ce que vous avez une idée de qui a pu lui faire ça ? Est-ce que d'autres filles pourraient être en danger ? demanda Marta.

Elle servit le café avant de s'installer en face de lui.

— Nous ne pouvons pas nous prononcer là-dessus.

Il aurait aimé avoir une meilleure réponse à lui fournir, et son ventre se noua quand il pensa à l'inquiétude que devaient ressentir tous les parents de jeunes filles. Il s'éclaircit la gorge. S'engluer dans ce genre de considérations était improductif. Il devait se concentrer sur son boulot et trouver ce qui était arrivé à Victoria. C'était la seule façon de les aider.

— Parlez-moi de ce qui s'est passé hier, dit-il, avant d'avaler une gorgée de café.

Marta sembla réfléchir quelques secondes. Puis, d'une voix basse, elle raconta sa promenade à cheval, comment elle avait vu la jeune fille surgir de la forêt. Elle bafouilla à quelques reprises, et Martin ne chercha pas à la presser, il la laissa raconter à son rythme. Il ne pouvait même pas imaginer à quel point la vision avait dû être épouvantable.

— Quand je me suis rendu compte que c'était Victoria, je l'ai appelée plusieurs fois. Je lui ai crié qu'il y avait une voiture, mais elle n'a pas réagi. Elle continuait d'avancer, comme un robot.

— Vous n'avez pas vu d'autres voitures dans les parages ? Quelqu'un dans la forêt ou tout près ?

Marta secoua la tête.

— Non. J'ai essayé de passer en revue ce qui s'est passé, mais je n'ai réellement rien vu d'autre, ni avant ni après l'accident. Il n'y avait que moi, et le conducteur. Tout est allé si vite, et j'étais tellement concentrée sur Victoria.

— Vous étiez proches, avec Victoria ?

— Ça dépend du sens que vous donnez au mot "proche", répondit Marta en passant son doigt sur le bord de sa tasse. J'essaie d'être proche de toutes les filles du club, et Victoria y venait depuis des années. Nous sommes comme une grande famille ici, même si elle est un peu dysfonctionnelle parfois. Victoria faisait partie de cette famille.

Elle détourna le regard. Martin vit un scintillement dans ses yeux et lui tendit une serviette en papier d'une boîte sur la table. Elle la prit et se tamponna les paupières.

— Vous rappelez-vous quelque chose de suspect qui aurait eu lieu autour du centre équestre, quelqu'un qui semblait surveiller les filles ? Un ancien employé peut-être que nous devrions regarder de plus près ? Je sais que nous avons déjà posé ces questions, mais elles ressurgissent forcément maintenant que Victoria a été retrouvée dans le secteur.

— Je comprends, mais je ne peux que répéter ce que j'ai déjà dit. On n'a pas eu de problèmes de ce genre, et on n'a pas d'employés. Notre école d'équitation est située loin de tout et on remarquerait immédiatement quelqu'un qui rôderait dans les parages. Le coupable a dû repérer Victoria ailleurs. Elle était mignonne.

— Oui, c'est vrai, dit Martin. Et j'ai l'impression qu'elle était très serviable aussi. Comment était-elle perçue par ses camarades ?

Marta prit une grande inspiration.

— Victoria était très aimée. À ma connaissance, elle n'avait pas d'ennemis. C'était une adolescente tout à fait normale issue d'une famille ordinaire. Je suppose qu'elle a juste eu la malchance de tomber sur un malade.

— Oui, probablement. Même si le mot "malchance" me semble incongru dans ces circonstances.

Il se leva pour mettre fin à l'entretien.

— Vous avez raison. "Malchance", c'est tout à fait insuffisant pour décrire ce qui est arrivé.

Marta ne montra aucune velléité de l'accompagner jusqu'à la porte.

Pendant les premières années, le plus difficile à supporter fut la monotonie du quotidien. Mais, avec le temps, la routine était devenue la corde de sécurité de Laila. Le fait que chaque jour ressemble au précédent était rassurant, familier, et tenait en échec la terreur de continuer à vivre. Ses tentatives de suicide des premiers temps étaient nées de cela : l'épouvante de voir la vie s'étendre à l'infini tandis que le poids du passé la tirait vers l'obscurité. La fadeur des jours l'avait aidée à s'y habituer. Même si le poids restait constant.

À présent tout avait changé, et le fardeau était devenu trop lourd pour qu'elle puisse le porter seule.

De ses doigts tremblants, elle tournait les pages des tabloïdes. Les journaux étaient disponibles uniquement dans l'espace de détente, et les autres internées étaient impatientes de les lire. Elles trouvaient que Laila les gardait trop longtemps. Les journalistes ne semblaient pas savoir grand-chose pour l'instant, mais ils s'efforçaient de rendre leurs textes accrocheurs. La recherche du sensationnel à tout prix la dérangeait. Elle connaissait le tourment que cela représentait, de faire les gros titres. Derrière chacun de ces articles indigestes, il y avait de vraies vies, de vraies souffrances.

— T'as bientôt fini ?

Marianne vint se placer devant elle.

— Oui, bientôt, marmonna-t-elle sans lever les yeux.

— Tu les monopolises, ces journaux. Dépêche-toi, nous aussi on veut les lire.

— Oui, oui.

Laila regardait attentivement les pages ouvertes devant elle depuis un moment. Marianne soupira et alla patienter à une table près de la fenêtre.

Laila était incapable de détacher ses yeux de la photo sur la page de gauche. La fille avait l'air si joyeuse et candide, si inconsciente du mal qui habitait le monde. Mais Laila aurait pu la renseigner. Elle aurait pu lui raconter comment le mal vivait côte à côte avec le bien, dans une société où les gens avançaient avec des œillères et refusaient de voir ce qui se trouvait juste devant leur nez. Une fois qu'on l'avait vu de près, on ne pouvait plus jamais fermer les yeux. Voilà sa malédiction, sa responsabilité.

Elle replia lentement le journal, se leva et alla le poser devant Marianne.

— Je voudrais le récupérer quand vous l'aurez lu.

— Pas de problème, murmura Marianne, déjà plongée dans les pages *people*.

Laila resta un instant à contempler sa tête penchée sur le dernier divorce hollywoodien en date. Ça devait être bien commode de vivre avec des œillères !

Quel temps de chien ! Mellberg ne comprenait pas comment Rita, sa compagne chilienne, s'était habituée à vivre dans un climat aussi affreux. Lui songeait parfois à la possibilité de s'expatrier. Il n'était clairement pas assez couvert pour se balader en forêt, mais jamais il n'avait cru qu'il serait obligé d'y participer activement ; il n'avait même pas pris la peine de passer à la maison s'équiper plus chaudement. Être chef, ça consistait à dire aux autres ce qu'ils devaient faire. Son plan était de diriger le groupe qu'ils avaient rameuté, de leur indiquer dans quelle direction marcher et ensuite d'aller s'asseoir bien au chaud dans la voiture et de profiter d'un bon thermos de café.

Mais il n'en fut rien. Car, naturellement, Hedström avait insisté pour qu'eux aussi participent à la battue. On croirait rêver. Le traîner ici à se geler les miches, c'était carrément dilapider ses compétences de meneur d'équipe. Pour le coup, il allait sûrement tomber malade, et comment se débrouilleraient-ils au poste sans lui ? Tout irait à vau-l'eau en quelques heures, c'était incroyable que Hedström ne réalise pas ça.

— Purée ! Merde alors !

Chaussé de ses souliers de ville, il glissa et attrapa instinctivement une branche pour ne pas tomber. Son geste secoua l'arbre et un tas de neige dégringola des branches. Elle se posa sur lui telle une couverture froide, se glissa sous son col jusque dans son dos.

— Comment ça se passe ? demanda Patrik.

Il n'avait pas l'air transi de froid, lui, emmitouflé dans un blouson d'hiver épais et confortable, avec un bonnet en fourrure sur la tête et de gros brodequins aux pieds.

Agacé, Mellberg se débarrassa de la neige.

— Je devrais peut-être retourner au commissariat préparer la conférence de presse ?

— Ne t'inquiète pas, Annika s'en occupe, et de toute façon, elle n'est prévue qu'à seize heures. On a le temps.

— En tout cas, je tiens à souligner une chose : j'estime que cette équipée est une perte de temps colossale. La neige qui est tombée hier a déjà eu le temps d'effacer ses empreintes, même les chiens n'arrivent pas à flairer quoi que ce soit par ce froid de canard.

Il hocha la tête en direction des arbres où il apercevait un des deux chiens policiers que Patrik avait réussi à faire venir. On avait laissé passer les chiens devant pour qu'ils ne soient pas perturbés par de nouvelles traces et odeurs.

— C'est quoi déjà qu'on cherche ? demanda Mats, une des personnes mobilisées *via* le club de sport.

Il avait été étonnamment facile de réunir des bénévoles, tout le monde voulait aider, tout le monde voulait contribuer aux recherches, chacun à sa façon.

— Tout ce que Victoria aurait pu laisser sur son chemin. Empreinte de pied, traces de sang, branches cassées, n'importe quoi qui attire votre attention.

Mellberg avait répété mot à mot les paroles que Patrik avait utilisées pour briefer l'équipe avant le début des recherches.

— Nous espérons aussi trouver l'endroit où elle a été retenue captive, ajouta Patrik en tirant son bonnet de fourrure un peu plus sur ses oreilles.

Mellberg lorgna avec envie le douillet couvre-chef. Ses propres oreilles lui faisaient mal et les quelques cheveux qui couvraient le haut de son crâne ne suffisaient pas à le réchauffer.

— Elle n'a pas pu marcher si loin. Pas dans l'état où elle était, marmonna-t-il en claquant des dents.

— Non, pas si elle était à pied, répliqua Patrik, et il continua d'avancer lentement, tout en balayant du regard la forêt et les environs. Mais elle a très bien pu s'échapper d'une voiture, par exemple. Si le ravisseur était en train de la déplacer. Ou alors on a pu la faire descendre ici exprès.

— Le ravisseur l'aurait relâchée volontairement ? Pourquoi donc ? C'était beaucoup trop risqué pour lui.

— Pourquoi ? dit Patrik en s'arrêtant net. Elle ne pouvait pas parler, elle ne voyait plus rien. Elle devait être totalement traumatisée. Nous avons sans doute affaire à un ravisseur qui prend confiance en lui. Après tout, ça fait deux ans que la police travaille sans trouver le moindre indice. Il a peut-être voulu nous humilier en relâchant une de ses victimes pour montrer ce qu'il a fait ? Tant que nous ne savons rien, nous ne pouvons rien présumer. Nous ne pouvons pas supposer qu'elle ait été détenue dans ce secteur, et nous ne pouvons pas supposer le contraire non plus.

— C'est bon, tu n'es pas obligé de me parler comme si j'étais un bleu, rouspéta Mellberg. Évidemment que je le sais, tout ça. Je pose simplement les bonnes questions, celles que les gens ne vont pas tarder à poser.

Patrik ne répondit pas. La tête inclinée, il se concentra de nouveau sur le sol. Mellberg haussa les épaules. Ces jeunes policiers, ils étaient tellement susceptibles. Il croisa les bras sur sa poitrine et essaya de ne plus claquer des dents. Encore une demi-heure, ensuite il avait l'intention de diriger le travail depuis la voiture. Il y avait quand même des limites au gaspillage des ressources. Il espéra que le café dans le thermos serait encore chaud.

Martin n'enviait pas Patrik et Mellberg qui arpentaient la neige. En recevant la mission d'aller voir Marta et Tyra, il avait eu l'impression de tirer le gros lot. Pour tout dire, il doutait que Patrik ait établi une répartition optimale des tâches en consacrant du temps à fouiller la forêt. Mais, à force de travailler avec lui, il avait fini par connaître suffisamment son collègue pour comprendre ses motivations. Pour Patrik, il était important de s'approcher de la victime, de se trouver physiquement au même endroit qu'elle, de sentir les mêmes odeurs, d'entendre les mêmes bruits, afin de percevoir ce qui était arrivé. Cet instinct, cette capacité avaient toujours été sa force. Et pouvoir occuper Mellberg par la même occasion permettait de faire d'une pierre deux coups.

Martin espérait que l'intuition de Patrik le guiderait au bon endroit. Victoria s'était volatilisée sans laisser de traces, c'était ça leur grand problème. Ils ignoraient totalement où elle avait été retenue pendant ces mois, et ils auraient grand besoin de trouver une piste là-bas dans la forêt. Si ni cette battue ni l'autopsie n'apportaient d'éléments concrets, il serait difficile d'imaginer de nouveaux angles d'attaque.

Après la disparition de Victoria, ils avaient interrogé tous ceux qu'elle avait pu rencontrer. Ils avaient passé sa chambre au peigne fin, examiné son ordinateur, vérifié ses contacts de chat, de mail, de textos, sans résultat. Patrik avait collaboré avec les autres districts de police, ils avaient dépensé beaucoup d'énergie à chercher un point commun entre Victoria et les autres disparues. Ils n'avaient pu établir aucun lien. Elles ne semblaient pas partager les mêmes intérêts, n'aimaient pas la même musique, n'avaient jamais été en contact, n'étaient pas inscrites aux mêmes forums sur Internet. Personne de l'entourage de Victoria n'avait déclaré reconnaître l'une des autres filles.

Il se leva et alla chercher une tasse de café dans la cuisine. Il en buvait probablement beaucoup trop, mais les nuits blanches le rendaient dépendant à la caféine. À la mort de Pia, on lui avait prescrit des somnifères et des anxiolytiques qu'il avait essayés pendant une semaine. Mais les médicaments l'enveloppaient d'une couverture moite d'indifférence, et cela lui faisait peur. Le jour de l'enterrement de Pia, il les avait jetés à la poubelle. Aujourd'hui, il se rappelait à peine comment c'était de dormir une nuit complète. Dans la journée, son état s'améliorait progressivement. Tant qu'il avait des tâches à remplir – se concentrer sur son travail, aller chercher Tuva au jardin d'enfants, cuisiner, faire le ménage, jouer avec sa fille, lui lire des histoires, la coucher – il tenait le coup. Mais la nuit, le chagrin et les pensées le submergeaient. Heure après heure, les yeux fixés au plafond, il laissait les souvenirs aller et venir, et était happé par le regret insupportable d'une vie qui ne reviendrait jamais.

— Comment ça va ?

Annika posa une main sur son épaule, et il réalisa qu'il était planté là, la cafetière à la main, depuis trop longtemps.

— Je dors toujours aussi mal, dit-il en se servant. Tu en veux ?

— Oui, merci.

Ernst arriva d'un pas tranquille du bureau de Mellberg, sûrement dans l'espoir qu'une pause-café dans la cuisine signifierait une friandise pour lui. Quand ils s'assirent, il se coucha sous la table, le museau sur ses pattes, suivant des yeux le moindre mouvement de Martin et d'Annika.

— Ne lui donne rien, conseilla Annika. Il a déjà des kilos à revendre. Rita fait ce qu'elle peut pour le promener, mais elle n'arrive pas à tenir le rythme qu'il faudrait pour compenser l'excès de calories.

— Tu parles de Bertil ou d'Ernst là ?

— Ben, c'est effectivement valable pour les deux, sourit Annika avant de retrouver son sérieux. Mais dis-moi comment tu vas, réellement.

— Je vais bien, répondit-il – et en voyant la mine sceptique d'Annika, il ajouta : Je t'assure. Simplement, je dors mal.

— Quelqu'un t'aide avec Tuva au moins ? Il faut que tu puisses te reposer et rattraper ton sommeil.

— Les parents de Pia sont formidables, et mes parents aussi. Ne t'inquiète pas, c'est seulement que… Elle me manque. Et ça, personne n'y peut rien. Je suis évidemment attaché à tous les bons souvenirs, mais en même temps, je voudrais les arracher de mon esprit, parce que ce sont les bonnes choses qui font si mal. Et je n'en peux plus !

Il étouffa un sanglot. Il ne voulait pas pleurer au boulot. C'était sa zone de liberté, il ne fallait pas que le deuil vienne envahir cet espace, le privant du seul endroit où il pouvait se soustraire à la douleur.

Annika le regarda avec compassion.

— J'aimerais pouvoir te consoler avec un tas de sages paroles. Mais j'ignore ce que tu vis, ce que ça fait. Rien que l'idée de perdre Lennart me fait complètement flipper. Tout ce que je peux te dire, c'est qu'il faudra sans doute du temps, et que je suis là pour toi. Tu le sais, j'espère ?

Martin hocha la tête.

— Et fais quelque chose pour le sommeil. Tu as une mine de papier mâché. Tu ne veux pas prendre de somnifères, mais essaie la phytothérapie, il y a peut-être des produits qui pourraient t'aider.

— Oui, pourquoi pas.

Ça valait sans doute le coup d'essayer. Il ne tiendrait pas longtemps s'il ne parvenait pas à dormir au moins deux, trois heures d'affilée par nuit.

Annika se leva et alla remplir de nouveau leurs tasses. Plein d'espoir, Ernst dressa la tête. En constatant qu'il n'y aurait pas de viennoiseries à la clé, il la laissa retomber sur ses pattes.

— Et les autres districts, qu'est-ce qu'ils pensent de cette histoire de portrait psychologique ?

Martin préférait changer de sujet. La sollicitude d'Annika lui faisait chaud au cœur, mais c'était trop épuisant de parler de son deuil.

— Ils semblent trouver l'idée bonne. Ils n'en ont jamais fait, et toute nouvelle proposition est accueillie à bras ouverts. L'affaire les a secoués. Ils redoutent tous la même chose : que leurs disparues aient subi les mêmes horreurs que Victoria. Et ils s'inquiètent évidemment pour la réaction des familles quand elles apprendront les détails. Espérons que ce n'est pas pour tout de suite.

— Ça, j'en doute. On dirait que les gens ont un besoin maladif de cafter à la presse. Vu le nombre de personnes parmi le personnel de l'hôpital qui sont au courant des blessures, je crains que ça ne fuite rapidement, si ce n'est déjà fait.

— On verra ça à la conférence de presse, dit Annika.

— Tout est prêt ?

— Tout est prêt. Mais est-ce qu'on réussira à contenir Mellberg, toute la question est là. Je me sentirais beaucoup plus rassurée s'il n'y participait pas.

Sceptique, Martin haussa un sourcil et Annika leva les mains comme un bouclier.

— Je sais, rien ne pourra l'en empêcher. Il serait même capable de sortir de sa tombe tel Lazare pour ne pas rater une conférence de presse.

— Bien vu…

Martin rangea sa tasse dans le lave-vaisselle et, en sortant de la cuisine, il s'arrêta pour serrer Annika dans ses bras.

— Merci. Je file voir Tyra Hansson. Elle doit être rentrée du collège à l'heure qu'il est.

Ernst le suivit dans le couloir, l'air abattu. Cette pause-café avait été une grande déception.

FJÄLLBACKA, 1967

La vie était merveilleuse. Fantastique, totalement irréelle et pourtant d'une évidence absolue. Tout avait changé avec cette journée d'été caniculaire. Quand le cirque avait quitté Fjäll-backa, Vladek n'était pas parti avec la troupe. Laila l'avait retrouvé le soir après la dernière représentation, et comme d'un accord tacite, il avait rassemblé ses affaires et avait suivi Laila dans son appartement. Il avait tout quitté pour elle. Sa mère, ses frères. Sa vie, sa culture. Son monde.

Depuis, ils avaient été plus heureux qu'elle n'eût cru possible de l'être. Chaque soir, ils s'endormaient enlacés dans son lit, beaucoup trop petit pour deux mais qui les accueillait malgré tout, eux et leur amour. D'ailleurs, tout l'appartement – une seule pièce avec un coin cuisine – était trop petit. Mais, bizarrement, Vladek semblait s'y sentir à l'aise. Ils se serraient dans le peu d'espace qu'ils avaient, et leur amour grandissait de jour en jour.

Désormais il fallait trouver la place pour un petit nouveau. La main de Laila s'approcha de son ventre. La petite bosse était à peine visible, mais elle ne pouvait s'empêcher de la caresser à tout bout de champ. Elle devait presque se pincer pour y croire. Vladek et elle allaient être parents.

Dans la cour de l'immeuble, elle vit Vladek arriver, à l'heure pile comme tous les jours après son travail. Elle avait encore l'impression de recevoir une décharge électrique chaque fois qu'elle le voyait. Il dut sentir son regard, car il leva la tête et scruta leur fenêtre. Avec un large sourire rempli d'amour, il lui fit un signe de la main. Elle agita la sienne en retour, et effleura de nouveau son ventre.

— Il va comment, papa, aujourd'hui ?

Jonas embrassa sa mère sur la joue, prit place à la table de la cuisine et tenta un sourire.

Helga ne sembla pas entendre sa question.

— C'est épouvantable, ce qui est arrivé à cette jeune fille du centre équestre, dit-elle, et elle posa devant lui une assiette remplie d'épaisses tranches de quatre-quarts tout juste sorti du four. Ça doit être difficile pour vous tous.

Jonas prit un morceau de gâteau et en croqua un gros bout.

— Tu me gâtes, maman. Ou plutôt, tu me gaves.

— Pfft. Tu étais tellement maigre quand tu étais petit. On pouvait compter tes côtes.

— Je sais. Tu me l'as dit mille fois, à quel point j'étais fluet à la naissance. Mais aujourd'hui, je mesure presque un mètre quatre-vingt-dix, et je n'ai aucun problème d'appétit.

— Il faut manger, toi qui n'arrêtes pas de courir. Ça ne peut pas être bon, ces courses à pied tout le temps.

— Oui, l'exercice physique est un danger pour la santé, c'est connu. Tu n'as jamais fait de sport ? Même quand tu étais jeune ? demanda Jonas en prenant une autre tranche de gâteau.

— Dans ma jeunesse ? Dit comme ça, on dirait bien que j'ai cent ans.

Le ton de Helga était sévère, mais elle était incapable de refréner le rire qui lui tiraillait les coins de la bouche. Jonas parvenait toujours à l'égayer.

— Non, pas cent ans. Mais le mot "antiquité" serait assez juste, je pense.

— Dis donc, toi, le houspilla-t-elle en lui donnant une petite tape sur l'épaule. Fais attention à ce que tu dis, sinon fini le quatre-quarts et les bons petits plats ! Tu devras te contenter de ce que Marta met sur la table.

— Oh mon Dieu, Molly et moi, on va mourir de faim, plaisanta Jonas en prenant le dernier morceau de gâteau.

— Ça doit être terrible pour les filles du centre de savoir qu'une de leurs amies a subi de telles horreurs, répéta Helga en balayant quelques miettes invisibles sur le plan de travail.

Sa cuisine était toujours rutilante. Jonas ne se rappelait pas l'avoir jamais vue en désordre, et sa mère était en mouvement perpétuel : elle nettoyait, rangeait, faisait de la pâtisserie, cuisinait, s'occupait de son mari. Il regarda autour de lui. Ses parents ne se souciaient pas trop de rénovation, la cuisine était restée telle quelle depuis des années. Le papier peint, les placards, le lino du sol, les meubles, tout était comme dans son enfance. Seuls le réfrigérateur et la cuisinière avaient été remplacés, à contrecœur. Mais cette constance lui plaisait. Elle donnait de la stabilité à sa vie.

— Oui, c'est un choc, c'est sûr. Marta et moi, on va parler avec les filles cet après-midi. Mais ne t'en fais pas pour ça, maman.

— Non, je ne m'en fais pas, répondit-elle en enlevant l'assiette où il ne restait plus que quelques miettes. Ça s'est passé comment avec la vache hier ?

— Bien. C'était un peu compliqué parce que…

— JOOONAS ! Tu es là ?

La voix de son père retentit à l'étage. L'irritation rebondit entre les murs et Jonas nota les mâchoires crispées de sa mère.

— Tu ferais mieux de monter. Il s'est fâché hier parce que tu n'es pas venu.

Jonas hocha la tête. En montant l'escalier, il put sentir dans son dos le regard de sa mère pendant qu'elle essuyait la table.

Erica était toujours secouée en arrivant au jardin d'enfants. Il n'était que quatorze heures, d'habitude ils venaient chercher les enfants deux heures plus tard, mais après la visite de la cave, l'envie de les voir s'était faite si pressante qu'elle avait décidé d'y aller tout de suite. Elle avait besoin d'eux, besoin de les serrer dans ses bras, d'entendre leurs voix pétillantes qui accaparaient toute son existence.

— Maman!

Anton arriva en courant, ses petits bras tendus. Il était sale de la tête aux pieds, une oreille pointait de son bonnet, il était à croquer et le cœur d'Erica faillit éclater. Elle s'accroupit et ouvrit les bras pour l'accueillir. Elle serait aussi sale que lui, mais ça n'avait aucune importance.

— Maman!

Une autre petite voix s'éleva dans la cour et Noel se jeta aussi sur elle. Sa combinaison était rouge, alors que celle d'Anton était bleue, mais il avait le bonnet de travers exactement comme son frère. Ils étaient si semblables, et pourtant si différents.

Erica prit Anton sur le genou droit et captura le deuxième jumeau crasseux qui enfouit le visage dans le creux de son cou. Le nez de Noel était glacé, elle frissonna et éclata de rire.

— Non mais, petit glaçon, tu imagines que tu vas réchauffer ce nez froid dans le cou de ta maman?

Elle lui pinça le nez jusqu'à ce qu'il hoquette de rire. Noel souleva ensuite le pull d'Erica et posa ses mains recouvertes de moufles froides et pleines de sable sur son ventre. Elle poussa un cri. Les deux petits garçons hurlaient de rire.

— Petits bandits! Vous irez directement au bain dès qu'on sera rentrés. Allez hop, les loupiots, on va chercher votre frangine!

Elle les reposa par terre, se leva et tira sur son pull. Les jumeaux adoraient aller dans la section de Maja, où ils pouvaient jouer avec les grands. Et Maja était toujours ravie quand ils venaient. Vu comme ils pouvaient se montrer casse-pieds avec elle, elle leur offrait une dose d'amour assez imméritée.

De retour à la maison, Erica s'attaqua sur-le-champ au projet de décrassage. En règle générale, elle détestait ça, mais aujourd'hui elle se fichait que le sable envahisse le vestibule. Ça lui était complètement égal que Noel se jette par terre en hurlant pour protester. Aucun de ces tracas n'avait d'importance après son passage dans la cave de la famille Kowalski où elle avait entrevu la terreur de Louise, enchaînée dans l'obscurité.

Ses enfants vivaient dans la lumière. Ses enfants étaient la lumière. Les hurlements de Noel, qui d'habitude la faisaient sortir de ses gonds, n'avaient plus aucun effet, elle se contenta de lui caresser la tête, et il en fut tellement surpris que ses cris cessèrent.

— Venez, je vais vous faire couler un bain. Après, on va décongeler des tonnes de brioches de mamie et les manger devant la télé avec un mug de chocolat chaud. Ça vous va? dit Erica en souriant à ses enfants, assis par terre dans le sable humide. Et ce soir, pas de dîner! On finit toutes les glaces qu'il reste dans le congélateur. Et vous irez vous coucher quand vous voulez.

On aurait entendu une mouche voler. Maja la fixa avec le plus grand sérieux et vint poser sa main sur son front.

— Tu te sens bien, maman?

Erica éclata d'un rire joyeux.

— Oui, mes chéris, dit-elle en les tirant à elle, tous les trois. Votre maman n'est pas malade et n'est pas devenue folle. C'est juste que je vous aime tellement.

Elle les serra fort, profita de leur présence. Mais sur sa rétine, elle vit une autre enfant. Une petite fille seule dans le noir.

Ricky avait caché le secret de Victoria dans un recoin au plus profond de lui. Depuis que sa sœur s'était volatilisée, il avait tourné et retourné ce secret, l'avait examiné sous tous les angles pour essayer de comprendre si d'une façon ou d'une autre il avait un lien avec sa disparition. Probablement pas, mais le doute demeurait. Si jamais… Ces deux mots tournoyaient dans son esprit, surtout le soir, quand il était allongé dans son lit à fixer le plafond : si jamais… Avait-il bien agi ou pas, là était toute la question. Commettait-il une erreur en se taisant? Mais c'était si simple de laisser le secret refoulé dans un coin, pour toujours enterré, tout comme Victoria le serait bientôt.

— Ricky?

La voix de Gösta le fit sursauter sur le canapé. Il avait presque oublié le policier et ses questions.

— Tu ne t'es pas souvenu d'autre chose qui pourrait être utile à l'enquête? Maintenant que nous savons que Victoria a peut-être été maintenue captive tout près d'ici.

La voix de Gösta était douce et triste, et Ricky devinait qu'il était très fatigué. Il avait fini par apprécier ce policier vieillissant, qui avait été leur interlocuteur ces derniers mois, et il savait que Gösta l'appréciait aussi. Il s'était toujours bien entendu avec les adultes. Depuis tout petit on lui avait dit qu'il était une vieille âme. Était-ce vrai? En tout cas, il avait l'impression d'avoir pris mille ans depuis la veille. Toute la joie, toute l'impatience qu'il avait ressenties à l'idée d'avoir la vie devant lui s'étaient envolées à l'instant où Victoria était morte.

Il secoua la tête.

— Non, j'ai déjà dit tout ce que je sais. Ma sœur était quelqu'un d'ordinaire, elle avait des amis ordinaires et des intérêts ordinaires. Et nous sommes une famille ordinaire – enfin, à peu près normale en tout cas…

Il sourit à sa mère, mais elle ne lui rendit pas son sourire. L'humour qui avait toujours uni la famille avait disparu avec Victoria.

— Mon voisin m'a dit que vous faites ratisser les forêts du coin par des bénévoles. Tu penses que ça donnera quelque chose? demanda Markus, le visage gris d'épuisement, en suppliant Gösta du regard.

— Espérons. Les gens se sont tous mobilisés pour nous aider, avec un peu de chance, nous trouverons peut-être des indices. Elle a bien été enfermée quelque part.

— Et les autres? Celles dont les journaux ont parlé? demanda Helena.

Quand elle prit sa tasse de café, sa main tremblait, et Ricky eut de la peine de la voir si amaigrie. Elle avait toujours été petite et mince, mais à présent, elle n'avait plus que la peau sur les os.

— Nous continuons de collaborer avec les autres districts de police. Tous ont à cœur de résoudre cette affaire, et nous échangeons nos informations. Nous allons consacrer toutes nos forces à trouver celui qui a enlevé Victoria et, probablement, les autres filles.

— Je veux dire… – Helena hésita. – Vous croyez que la même chose…

Elle ne parvint pas à terminer sa phrase, mais Gösta comprit ce qu'elle voulait demander.

— Nous ne savons pas. Mais, oui, il est vraisemblable que…

Lui non plus ne termina pas sa phrase.

Ricky déglutit. Il ne voulait pas penser à ce qu'avait subi Victoria. Les images s'imposèrent malgré lui et lui donnèrent la nausée. Ses beaux yeux bleus, qui avaient toujours dégagé tant de chaleur. C'est ainsi qu'il voulait s'en souvenir. Le reste, l'horreur, il n'avait pas le courage d'y penser.

— Il y aura une conférence de presse cet après-midi, annonça Gösta après un moment de silence. Et je crains que les journalistes ne vous sollicitent, vous aussi. Ces disparitions ont longtemps fait la une, et ceci va… je veux dire, il faut vous y préparer.

— Ils ont déjà sonné à la porte un paquet de fois. Et on ne répond plus au téléphone, dit Markus.

— C'est insensé qu'ils ne nous laissent pas tranquilles. Ils devraient comprendre que…

Helena secoua la tête, faisant voler son carré court et terne.

— Oui, mais malheureusement ce n'est pas le cas, soupira Gösta en se levant. Je dois retourner au commissariat. N'hésitez pas à nous appeler. Je réponds à toute heure du jour et de la nuit. Et je promets de vous tenir informés.

Il se tourna vers Ricky et posa sa main sur son bras.

— Occupe-toi de ton père et de ta mère.

— Je vais faire de mon mieux.

Il avait conscience de la responsabilité qui pesait sur ses épaules. Gösta avait raison. En ce moment, il était plus fort qu'eux. C'était son devoir de maintenir la famille soudée.

Molly sentit les larmes brûler derrière ses paupières. La déception la submergeait, elle tapa du pied sur le sol de l'écurie, faisant voler la poussière.

— J'y crois pas ! Ça tourne pas rond chez toi !

— Évite ce langage avec moi, s'il te plaît.

La voix de Marta était glaciale et Molly se sentit rétrécir. Sa colère était cependant trop grande pour qu'elle se retienne.

— Mais je veux y aller ! Et je compte bien le dire à Jonas.

— Je sais que tu veux y aller, dit Marta en croisant les bras sur sa poitrine, mais vu les circonstances, ça ne sera pas possible. Et Jonas est de mon avis.

— Comment ça, vu les circonstances ? Ce n'est pas ma faute, que je sache, ce qui est arrivé à Victoria. Pourquoi c'est sur moi que ça retombe !

Les larmes se mirent à couler et Molly les essuya frénétiquement avec la manche de sa veste. Même si elle connaissait déjà la réponse, elle regarda Marta par en dessous pour voir si ses pleurs la feraient flancher. Sa mère ne cilla pas. Elle l'observait avec cette expression mesurée que Molly détestait. Parfois elle aurait voulu que Marta se fâche, qu'elle crie, qu'elle hurle, qu'elle manifeste ses sentiments. Or, elle demeurait d'un calme imperturbable. Et jamais elle ne cédait, jamais elle n'écoutait.

Les larmes ruisselaient sur ses joues à présent. Son nez coulait et la manche de sa veste était toute mouillée.

— C'est le premier concours de la saison ! Je comprends pas pourquoi je peux pas y participer. Tout ça à cause de Victoria. C'est quand même pas moi qui l'ai tuée !

Paf ! La gifle brûla sa peau avant même qu'elle l'ait vue venir. Incrédule, Molly se toucha la joue. C'était la première fois que Marta la frappait. La première fois que quiconque la frappait. Les larmes cessèrent aussitôt de couler et Molly la dévisagea. Marta était de nouveau le calme incarné, elle se tenait là, les bras croisés sur son gilet matelassé vert.

— Ça suffit, dit-elle. Arrête de te comporter comme une morveuse gâtée, ressaisis-toi.

Les paroles de Marta brûlaient autant que la gifle. Jamais personne ne l'avait traitée de morveuse gâtée. Enfin, peut-être les filles du centre équestre derrière son dos, mais ce n'était que de la jalousie.

Molly fixait Marta, la main sur sa joue. Puis elle tourna les talons et partit en courant. Les autres chuchotèrent sur son passage quand elle traversa la cour, mais peu lui importait.

Elles devaient croire qu'elle pleurait Victoria. Comme tout le monde depuis la veille.

Elle se précipita à l'arrière de la maison où était situé le cabinet vétérinaire. La porte était fermée à clé, la lumière éteinte. Jonas n'y était pas. Molly resta un moment à taper des pieds dans la neige pour lutter contre le froid. Où pouvait-il bien être ?

Elle décida de poursuivre jusqu'à la maison de ses grands-parents paternels où elle ouvrit la porte à la volée.

— Mamie !

— Mon Dieu, il y a le feu ?

Helga arriva dans le vestibule en s'essuyant les mains sur un torchon.

— Jonas est là ? Il faut que je lui parle.

— Calme-toi. Tu pleures tellement que je comprends à peine ce que tu dis. C'est à cause de la fille que Marta a trouvée hier ?

Molly secoua la tête. Helga la fit venir dans la cuisine et s'asseoir devant la table.

— Je… je…

Molly bégaya, puis elle respira à fond. L'atmosphère de la cuisine l'aida à retrouver son calme. Chez sa grand-mère, le temps semblait figé, comme immuable, face au monde extérieur qui continuait à bruire.

— Il faut que je parle à Jonas. Marta veut m'interdire d'aller au concours ce week-end.

Elle hoqueta et se tut un moment pour que sa grand-mère ait le temps de comprendre et de réaliser l'injustice qu'elle subissait. Helga s'assit.

— Marta est un peu autoritaire, c'est vrai, mais tu verras bien ce que ton père dira. C'est important comme concours ?

— Oui, très important ! Mais Marta dit que ce n'est pas convenable d'y aller avec l'histoire de Victoria. Je sais, c'est super-triste, mais je comprends pas pourquoi je devrais louper un concours à cause de ça. Je suis sûre que cette greluche de Linda Bergvall va gagner, et après elle va me soûler, même si elle sait que je l'aurais battue si on m'avait laissée participer. Je suis fichue si on me laisse pas y aller demain !

Avec un geste dramatique elle appuya sa tête contre ses bras sur la table et sanglota.

Helga lui tapota doucement l'épaule.

— Allons, ça ne peut pas être aussi grave que ça. De toute façon, ce sont tes parents qui décident. Ils sont toujours là pour te trimballer à droite à gauche. S'ils jugent que tu dois renoncer à ce concours… eh bien je pense que tu dois t'y résigner.

— Mais Jonas comprendra, lui, tu ne crois pas? dit Molly en suppliant sa grand-mère du regard.

— Tu sais, je connais ton père depuis tout petit, dit Helga en écartant de un centimètre son pouce et son index. Et je connais ta mère depuis assez longtemps aussi. Crois-moi, ni l'un ni l'autre ne se laisse facilement convaincre d'agir contre son gré. Si j'étais toi, j'arrêterais d'insister et je me concentrerais sur le prochain concours.

Molly s'essuya le visage avec le kleenex que Helga lui tendit.

Elle se moucha soigneusement et se leva pour aller le jeter à la poubelle. Le pire, c'est que mamie avait raison. Ça ne servait à rien d'essayer de raisonner ses parents, une fois leur décision prise. Mais elle allait quand même tenter le coup. Jonas se rangerait peut-être de son côté après tout.

Il avait fallu une heure à Patrik pour se réchauffer, et il en faudrait plus encore à Mellberg. Se lancer dans la forêt par moins dix-sept degrés vêtu de souliers de ville et d'un simple coupe-vent était de la folie, et Mellberg grelottait encore dans un coin de la salle de conférences, les lèvres bleuies.

— Comment ça va, Bertil? Toujours frigorifié? demanda Patrik.

— Quelle merde, dit Mellberg en battant des bras. J'aurais bien bu un grand verre de whisky, pour décongeler de l'intérieur.

Patrik frémit à l'idée d'un Bertil Mellberg ivre à la conférence de presse. Quoique, la variante sobre ne valait guère mieux.

— Comment va-t-on présenter l'affaire, à ton avis? demanda-t-il.

— Je me suis dit que le mieux serait que je tienne les rênes, et que, toi, tu me secondes. Les médias aiment avoir une figure forte en face d'eux dans ce genre de situation.

Mellberg s'efforça de mettre autant d'autorité que possible dans ses paroles, tout en claquant des dents.

— Bien sûr.

Patrik poussa un soupir mental si fort que Mellberg aurait difficilement pu l'ignorer. Toujours la même rengaine. Amener Mellberg à se rendre utile dans une enquête, c'était comme attraper des mouches avec des baguettes chinoises. Mais dès qu'il était question d'occuper le devant de la scène, de s'attribuer d'une façon ou d'une autre la gloire du travail accompli, rien ne pouvait le tenir à l'écart.

— Tu fais entrer les hyènes?

Mellberg fit un signe de tête à Annika qui se leva et se dirigea vers la porte. Elle avait tout préparé pendant qu'ils ratissaient la forêt. Depuis leur retour, elle avait aussi rapidement briefé Mellberg sur les points les plus importants et lui avait glissé un pense-bête. Ne restait plus qu'à croiser les doigts et espérer qu'il ne les ridiculiserait pas trop.

Les journalistes affluèrent et Patrik en salua plusieurs, des reporters des médias locaux et quelques-uns de la presse nationale qu'il avait croisés à différentes occasions. Comme toujours, il remarqua aussi quelques visages nouveaux. Le *turnover* au sein des rédactions allait bon train.

Ils s'installèrent en discutant à mi-voix et les photographes se disputèrent amicalement les meilleures places. Patrik espérait que les lèvres de Mellberg paraîtraient moins bleues sur les photos, mais il aurait sans doute l'air plus mort que vif.

— Tout le monde est là? lança Mellberg, et il eut un frisson comme s'il avait de la fièvre.

Les journalistes avaient déjà commencé à agiter la main, mais il les calma immédiatement.

— On passera aux questions dans un petit moment, je vais d'abord laisser la parole à Patrik Hedström qui va vous faire un bref résumé de la situation.

Tout surpris, Patrik le regarda. Mellberg avait peut-être compris, finalement, qu'il n'avait pas la vue d'ensemble nécessaire pour faire face à l'armada de journalistes rassemblée là.

— Oui, bien sûr, merci…

Il se racla la gorge et vint se placer à côté de son supérieur. Se concentrant un bref instant, il réfléchit à ce qu'il allait dévoiler et à ce qu'il allait taire. Un mot de trop aux médias pouvait avoir des effets néfastes. En même temps, la médiasphère était le lien direct entre la police et la plus grande ressource dans une enquête : la population. En fournissant aux journalistes la dose appropriée d'information, ni trop ni pas assez, la police recevrait un retour sur investissement en renseignements livrés par le citoyen lambda. Ses années de service le lui avaient appris : il y a toujours quelqu'un qui a vu ou entendu quelque chose pouvant se révéler important, mais qui n'en a pas conscience. À l'inverse, une mauvaise information, ou trop d'informations, pouvait donner une longueur d'avance au criminel. Si ce dernier repérait les indices dont disposaient les enquêteurs, il effacerait plus facilement ses traces, ou serait en mesure d'éviter de répéter son erreur. Leur principale crainte était justement qu'il recommence. Un criminel multirécidiviste ne s'arrêtait pas de lui-même ; Patrik avait en tout cas le désagréable sentiment qu'il n'y aurait pas d'exception à cette règle.

— Hier nous avons retrouvé Victoria Hallberg dans une zone forestière à l'est de Fjällbacka. Elle a été renversée par une voiture, il s'agit selon toute vraisemblance d'un accident. Elle a été transportée à l'hôpital d'Uddevalla, où tout a été mis en œuvre pour la maintenir en vie. Malheureusement, ses blessures étaient trop importantes, et elle est décédée à 11 h 14. – Patrik tendit la main et prit un des verres d'eau préparés par Annika. – Nous avons fait des recherches dans le secteur où elle a été retrouvée – je profite d'ailleurs de votre présence pour remercier la population de Fjällbacka qui s'est rapidement mobilisée afin d'assister la police. Je n'ai pas grand-chose à ajouter. Nous collaborons naturellement avec les districts de police qui enquêtent sur des cas similaires, dans l'espoir de retrouver les filles disparues et d'arrêter leur ravisseur. Des questions ?

Toutes les mains se levèrent en même temps, certains journalistes prirent la parole sans qu'on la leur ait donnée. Les flashs des appareils photos au premier rang crépitaient depuis le début de l'allocution de Patrik, qui dut se retenir de se passer la main dans les cheveux. Ça faisait toujours drôle de voir son visage imprimé en grand dans les pages des tabloïdes.

— Kjell?

Il désigna Kjell Ringholm de *Bohusläningen*, le plus grand journal local. Kjell avait aidé la police dans plusieurs enquêtes, et Patrik lui prêtait volontiers un peu plus d'attention qu'aux autres.

— Tu as parlé de blessures. Quel genre? Des blessures consécutives à l'accident de voiture ou antérieures?

— Je ne peux pas me prononcer là-dessus. Tout ce que je peux vous dire, c'est qu'elle a été renversée par une voiture et qu'elle est décédée des suites de ses blessures.

— Nous avons des informations selon lesquelles elle aurait subi des tortures, poursuivit Kjell.

Patrik déglutit et visualisa les orbites vides de Victoria et sa bouche sans langue. Ces éléments ne devaient pas être divulgués. Il maudit les gens qui n'arrivaient pas à la boucler. Était-ce vraiment nécessaire de répandre ce genre d'informations?

— Pour le bien de l'enquête, nous ne pouvons nous prononcer sur les détails ou sur l'étendue des blessures de Victoria.

Kjell voulut dire autre chose, mais Patrik pointa le doigt vers Sven Niklasson, reporter d'*Expressen*. Il avait eu affaire à lui dans une enquête, et il savait que Niklasson était toujours perspicace et bien renseigné, qu'il ne mentionnait jamais d'éléments qui pourraient nuire aux investigations.

— Est-ce qu'il y avait des signes d'agression sexuelle? Avez-vous trouvé un lien avec les autres disparues?

— Nous ne savons pas encore si elle a été agressée sexuellement. L'autopsie aura lieu demain. Concernant les autres disparitions, je ne peux pas à ce jour révéler ce que nous savons sur un lien éventuel. Mais nous travaillons avec les autres districts et je suis convaincu que cette collaboration nous mènera vers le coupable.

— Êtes-vous sûrs qu'il s'agit d'*un* seul coupable? voulut savoir l'envoyé d'*Aftonbladet*, sans avoir demandé la parole. Il peut très bien y en avoir plusieurs ou pourquoi pas une bande organisée? Avez-vous vérifié par exemple s'il y a un rapport avec le trafic d'êtres humains?

— Dans l'état actuel des choses, nous ne nous contentons pas d'une ligne d'investigation unique, et cela vaut pour le nombre de ravisseurs. Bien entendu, des réflexions ont surgi autour d'une traite d'êtres humains, mais le cas de Victoria semble nettement réfuter cette théorie.

— Pourquoi ? insista le reporter d'*Aftonbladet*.

— Parce qu'elle avait des blessures de telle nature qu'il ne pouvait pas être question de la vendre, répondit Kjell, à la suite de quoi il observa attentivement Patrik.

Patrik serra les dents. La déduction de Kjell était tout à fait correcte, quoiqu'un peu trop révélatrice, mais tant qu'il ne confirmait rien, les journaux ne pouvaient donner à lire que des spéculations.

— Comme je l'ai dit, nous examinons différentes pistes, plus ou moins sérieuses. Nous n'excluons rien.

Il accorda encore un quart d'heure aux questions des journalistes. Il ne pouvait apporter de réponses qu'à très peu d'entre elles, soit parce qu'il n'en avait pas, soit parce qu'il était tenu au secret. Malheureusement, plus on l'interrogeait, plus il prenait conscience du peu d'informations dont la police disposait réellement. Quatre mois s'étaient écoulés depuis le jour où Victoria avait disparu, et plus encore depuis les autres disparitions. Et ils n'avaient pas obtenu le moindre résultat. Frustré, il décida de mettre un terme à la séance.

— Bertil, est-ce que tu voudrais dire quelques mots pour clore la réunion ?

Patrik s'effaça habilement pour donner l'impression à Mellberg que c'était lui qui avait mené la conférence de presse.

— Oui, j'aimerais saisir l'occasion pour préciser une chose : si la première des disparues a été retrouvée dans notre district, c'est à considérer comme une chance dans le malheur, vu la compétence unique dont peut s'enorgueillir notre commissariat. Sous ma direction, nous avons résolu bon nombre d'affaires d'homicides, et la liste de mes succès fait déjà état de…

Patrik l'interrompit en posant sa main sur son épaule.

— Je ne peux que confirmer. On va en rester là. Merci à tout le monde et à bientôt, certainement.

Mellberg le foudroya du regard.

— Je n'avais pas fini, protesta-t-il. Je voulais évoquer mes années à la police de Göteborg et ma longue expérience des enquêtes de fond. C'est important qu'ils disposent de l'historique complet pour dresser mon portrait.

— Absolument.

Patrik fit sortir Mellberg de la pièce d'un geste aimable mais ferme, pendant que les journalistes et les photographes rassemblaient leurs affaires.

— Tu comprends, il faut clore la conférence assez tôt pour qu'ils puissent rendre leur article à temps. Tu as fait une excellente prestation, il faut absolument qu'elle figure dans les journaux de demain, pour qu'on profite au plus vite de l'appui des médias.

Patrik eut honte de débiter de telles balivernes, mais elles portèrent leurs fruits, car son chef retrouva sa bonne humeur.

— Oui, évidemment. Bien vu, Hedström. Des fois, tu oublies d'être bête.

— Merci, dit Patrik d'une voix lasse.

Gérer Mellberg demandait autant d'efforts que l'enquête à proprement parler. Si ce n'est plus.

— Pourquoi tu ne veux toujours pas en parler? Alors que tant d'années ont passé?

Ulla, la psychothérapeute de l'établissement, la regardait par-dessus ses lunettes à monture rouge.

— Pourquoi tu continues de demander? Après tant d'années? riposta Laila.

Au début, elle s'était sentie harcelée par leurs exigences de dialogue. Ils voulaient qu'elle fouille en elle, qu'elle révèle des détails sur ce jour-là, sur l'époque d'avant. Mais peu à peu cette obstination ne la touchait plus. Personne ne s'attendait plus à ce qu'elle réponde aux questions, leurs rencontres n'étaient qu'un jeu fondé sur une compréhension mutuelle. Laila comprenait qu'Ulla était obligée de l'interroger, et Ulla savait que Laila ne répondrait pas. Ulla travaillait ici depuis dix ans. Il y en avait eu d'autres avant elle, qui étaient restés plus ou moins longtemps, suivant leurs ambitions. Travailler sur la guérison psychique des internés n'était pas spécialement gratifiant, ni au niveau financier, ni en termes de résultats obtenus ou d'évolution de carrière. La plupart des internés étaient irrécupérables, et tout le monde en avait conscience. Mais le boulot devait être fait, et Ulla était probablement celle qui prenait son rôle le plus au sérieux. Du coup Laila acceptait mieux de participer à ces entretiens, même si elle savait qu'ils ne mèneraient jamais nulle part.

— J'ai l'impression que tu te réjouis des visites d'Erica Falck, dit Ulla.

Laila sursauta et sentit ses mains trembler sur ses genoux. C'était là un nouveau sujet de discussion. Pas un des bons vieux thèmes rabâchés, autour desquels elles exécutaient leurs figures apprises par cœur. Elle n'aimait pas qu'on lui pose de nouvelles questions et Ulla, qui en était parfaitement consciente, attendit sa réponse en silence.

Laila lutta contre elle-même. Voilà qu'elle devait tout à coup prendre une décision : se taire ou répondre. Car aucune des réponses automatiques qu'elle pouvait réciter par cœur même en dormant ne ferait l'affaire.

— C'est différent, finit-elle par dire en espérant qu'Ulla s'en contenterait.

La psychothérapeute paraissait cependant en forme aujourd'hui. Comme un chien qui refuse de lâcher un bout de viande dont il a enfin réussi à s'emparer.

— De quelle manière ? Tu veux dire une pause dans la monotonie de tous les jours, ou tu penses à autre chose ?

Laila croisa ses doigts pour les contrôler. La question la décontenançait. Elle ignorait ce qu'elle cherchait exactement en rencontrant Erica. Elle aurait pu continuer à dire non à ses sollicitations entêtées. Elle aurait pu demeurer dans son propre monde, en marge des années qui lentement s'écoulaient, où seul le miroir lui rappelait le passage du temps. Mais comment continuer, alors que le mal revenait en force ? Non seulement il moissonnait de nouvelles victimes, mais il était arrivé ici, tout près d'elle.

— J'aime bien Erica. Et tu as raison : c'est une pause dans l'ennui.

— Je pense qu'il y a plus que ça, répliqua Ulla en la scrutant, le menton baissé. Tu sais très bien ce qu'elle veut. Elle veut t'entendre parler de ce que nous avons tant de fois essayé d'aborder avec toi. Ce que tu ne veux pas nous dire.

— C'est son problème. Personne ne la force à venir.

— C'est vrai. Mais je me demande si, au fond, tu n'as pas envie d'alléger ton fardeau en te confiant à Erica. Je pense qu'elle a réussi à te toucher là où nous avons échoué, malgré tous nos efforts.

Laila ne répondit pas. C'est vrai qu'ils avaient essayé. Mais, même si elle l'avait voulu, serait-elle parvenue à leur raconter ? C'était trop écrasant. Et par où commencer ? Par leur première rencontre, par le mal qui grandissait, par le dernier jour ou par ce qui se produisait aujourd'hui ? Comment faire comprendre à quelqu'un d'autre ce qu'elle-même n'arrivait pas à comprendre ?

— Pourrait-on dire que tu t'es retrouvée coincée dans un schéma avec nous, que tu as gardé ton histoire en toi si longtemps qu'elle est impossible à dévoiler ?

Ulla inclina la tête de côté. C'était peut-être une astuce qu'ils apprenaient lors de la formation de psychologie. Tous les thérapeutes qu'elle avait rencontrés avaient ce tic.

— Quelle importance aujourd'hui ? C'était il y a tellement longtemps.

— Oui, mais tu es toujours là. Et je crois que, d'une façon ou d'une autre, c'est un choix que tu as fait. Tu ne sembles pas regretter la vie normale que tu pourrais vivre hors de ces murs.

Si Ulla savait combien elle avait raison ! Pour rien au monde Laila ne voudrait vivre à l'extérieur du centre de détention, elle ne saurait absolument pas comment s'y prendre. À dire vrai, elle n'en aurait pas le courage non plus. Elle n'oserait plus s'engager dans le monde où elle avait vu le mal de si près. Cet établissement était le seul endroit où elle se sentait en sécurité. C'était peut-être une piètre vie, mais une vie malgré tout – la seule qu'elle connaissait.

— Je ne veux plus parler, dit-elle en se levant.

Ulla l'observa, comme si elle pouvait lire en elle. Laila espérait que non. Certaines choses ne devaient pas être vues, ni par Ulla ni par quiconque.

Conduire les filles au club d'équitation était en général la mission de Dan, mais aujourd'hui, ça s'était mal goupillé au travail, et Anna s'en était chargée. Elle était presque aux anges que Dan l'ait sollicitée pour prendre la relève, qu'il lui ait enfin demandé un service, même si elle détestait les chevaux, de tout cœur. Ces gros animaux lui faisaient peur, une peur cimentée dans l'enfance, lors des cours d'équitation obligatoires. Leur mère, Elsy, s'était mis en tête qu'Erica et elle devaient apprendre à monter à cheval, ce qui leur avait valu deux ans de tourments. C'était une énigme pour Anna que les autres filles du club éprouvent une telle passion pour les chevaux. Pour sa part, elle ne les trouvait absolument pas dignes de confiance. Encore aujourd'hui, elle avait des palpitations terribles au souvenir d'un cheval cabré et de ses mains agrippées à la crinière dans l'espoir d'éviter la chute. Les chevaux sentaient sa peur à des kilomètres. Elle avait donc la ferme intention de se tenir à distance après avoir déposé Emma et Lisen.

— Tyra!

Emma sauta de la voiture et se précipita vers une adolescente qui traversait la cour. Elle se jeta dans ses bras et Tyra l'attrapa et la fit tourner.

— Oh là là, comme tu as grandi depuis la dernière fois! Bientôt tu m'auras dépassée, s'exclama-t-elle, un petit sourire aux lèvres.

Emma rayonnait de bonheur. Tyra était sa préférée parmi les filles qui traînaient au centre équestre, elle l'idolâtrait.

Anna les rejoignit. Lisen avait couru tout droit dans l'écurie en descendant de voiture, et on ne la reverrait plus jusqu'à l'heure du retour.

— Tu te sens comment? demanda-t-elle en tapotant l'épaule de Tyra.

— Pas terrible.

Les yeux de Tyra étaient rougis comme si elle n'avait pas dormi de la nuit.

Un peu plus loin dans la cour, une jeune femme se dirigeait vers l'écurie, et dans la pauvre lumière de l'après-midi d'hiver, Anna reconnut Marta Persson.

— Salut, dit-elle quand Marta s'approcha. Comment ça se passe?

Elle avait toujours trouvé Marta incroyablement belle, avec ses traits acérés, ses pommettes hautes et ses cheveux sombres, mais aujourd'hui elle avait l'air éreintée.

— On est un peu chamboulés, c'est sûr, marmonna Marta. Où est Dan ? D'habitude tu ne viens pas ici de ton plein gré.

— Il a été obligé de faire des heures sup. Ils ont des entretiens d'évaluation cette semaine.

Dan était pêcheur dans l'âme, mais à Fjällbacka, ce métier ne nourrissait plus son homme. Il travaillait donc aussi comme instituteur à l'école de Tanumshede depuis de nombreuses années. La pêche s'était peu à peu réduite à une occupation secondaire, mais il se battait pour au moins conserver son bateau.

— Ce n'est pas bientôt l'heure de la leçon ? demanda Anna en regardant sa montre qui affichait presque dix-sept heures.

— La reprise va être courte aujourd'hui. Jonas et moi, on s'est dit qu'on devait informer les filles, par rapport à Victoria. Tu peux venir, si tu veux, puisque tu es là. Ça fera du bien à Emma.

Elles se rendirent avec Marta à la salle polyvalente où elles s'installèrent parmi les autres. Lisen était déjà là, elle lança un coup d'œil plein de gravité à Anna.

Jonas vint les rejoindre et se plaça à côté de Marta. Tous deux attendirent que le brouhaha se dissipe.

— Je pense que vous êtes déjà au courant de ce qui est arrivé, commença Marta, et tout le monde hocha la tête.

— Victoria est morte, dit Tyra à mi-voix.

De grosses larmes coulaient sur ses joues et elle se moucha dans la manche de son pull.

Marta parut hésiter sur la suite à donner, avant d'inspirer profondément.

— Oui, c'est exact. Victoria est décédée hier à l'hôpital. Nous savons que, vous toutes ici, vous vous êtes inquiétées, que Victoria vous manque, et c'est… épouvantable que ça se termine ainsi.

Marta chercha le soutien de son mari, et Jonas hocha la tête.

— Oui, c'est inconcevable qu'une telle chose puisse se produire. Je propose qu'on observe une minute de silence pour Victoria, et pour sa famille. Ce sont eux qui souffrent le plus en ce moment, je voudrais qu'ils sentent qu'on pense à eux.

Il se tut et inclina la tête.

Tout le monde suivit son exemple. Les aiguilles de l'horloge murale tournaient et quand la minute fut passée, Anna leva les yeux. Autour d'elle, les visages des adolescentes étaient crispés et inquiets.

Marta reprit la parole.

— Nous n'avons pas plus d'informations que vous sur ce qui est arrivé. Mais la police reviendra sûrement nous voir. Je pense qu'ils nous en diront davantage, et je voudrais que tout le monde réponde de bonne grâce à leurs questions.

— Mais on ne sait rien. Ils nous ont déjà interrogées plein de fois, personne ne sait quoi que ce soit, dit Tindra, une grande blonde avec qui Anna avait parlé à quelques reprises.

— Je comprends que vous ayez cette impression, mais il peut y avoir des détails dont vous ignorez l'importance. Alors, quoi qu'ils vous demandent, répondez aux questions des policiers, leur recommanda Jonas en les regardant dans les yeux, l'une après l'autre.

— D'accord, murmurèrent-elles.

— Très bien, on fera tous de notre mieux pour aider la police, résuma Marta. Maintenant c'est l'heure de commencer la reprise. On est tous sous le choc, et on a besoin de se changer un peu les idées. Vous connaissez les règles, alors c'est parti.

Anna prit Emma et Lisen par la main pour se rendre dans l'écurie. Les filles paraissaient conserver leur sang-froid. La gorge serrée, Anna les regarda préparer les chevaux, les mener au manège et monter en selle. Elle était très émue. Même si son fils n'avait vécu qu'une semaine, elle connaissait l'épouvantable douleur de perdre un enfant.

Elle alla s'asseoir dans les tribunes. Soudain elle entendit des pleurs assourdis derrière elle. En se retournant, elle vit Tyra assise un peu plus haut en compagnie de Tindra.

— Il lui est arrivé quoi à ton avis ? demanda Tyra entre ses sanglots.

— J'ai entendu qu'on lui avait crevé les yeux, chuchota Tindra.

— Quoi ? s'écria Tyra. Comment tu le sais ? Le policier que j'ai vu ne m'a rien dit.

— Mon oncle est ambulancier, il était dans l'ambulance qui l'a transportée à l'hôpital. D'après lui, les deux yeux avaient disparu.

— Oh non !

Tyra se pencha en avant. Elle eut l'air de vouloir vomir, alors que Tindra dissimulait mal son excitation.

— Tu crois que c'est quelqu'un qu'on connaît ?

— Tu es folle ?!

Anna se dit qu'elle ferait mieux de mettre fin à leur conversation.

— Ça suffit maintenant, dit-elle en s'approchant, et elle passa son bras autour de Tyra. Ça ne sert à rien de spéculer. Tu ne vois pas que ça fait de la peine à Tyra ?

Tindra se leva.

— Eh bien, moi, je pense que c'est le même cinglé qui a tué les autres filles.

— On ne sait même pas si elles sont mortes, rétorqua Anna.

— Évidemment qu'elles sont mortes, insista Tindra, très sûre d'elle. Et on leur a peut-être bien crevé les yeux, à elles aussi.

Anna sentit un reflux acide monter dans sa gorge, elle déglutit et serra encore plus fort les épaules tremblantes de Tyra.

Patrik s'engouffra dans la chaleur de l'entrée. Il était épuisé, physiquement et moralement. La journée avait été longue, mais la fatigue venait surtout du poids que l'enquête faisait peser sur ses épaules. Parfois il regrettait de ne pas avoir un boulot de simple manœuvre, dans un bureau ou dans une usine où le sort des gens ne dépendait pas de la manière dont il faisait son travail. Il se sentait responsable de tant de personnes. D'abord des proches des victimes, qui plaçaient tous leurs espoirs dans la police et avaient besoin de réponses pour, éventuellement, parvenir à accepter le drame. Puis les victimes elles-mêmes, qui le suppliaient de coincer celui qui avait mis un terme à leur vie avant l'heure. Mais sa plus grande responsabilité, en ce moment, il la ressentait envers les disparues peut-être encore en vie, et envers celles qui n'avaient pas encore été enlevées.

Tant que le ravisseur n'aurait pas été identifié et envoyé derrière les barreaux, d'autres filles pouvaient disparaître. Des filles qui vivaient, respiraient et riaient, sans savoir que leurs jours étaient en danger.

— Papa !

Un petit projectile humain se jeta contre lui, deux autres ne tardèrent pas à suivre, et ils s'effondrèrent tous en vrac par terre. Il sentit la neige sur le paillasson lui mouiller les fesses, mais il s'en fichait. La présence des enfants compensait tout. Pendant quelques secondes, tout alla bien, avant que le chahut ne démarre :

— Aïe ! cria Anton. Noel m'a pincé !

— C'est pas vrai ! cria Noel.

Et comme pour démontrer qu'il ne l'avait pas fait auparavant, il le pinça pour de bon. Anton hurla et agita ses bras comme un forcené.

— Écoutez… tenta Patrik en les séparant.

Il essaya de prendre un air sévère, tandis que Maja se plaçait à côté de lui et le singeait.

— Ce n'est pas bien de pincer ! sermonna-t-elle ses frères en les menaçant du doigt. Si vous n'êtes pas sages, vous irez au petit coin !

Patrik éclata de rire. Elle avait mal compris la menace du coin quand elle était toute petite, et refusait encore d'employer l'expression correcte.

— Merci mon cœur, je m'en occupe, dit-il, et il se leva en prenant les jumeaux par les mains.

— Maman ! Les jumeaux se disputent ! cria Maja en se précipitant dans la cuisine, et Patrik la suivit avec les petits monstres.

— Sans blague ? Ils se disputent ? Pas possible ! s'exclama Erica en écarquillant les yeux, puis elle ajouta en embrassant Patrik sur la joue : Les crêpes sont prêtes, installe les chahuteurs, peut-être qu'elles sauront les calmer.

Les crêpes s'avérèrent efficaces et, une fois les enfants rassasiés et casés devant un épisode de *Bolibompa* à la télé, Erica et Patrik purent s'octroyer un rare moment de tranquillité à table.

— Alors ? Comment ça se passe ? demanda-t-elle en sirotant son thé.

— On commence à peine.

Patrik mit cinq cuillérées de sucre dans sa tasse. Ces temps-ci, il n'avait pas envie de respecter de règles diététiques. Erica surveillait ses abus de calories d'un œil de faucon depuis les problèmes cardiaques qu'il avait eus lors de la naissance des jumeaux. Mais ce soir, elle s'abstint de commentaires. Il ferma les yeux et dégusta la première gorgée de thé brûlant et sucré.

— La moitié de la ville est venue nous aider à ratisser la forêt, mais on n'a rien trouvé. Cet après-midi, il y a eu la conférence de presse. Tu as peut-être déjà lu les journaux en ligne ?

Erica hocha la tête. Elle hésita un instant, puis se leva et sortit du réfrigérateur les derniers *kanelbullar* de Kristina qu'elle mit à décongeler au micro-ondes. À peine une minute plus tard, une merveilleuse odeur de viennoiserie au beurre et à la cannelle se répandit dans la cuisine.

— Ça ne risque pas de détruire des indices si la moitié de Fjällbacka arpente la forêt ?

— Si, bien sûr, mais on n'a aucune idée de la distance qu'elle a parcourue, ni de l'endroit d'où elle venait, et ce matin, la neige avait effacé toutes les empreintes de pas. Alors j'ai estimé que ça valait le coup d'essayer.

— Et la conférence de presse, comment s'est-elle passée ? demanda Erica en sortant l'assiette du four à micro-ondes.

— On n'avait pas grand-chose à leur mettre sous la dent : du coup, les journalistes posaient des questions auxquelles nous n'avions pas de réponse, voilà tout.

Patrik prit un roulé à la cannelle, poussa un juron, le lâcha immédiatement et souffla sur ses doigts.

— Laisse-les refroidir un peu d'abord.

— Bonne idée, merci pour le conseil.

— C'est pour des raisons liées à l'enquête que vous ne pouviez pas répondre ?

— Mouais, j'aurais voulu que ce soit le cas, mais en vérité, on ne sait vraiment rien. Le jour de sa disparition, c'est comme si Victoria s'était volatilisée. Pas de traces, personne n'avait rien vu, rien entendu, et aucun lien n'a pu être établi avec les autres filles disparues. Et là, brusquement, elle surgit de nulle part.

Ils gardèrent le silence un moment. Patrik tâta de nouveau le petit pain et jugea qu'il avait suffisamment refroidi.

— J'ai entendu parler de certaines blessures, dit Erica prudemment.

Patrik hésita. Il n'était pas censé en parler avec quelqu'un d'extérieur à l'enquête, mais la nouvelle avait commencé à circuler et il avait indéniablement besoin de déballer son sac. Erica n'était pas seulement sa femme, elle était aussi sa meilleure amie. Et puis, c'était elle la plus futée des deux.

— C'est vrai. Enfin, ça dépend de ce que tu as entendu.

Il gagna un peu de temps en croquant un bout de son *kanelbulle*, mais il sentit tout de suite son estomac se soulever, et la viennoiserie ne lui parut plus aussi tentante.

— J'ai cru comprendre qu'elle n'avait plus d'yeux.

— Non, les yeux… n'étaient plus là. On ignore comment ils ont été retirés. Pedersen va pratiquer l'autopsie tôt demain matin, dit Patrik, et il hésita avant de poursuivre : Et sa langue était coupée.

— Oh mon Dieu !

Erica n'eut soudain plus d'appétit non plus, elle reposa ce qui restait de son petit pain sur l'assiette.

— C'est arrivé il y a longtemps ?

— Qu'est-ce que tu veux dire ?

— Les blessures étaient récentes ou déjà cicatrisées ?

— Bonne question. Mais je n'en sais rien. J'espère que Pedersen me livrera tous ces détails demain.

— Est-ce que ça peut être un truc religieux ? Œil pour œil, dent pour dent ? Ou une atroce manifestation de misogynie ? Du style : Ne me regarde pas, et ferme-la.

Erica gesticulait en parlant et, comme toujours, Patrik était impressionné par la vivacité intellectuelle de sa femme. Lui n'en était pas encore là dans ses spéculations autour du mobile du crime.

— Et les oreilles ? poursuivit-elle.

— Quoi, les oreilles ?

— Ben, je pense à un truc… Imagine que celui qui a fait ça, celui qui lui a pris la vue et la capacité de parler, lui ait aussi endommagé l'ouïe. Alors elle se serait trouvée dans une bulle, sans moyen de communiquer. Tu imagines le pouvoir que ça lui aurait procuré, à ce salopard ?

Patrik la fixa. Il essaya de se représenter ce qu'Erica décrivait, et rien qu'à cette pensée, son dos fut parcouru de frissons. Quel sort effroyable ! Dans ce cas, il valait peut-être mieux que Victoria n'ait pas survécu, même si ce raisonnement paraissait inhumain.

— Maman, ils se chamaillent encore.

Maja se tenait sur le pas de la porte, l'air résigné. Patrik jeta un coup d'œil à l'horloge murale.

— Oh là là, mais c'est l'heure d'aller au lit, dit-il en se levant, puis il regarda Erica : Tu veux qu'on tire à pile ou face ?

Erica secoua la tête et alla l'embrasser sur la joue.

— Occupe-toi de Maja. C'est moi qui me charge des jumeaux ce soir.

— Merci, dit-il en prenant la main de sa fille.

Ils montèrent à l'étage, pendant que Maja racontait gaiement les événements de la journée. Mais il n'entendait pas ce qu'elle disait. Ses pensées allaient vers une fille coincée dans une bulle.

Jonas claqua la porte d'entrée, et il ne fallut pas longtemps avant que Marta surgisse de la cuisine. Les bras croisés sur la poitrine, elle s'appuya au chambranle. Il comprit qu'elle s'attendait à cette conversation, et son calme apparent le mit hors de lui.

— J'ai parlé avec Molly. Mais putain, ce genre de décisions, on est censés les prendre ensemble, non ?!

— Oui, c'est ce que je pensais aussi. Mais parfois on dirait que tu ne comprends pas ce qu'il faut faire.

Il s'obligea à respirer à fond. Marta savait très bien que Molly était le seul sujet qui pouvait le faire. Il baissa le ton :

— Elle se réjouissait à l'idée de participer à ce concours. C'est le premier de l'année.

Marta lui tourna le dos et regagna la cuisine.

— Je suis en train de préparer le dîner. Tu n'as qu'à venir si tu veux m'engueuler.

Il accrocha son blouson, ôta ses brodequins de travail et poussa un juron en posant ses pieds sur le sol mouillé par la neige qu'il avait lui-même rapportée. Ça n'augurait rien de bon quand Marta se mettait aux fourneaux – ce que confirmait l'odeur dans la cuisine.

— Je suis désolé d'avoir crié.

Il se plaça derrière elle et posa ses mains sur ses épaules. Elle remuait le contenu d'une marmite et il y jeta un coup d'œil. La mixture qui y mijotait était indéfinissable et, quel que soit son nom, elle n'avait pas l'air appétissante.

— Saucisse Stroganoff, répondit-elle à sa question muette.

— J'aimerais juste que tu m'expliques pourquoi, dit-il doucement en continuant à masser ses épaules.

Il la connaissait si bien. Il savait que ça ne servait à rien d'élever la voix et de faire des histoires, aussi tenta-t-il une autre technique. Il avait promis à Molly d'essayer, au moins. Elle s'était montrée inconsolable tout à l'heure, sa chemise était encore humide de larmes.

— Ça ferait mauvais effet si on participait à des sauts d'obstacles en ce moment. Molly doit apprendre que tout ne tourne pas autour d'elle.

— À mon avis, les gens n'y trouveraient rien à redire, protesta-t-il.

Marta se retourna et le regarda. Il avait toujours été attiré par sa petite taille, comparée à la sienne. Cela lui donnait l'impression d'être fort, protecteur. Mais, au fond, il savait que c'était elle, la plus forte. Ça avait toujours été elle.

— Tu devrais comprendre, quand même! Tu le sais, que les gens d'ici n'arrêtent pas de jacasser. On ne peut pas laisser Molly concourir après ce qui est arrivé hier, c'est une évidence. L'école d'équitation ne dégage pas beaucoup de bénéfices, et notre réputation est notre meilleur atout. On ne peut pas prendre le risque de la perdre. Molly boudera tant qu'elle veut, c'est de son âge. Tu aurais dû entendre comment elle m'a parlé. Ce n'est pas acceptable. Tu la laisses s'en tirer trop facilement.

Elle n'avait pas tort, il le reconnaissait, à contrecœur. Mais ce n'était pas toute la vérité, et ça, Marta le savait aussi. Jonas l'attira à lui. Il colla son corps contre le sien, sentit la charge électrique entre eux, ce courant qui avait toujours existé et existerait toujours. Rien n'était plus fort que ça. Pas même son amour pour Molly.

— Je vais lui parler, dit-il, la bouche tout contre les cheveux de Marta.

Il inspira son odeur, si familière, et pourtant si exotique. Il sentit sa propre réaction, et Marta la sentit aussi. Elle porta sa main vers l'entrejambe de Jonas et commença à le caresser, à travers le tissu du pantalon. Il poussa un gémissement et se pencha pour l'embrasser.

Sur la cuisinière, la saucisse Stroganoff brûlait lentement. C'était le cadet de leurs soucis.

UDDEVALLA, 1967

Tout s'était tellement bien arrangé pour eux que Laila avait du mal à y croire. Vladek n'était pas seulement un habile dompteur de lions, il avait aussi un talent pour les choses pratiques. Il était entre autres très doué pour réparer les objets. Le bruit s'était vite répandu à Fjällbacka, et les gens avaient commencé à le solliciter pour toutes sortes de dépannages, des lave-vaisselle défectueux aux voitures en panne.

En réalité, beaucoup de ces missions lui étaient probablement confiées par curiosité. Les gens cherchaient un prétexte pour voir de plus près un phénomène tel qu'un authentique artiste de cirque. Une fois leur curiosité satisfaite, le respect pour sa compétence manuelle subsistait, et les gens s'étaient habitués à lui comme s'il avait toujours été l'un des leurs.

Il prit confiance en lui. Quand il découvrit dans le journal une offre d'atelier de mécanique générale à reprendre à Uddevalla, il leur parut évident qu'il fallait saisir l'occasion et déménager, même si Laila regrettait de s'éloigner d'Agneta et de sa mère. Vladek pourrait enfin réaliser son rêve d'avoir sa propre entreprise.

À Uddevalla, ils avaient également trouvé la maison idéale. Ils en étaient tombés amoureux au premier coup d'œil. Elle était assez petite et délabrée, mais ils l'avaient rénovée et aménagée à peu de frais, et à présent, c'était leur paradis.

La vie leur souriait et ils comptaient les jours avant de pouvoir tenir leur bébé dans les bras. Bientôt ils seraient une vraie famille. Vladek, l'enfant et elle.

Mellberg fut tiré de son sommeil par un petit être humain qui lui sautait dessus. Le seul à pouvoir le réveiller sans se faire injurier. Et le seul à pouvoir lui sauter dessus.

— Debout, papi ! Debout papi ! brailla Leo.

Il rebondissait comme un ballon sur le gros ventre de Mellberg, qui procéda comme d'habitude : il attrapa le petit garçon et le chatouilla jusqu'à le faire hurler de rire.

— Mon Dieu, vous faites un de ces boucans ! lança Rita dans la cuisine, comme d'habitude aussi, mais Mellberg savait qu'elle adorait les entendre chahuter le matin.

— Chuuut… fit-il en ouvrant grands les yeux, et Leo l'imita, son petit doigt dodu posé devant la bouche. Il y a une vilaine sorcière dans la cuisine. Elle mange les petits enfants, et je pense qu'elle a aussi mangé tes mamans. Mais il existe un moyen de la vaincre. Tu sais lequel ?

Bien que Leo connaisse très bien la réponse, il secoua vigoureusement la tête.

— On va se glisser dans la cuisine et la chatouiller jusqu'à ce que mort s'ensuive ! Mais les sorcières ont l'ouïe fine, il faut faire le moins de bruit possible, parce que sinon… on est cuits !

Mellberg passa lentement la main en travers de sa gorge, et Leo l'imita. Puis ils sortirent de la chambre sur la pointe des pieds et filèrent dans la cuisine, où Rita attendait l'assaut.

— À l'attaaaaaque ! hurla Mellberg pendant que Leo et lui se précipitaient sur elle et la chatouillaient partout.

— Hiiiiii ! cria-t-elle en riant. Qu'est-ce que j'ai bien pu faire au bon Dieu pour devoir vous supporter ?

Ernst et Señorita, couchés sous la table de la cuisine, se mirent à bondir et à aboyer, tout contents.

— Bon sang, ce que vous pouvez être bruyants, lança Paula. C'est un miracle que vous n'ayez pas encore été expulsés.

Mellberg se tut, comme les deux autres. Ils n'avaient même pas entendu la porte d'entrée s'ouvrir.

— Salut mon Leo. Tu as bien dormi ? dit Paula. Je me suis dit que j'allais venir prendre le petit-déjeuner avec vous avant de t'emmener au jardin d'enfants.

— Johanna vient aussi ? demanda Rita.

— Non, elle est déjà partie au boulot.

D'un pas lent, Paula alla s'asseoir à table. Dans ses bras dormait Lisa, tranquillement pour une fois. Leo courut lui faire un petit câlin. Il observa sa petite sœur, un peu sur la réserve. Depuis la naissance de Lisa, Leo dormait souvent chez mamie et papi Bertil, pas seulement pour ne pas être dérangé par les pleurs du bébé qui avait des coliques, mais aussi parce qu'il dormait tellement bien blotti contre l'épaule de Mellberg. Ces deux-là étaient inséparables depuis le tout début, lorsque Mellberg avait assisté à la naissance de Leo. Et maintenant que Leo avait une petite sœur qui tenait ses mamans occupées en permanence, il venait souvent chez son grand-père. Qui avait l'avantage d'habiter dans le même immeuble, à l'étage du dessus.

— Il y a du café ?

Rita servit immédiatement à sa fille une grande tasse avec un nuage de lait, qu'elle posa sur la table. Elle embrassa Paula et Lisa sur la tête.

— Tu as vraiment mauvaise mine. Ça n'est pas bon pour toi, tout ça. Qu'est-ce qu'ils fabriquent, les docteurs ?

— Il n'y a pas grand-chose à faire. Ils disent que ça finira par passer.

— Tu as pu dormir un peu cette nuit ?

— Ben, pas vraiment. C'était mon tour, pour ainsi dire. Johanna ne peut pas se permettre d'arriver au boulot complètement lessivée après une nuit blanche, dit Paula avec un profond soupir, puis elle se tourna vers Mellberg : Comment était la conférence de presse ?

Mellberg avait Leo sur ses genoux, il lui tartinait de la confiture sur des tranches de pain Skogaholm. En voyant que ce pain, multicéréales certes mais bourré de sucre, constituerait le petit-déjeuner de son fils, Paula ouvrit la bouche pour rouspéter, avant de la refermer aussitôt.

— Ce n'est peut-être pas ce qu'il y a de mieux pour lui, intervint Rita en renfort, qui comprenait que Paula était trop fatiguée pour lutter.

— Qu'est-ce que tu lui reproches, à ce pain ? dit Mellberg en mordant dedans à pleines dents par pure bravade. J'ai été nourri avec ça toute mon enfance. Et la confiture, ce sont des baies. Et les baies, ce sont des vitamines. Des vitamines et des oxydants, c'est excellent pour un petit en pleine croissance.

— Antioxydants, corrigea Paula.

Mais Mellberg n'écoutait plus. Sornettes. Quelle drôle d'idée de venir lui donner des conseils diététiques, à lui !

— D'accord. Et donc, comment s'est passée la conférence de presse ? demanda-t-elle encore une fois en admettant qu'elle avait perdu la bataille.

— Comme sur des roulettes. Je me suis montré autoritaire et précis, d'un bout à l'autre. Il faudra acheter les journaux du jour.

Il prit une autre tranche de pain. Les trois premières tartines n'étaient en quelque sorte qu'une entrée en matière.

— Oui, tu as sûrement été époustouflant, ça va de soi.

Mellberg lui jeta un regard suspicieux, guettant l'ironie, mais l'expression de Paula était parfaitement neutre.

— Et à part ça, vous avez progressé ? Vous avez des indices ? Vous savez d'où elle venait, où elle a été détenue ?

— Non, on ne sait rien.

Lisa commença à se tortiller dans ses bras, et Paula eut l'air à la fois fatigué et frustré. Mellberg savait qu'elle détestait rester à l'écart de l'enquête. Elle ne paraissait pas apprécier pleinement son congé parental, d'autant que les premiers temps n'avaient pas été une sinécure. Le bonheur d'être mère ne suffisait pas à lui faire voir la vie en rose. Il posa une main sur sa cuisse et sentit à travers la flanelle combien elle avait maigri. Elle n'avait pas quitté son pyjama depuis des semaines.

— Je promets de te tenir informée. Mais pour l'instant, le fait est que nous ne savons pas grand-chose…

Il fut interrompu par un hurlement de Lisa. Comment un si petit corps pouvait-il émettre un son aussi strident ?

— C'est sympa, merci.

Paula se leva et, tel un somnambule, se mit à arpenter la cuisine tout en fredonnant un air rassurant à l'oreille de Lisa.

— Pauvre chou, dit Mellberg en se préparant une nouvelle tartine. Avoir mal au ventre comme ça tout le temps. Heureusement que je suis né avec un estomac d'acier, moi.

Patrik se tenait devant le tableau blanc, dans la cuisine du commissariat. Il avait fixé une carte de Suède au mur et marqué avec des épingles les points où les filles avaient disparu. Un cas antérieur pour lequel ils avaient aussi piqué des épingles sur une carte de la Suède lui revint à l'esprit. Une affaire qu'ils avaient résolue. Il espéra de tout cœur qu'ils y parviendraient cette fois encore.

Le matériel d'enquête qu'Annika avait collecté auprès des autres districts formait quatre piles sur la table à côté de lui, une pour chaque disparue.

— Nous ne pouvons pas travailler en considérant la mort de Victoria comme un cas isolé, nous devons nous tenir constamment informés des enquêtes en cours sur les autres disparitions.

Martin et Gösta hochèrent la tête. Mellberg était arrivé au commissariat ce matin pour ressortir presque immédiatement sous prétexte de promener Ernst, ce qui signifiait en général qu'il allait faire un tour à la pâtisserie voisine et resterait absent une bonne heure. Ce n'était pas un hasard si Patrik avait choisi de faire le point maintenant.

— Tu as eu des nouvelles de Pedersen ? demanda Gösta.

— Non, mais il nous contactera dès qu'il aura terminé l'autopsie. Je sais que nous avons déjà passé tout cela en revue, mais je voudrais vous rappeler les faits une fois encore, par ordre chronologique. On ne sait jamais, quelque chose en sortira peut-être.

Patrik prit le premier dossier et consulta les documents avant de se retourner et d'écrire sur le tableau blanc.

— Sandra Andersson. Disparue il y a deux ans, peu avant de fêter ses quinze ans. Elle habitait à Strömsholm avec sa mère, son père et sa petite sœur. Les parents sont propriétaires d'un magasin de prêt-à-porter. Famille sans problèmes, à ce qu'il paraît. Toutes les déclarations convergent pour décrire Sandra comme une adolescente extrêmement sérieuse. Niveau scolaire excellent. Son objectif était d'entrer en fac de médecine.

Patrik montra une première photo. Sandra était brune, mignonne, avec un regard sérieux et intelligent.

— Loisirs ? demanda Martin en avalant une gorgée de café, puis il fit une vilaine grimace et reposa la tasse.

— Aucun en particulier. Elle semblait se concentrer sur ses études.

— Rien de suspect pendant la période précédant sa disparition ? dit Gösta. Des appels anonymes ? Un rôdeur dans le jardin ? Des lettres ?

— Des lettres ? s'étonna Patrik. Vu son âge, ce serait plutôt des mails ou des SMS. Les mômes d'aujourd'hui ne savent pas ce que c'est, une lettre ou une carte postale.

Gösta renifla.

— Je sais, je ne suis pas un fossile quand même. Mais qu'est-ce qui te dit que le ravisseur était connecté ? Il appartient peut-être à la génération courrier escargot. Tu n'y avais pas pensé, hein ?

L'air triomphant, Gösta croisa les jambes. À contrecœur, Patrik dut admettre que son collègue avait marqué un point.

— En tout cas, rien de tel n'a été mentionné. Et les policiers de Strömsholm sont aussi minutieux que nous. Ils ont interrogé les amis et les camarades de classe de Sandra, ils ont passé sa chambre au peigne fin, ils ont analysé son ordinateur, examiné tous ses contacts. Sans rien trouver d'anormal.

— Ça, c'est plutôt suspect, une ado qui ne manigance rien, marmonna Gösta. Ou du moins pas très conforme, je dirais.

— Moi, ça me fait rêver, soupira Patrick.

Il redoutait ce qui les attendait, Erica et lui, quand Maja atteindrait l'adolescence. Il en avait trop vu, dans son métier, pour ne pas avoir le ventre serré en songeant à cette période.

— C'est tout ce qu'on a ? Elle a disparu où ? demanda Martin en jetant un regard soucieux sur les quelques lignes inscrites au tableau.

— En revenant de chez une copine. Elle n'est jamais arrivée à la maison, et ses parents ont fini par alerter la police.

Patrik n'eut pas besoin de consulter ses documents. Il les avait déjà étudiés mille fois. Il posa le dossier de Sandra et prit le suivant.

— Jennifer Backlin. Quinze ans. Elle a disparu de Falsterbo il y a un an et demi. Situation familiale sans problèmes, comme Sandra. La famille fait partie de ce qu'on pourrait appeler le gratin local. Le père est propriétaire d'une société d'investissement, la mère est femme au foyer. Elle a une sœur. Le bulletin de Jennifer était plutôt moyen, en revanche c'était une gymnaste prometteuse, elle allait intégrer un lycée sportif.

Il montra la photo d'une brune souriante aux grands yeux bleus.

— Un petit ami ? Question valable pour Sandra aussi, d'ailleurs, pointa Gösta.

— Jennifer avait un copain, mais il a été rayé de l'enquête. Sandra n'avait pas de petit ami, répondit Patrik en prenant son verre d'eau. Et la rengaine habituelle : personne n'a rien vu, personne n'a rien entendu. Pas de conflits dans la famille de Jennifer ni dans le cercle d'amis, aucun incident suspect avant ou après sa disparition, rien sur le Net…

Patrik griffonna sur le tableau. Les informations se rapportant à Jennifer ressemblaient de façon inquiétante à celles sur Sandra. Surtout le manque d'indices et de renseignements utiles. C'était étrange. D'habitude on trouvait toujours des gens qui avaient vu ou entendu quelque chose. Là, ces filles s'étaient pour ainsi dire volatilisées.

— Kim Nilsson. Un peu plus âgée que les autres, seize ans. Elle a disparu de Västerås il y a environ un an. Les parents tiennent un restaurant assez chic, Kim leur donnait un coup de main de temps en temps, avec sa sœur. Pas de petit ami. De très bonnes notes, aucun loisir particulier, à part l'école qui semblait lui tenir à cœur, comme Sandra. Selon les parents, elle rêvait d'étudier l'économie à l'université pour monter sa propre entreprise.

Encore une photo d'une jolie adolescente brune.

— Tu peux faire une pause ? Il faut que j'aille vider ma vessie, dit Gösta.

On entendit ses articulations craquer et Patrik réalisa tout à coup combien son collègue était près de l'âge de la retraite. À sa grande surprise, il se dit que cet homme lui manquerait terriblement le jour où il quitterait la police. Pendant de nombreuses années, il avait été agacé par son goût pour le moindre effort, sa prédisposition à faire le strict minimum. Mais il avait aussi eu l'occasion de découvrir d'autres facettes du bonhomme, et il savait que Gösta pouvait être un très bon policier. Et que sous la surface rugueuse se cachait un cœur immense.

Patrik fit un signe de tête à l'intention de Martin.

— Bon, en attendant Gösta, raconte-nous ton entretien avec Marta. Qu'est-ce que ça a donné ?

— Absolument rien, soupira Martin. Elle n'a remarqué ni voiture ni personne, avant que Victoria surgisse de la forêt. Et elle n'a aperçu personne après. Il n'y avait qu'elle, le conducteur et Victoria, jusqu'à ce que l'ambulance arrive. Rien de nouveau sur la disparition elle-même non plus, pas de conflit dans l'écurie dont elle aurait pu se souvenir.

— Et Tyra ?

— Pareil… mais j'ai quand même eu le sentiment qu'elle voulait raconter quelque chose, comme si elle avait un soupçon qu'elle n'osait pas partager avec moi.

— Tiens donc, dit Patrik en observant, le front plissé, son écriture vigoureuse sur le tableau blanc. Si c'est le cas, espérons qu'elle osera bientôt. On devrait peut-être lui mettre un peu la pression ?

— Prêt ! annonça Gösta en reprenant sa place. C'est cette foutue prostate qui m'oblige à y aller tous les quarts d'heure.

Patrik leva la main.

— Merci, on se passera des détails.

— On en a terminé avec Kim ? demanda Martin.

— Oui, son cas ressemble aux deux précédents. Pas d'indices, pas de suspect, rien. Pour la quatrième, en revanche, c'est un peu différent. C'est la seule disparition où un suspect a été observé par un témoin oculaire.

— Minna Wahlberg, précisa Martin.

Patrik opina du chef, écrivit nom et prénom au tableau et sortit du dossier la photo d'une fille aux yeux bleus et aux cheveux châtains rassemblés en une queue de cheval lâche.

— Oui, Minna Wahlberg. Quatorze ans, résidant à Göteborg. Elle a disparu il y a sept mois environ. Son histoire familiale est un peu différente. Mère célibataire, de nombreux signalements de grabuge à la maison tout au long de son enfance, les éléments perturbateurs étant les petits amis de la mère. Puis elle commence à figurer dans les fichiers des services sociaux : larcins, cannabis, l'histoire classique d'une môme à la dérive. Absences répétées à l'école.

— Frères et sœurs ? demanda Gösta.

— Non, elle vivait seule avec sa mère.

— Tu n'as pas indiqué comment Jennifer et Kim ont disparu, fit remarquer Gösta, et Patrik se retourna pour constater qu'il n'avait pas tort.

— Jennifer a disparu en rentrant chez elle, après son entraînement. Kim a disparu près de chez elle. Elle était sortie pour retrouver une copine, mais la copine ne l'a jamais vue arriver. Dans les deux cas, la police a été avertie très tôt.

— Contrairement au cas de Minna ?

— Exactement. Minna était absente du collège et de chez elle depuis trois jours quand sa mère a enfin réalisé qu'il se passait quelque chose et a averti la police. Apparemment, elle ne savait jamais trop ce que faisait sa fille, Minna allait et venait à sa guise. Elle dormait chez des copines et différents mecs. Du coup, on ignore quel jour elle a disparu précisément.

— Et le témoin ?

Martin but une autre gorgée de café, et Patrik sourit de la grimace qu'il fit de nouveau en sentant le goût amer du breuvage resté au chaud dans la cafetière pendant plusieurs heures.

— Enfin, Martin ! Ce café est infect, fais-en du nouveau, dit Gösta. J'en prendrais bien un, et Patrik aussi, j'imagine.

— Non mais je rêve ! Fais-le toi-même ! répliqua Martin.

— Nan, tant pis. De toute façon ce n'est pas bon pour la santé.

— Je n'ai jamais croisé personne d'aussi paresseux que toi. C'est peut-être l'âge, remarque.

— Oh hé! T'as fini, oui?

Gösta était capable de plaisanter sur son âge, voire de s'en plaindre, mais il n'aimait pas que quelqu'un d'autre s'en charge.

Patrik se demanda comment un visiteur au commissariat interpréterait leurs chamailleries, qui venaient interrompre les sujets les plus graves. Mais c'était vital pour eux. Par moments, le travail était si lourd qu'ils devaient trouver des échappatoires. C'est en se taquinant, en rigolant qu'ils parvenaient à supporter la mort, la douleur et le désespoir.

— On reprend? On en était où?

— Le témoin, répondit Martin.

— Exact. C'est la seule affaire où il y a un témoin, une dame de quatre-vingts ans. Les informations ne sont pas très claires. Elle avait du mal à se souvenir de la date, mais c'était probablement le premier jour d'absence de Minna. Elle serait montée dans une petite voiture blanche devant une supérette Ica à Hisingen.

— Sauf que cette dame n'a pas su identifier la marque, fit remarquer Gösta.

— Non. La police de Göteborg a en vain essayé d'obtenir plus de détails sur le véhicule. Sans autre caractéristique, "une voiture blanche ancienne" est impossible à retrouver.

— Et le témoin n'a pas vu le conducteur? demanda Martin, alors qu'il connaissait déjà la réponse.

— Non, elle a eu l'impression que le conducteur était un jeune homme, mais ça reste très incertain.

— C'est fou quand même, maugréa Gösta. Comment cinq adolescentes peuvent-elles disparaître comme ça, d'un coup? Merde alors! Quelqu'un a forcément vu quelque chose.

— Personne ne s'est manifesté en tout cas, répondit Patrik. Et on ne peut pas accuser les médias d'avoir cherché à étouffer les affaires. Après la masse d'articles qu'ils ont publiés sur ces disparitions, s'il y avait eu un témoin, il nous aurait contactés.

— Soit le ravisseur est extrêmement habile, soit il est irrationnel au point que toutes les traces qu'il laisse derrière lui sont embrouillées, raisonna Martin à voix haute.

Patrik secoua la tête.

— Je pense qu'il y a un schéma. Je ne peux pas expliquer pourquoi, mais je suis sûr qu'il y en a un. Et une fois que nous l'aurons trouvé... – Il fit un large geste de la main. – Comment ça avance d'ailleurs, cette histoire de psy pour un profilage criminel?

— Eh ben, ça n'a pas été facile, répondit Martin. Ils ne sont pas très nombreux, et les rares qui existent sont très pris. Mais Annika vient d'en dégoter un. Un certain Gerhard Struwer. Il est criminologue à l'université de Göteborg, et peut nous recevoir cet après-midi. Elle lui a envoyé par mail toutes les informations dont nous disposons. Cela dit, je trouve étrange que la police de Göteborg n'ait pas fait appel à lui.

— Mouais, je suppose que nous sommes les seuls crétins à croire à ces trucs-là. La prochaine fois, on n'aura qu'à appeler Mme Irma, marmonna Gösta qui partageait l'opinion de Mellberg sur la question.

Patrik ignora son commentaire.

— S'il ne parvient pas à dresser un profil, il pourra au moins nous conseiller. On devrait profiter du déplacement à Göteborg pour aller voir aussi la mère de Minna. Si c'est le ravisseur qui conduisait la voiture blanche, Minna le connaissait peut-être. Puisqu'elle semble être montée dans la voiture de son plein gré.

— J'imagine que la police de Göteborg a déjà posé cette question à la mère, objecta Martin.

— Oui, mais j'aimerais lui parler moi-même et voir s'il est possible de creuser le...

Le signal strident d'un portable interrompit Patrik. Il sortit son appareil, vérifia l'écran puis regarda ses collègues.

— C'est Pedersen.

Avec un grognement, Einar se hissa en position assise dans le lit. Le fauteuil roulant était placé juste à côté, mais il l'ignora et se contenta de caler l'oreiller derrière son dos et de rester comme ça. De toute façon, il n'avait nulle part où aller. Cette chambre était son univers maintenant, et elle lui suffisait car il pouvait vivre dans ses souvenirs.

Il entendit Helga s'affairer au rez-de-chaussée et l'aversion lui fit monter un goût métallique dans la bouche. C'était odieux d'être dépendant d'une personne aussi pitoyable. Insupportable que les rapports de force se soient inversés à ce point et que ce soit elle désormais la plus forte, celle qui pouvait gouverner sa vie.

Helga avait été une jeune femme particulière. Sa joie de vivre était si grande, l'éclat dans ses yeux si vif qu'il avait ressenti une énorme satisfaction à l'éteindre petit à petit. Et pendant longtemps, cette flamme n'avait plus scintillé, mais lorsque Einar s'était retrouvé enfermé dans la prison de son propre corps – ce corps qui l'avait trahi –, quelque chose avait changé. Helga demeurait une femme brisée, mais ces derniers temps, il avait parfois aperçu une lueur de résistance. Faible, certes, mais qui suffisait à l'exaspérer.

Il jeta un coup d'œil sur la photo de mariage que Helga avait accrochée au mur au-dessus de la commode. Sur le cliché en noir et blanc, elle posait sur lui un regard plein d'espoir, dans l'heureuse ignorance de ce qu'allait être sa vie avec l'homme en frac à ses côtés. À cette époque, il était beau. Grand, blond, épaules larges et regard bleu et franc. Helga avait de longs cheveux blonds coiffés en un chignon surmonté d'une couronne de myrte et d'un voile. Elle était belle, il l'avait tout de suite vu, mais elle était devenue encore plus belle une fois qu'il l'avait façonnée à sa guise. Un vase fissuré avait plus de charme qu'un vase intact, et les fissures de Helga s'étaient produites sans qu'il n'ait à fournir beaucoup d'efforts. Aujourd'hui, elle était une femme grise.

Il prit la télécommande. Son ventre volumineux le gênait, et une vague de haine pour son propre corps le submergea. Celui d'un grabataire, bien loin de ce qu'il avait été un jour. Mais en fermant les yeux, il redevenait jeune. Il revivait tout, aussi nettement qu'à l'époque : la peau douce des femmes, la sensation de cheveux longs et soyeux, leur haleine contre son oreille, les sons qui l'excitaient et éveillaient son ardeur. Les souvenirs le libérèrent de la prison qu'était sa chambre, avec son papier peint jauni et ses rideaux inchangés depuis des dizaines d'années. Ces quatre murs qui entouraient son corps inutile.

Jonas l'aidait à sortir parfois. Il le portait jusqu'au fauteuil roulant et le descendait précautionneusement dans l'escalier par la plate-forme électrique. Il était fort, Jonas, aussi fort qu'il l'avait été lui-même. Mais ces brèves promenades ne lui apportaient pas grand-chose. C'était comme si ses souvenirs se diluaient et se délitaient à l'air libre, comme si le soleil sur son visage lui faisait perdre la mémoire. Il préférait donc rester dans sa chambre. Où il pouvait maintenir les souvenirs en vie.

La matinée était bien avancée, mais il faisait toujours sombre dans son bureau, et Erica fixait le vide devant elle sans parvenir à travailler. Son aventure de la veille l'obnubilait : le noir dans la cave, la chambre avec la barre pour bloquer la porte. Elle n'arrivait pas non plus à chasser de son esprit ce que Patrik avait raconté au sujet de Victoria. Erica avait suivi le travail assidu de la police pour retrouver la jeune fille disparue, et elle se sentait partagée quant au dénouement du drame. Son cœur saignait en pensant à sa famille et à ses amis, à la perte qu'ils avaient subie. Mais si elle n'avait jamais été retrouvée? Comment vivre avec le doute en tant que parent?

Quatre filles restaient disparues. Évanouies, sans laisser de traces. Elles étaient peut-être mortes et on ne les retrouverait jamais. Leurs familles souffraient de leur absence vingt-quatre heures sur vingt-quatre. Elles se posaient des questions et vivaient dans l'angoisse, elles gardaient espoir tout en sachant qu'il n'y en avait guère. Erica frémit. Soudain elle se sentit frigorifiée et alla chercher une paire de grosses chaussettes en laine dans sa chambre. Elle choisit d'ignorer le désordre qui y régnait. Le lit n'était pas fait et des vêtements étaient éparpillés un peu partout. Des verres vides traînaient sur les tables de chevet. La gouttière dentaire de Patrik était posée là, accumulant les bactéries, et son côté à elle était encombré de flacons de Vibrocil. Depuis sa dernière grossesse elle était dépendante de son spray nasal, et le moment propice pour s'en passer ne semblait jamais se présenter. Elle avait essayé à plusieurs reprises, chaque fois elle avait vécu trois jours d'enfer, pouvant à peine respirer. Après un tel calvaire, il était bien trop tentant de replonger. Elle comprenait parfaitement qu'on ait du mal à arrêter de fumer ou, pire encore, à se sevrer d'une drogue dure, quand elle-même était incapable de s'affranchir d'un produit aussi banal qu'un spray nasal.

Rien que d'y penser, elle sentit son nez se congestionner, et elle alla secouer plusieurs flacons sur la table de chevet avant d'en trouver un encore plein. Elle inhala avidement deux doses dans chaque narine. La dilatation de ses conduits nasaux lui procura une volupté assez proche de l'orgasme. Patrik la charriait parfois en prétendant que si on obligeait sa femme à choisir entre le Vibrocil et le sexe, il devrait se trouver une maîtresse.

Erica sourit. L'idée de Patrik avec une maîtresse était, comme toujours, risible. D'abord, ce serait trop fatigant pour lui. Et puis, elle savait combien il l'aimait, même si le quotidien venait trop souvent tuer le romantisme. Le désir brûlant des premières années s'était émoussé depuis longtemps, remplacé par une flamme plus modérée. Ils savaient où ils se situaient l'un par rapport à l'autre, et elle adorait cette sécurité.

Elle retourna dans son petit cabinet de travail. Les grosses chaussettes la réchauffaient et elle essaya de se concentrer sur son écran. Mais aujourd'hui, rien ne semblait vouloir fonctionner.

Sans entrain elle fit défiler les documents. Elle avait du mal à progresser et c'était en grande partie dû aux réticences de Laila. Sans la participation des personnes concernées, elle ne pouvait pas construire ses ouvrages sur des affaires criminelles authentiques, en tout cas pas comme elle le souhaitait. Se contenter de décrire un cas à partir de comptes rendus de procès et de rapports de police ne donnait pas corps à un récit. Ce qu'elle cherchait, c'étaient les sentiments, les pensées, tout ce qui n'avait pas été dit. Et dans le cas qui l'occupait, Laila était la seule à pouvoir raconter ce qui s'était passé. Louise était morte, Vladek était mort, Peter avait disparu. Malgré des recherches obstinées, Erica n'était pas encore parvenue à localiser ce dernier, et de toute façon, il ne fallait pas espérer qu'il ait grand-chose à raconter. Il n'avait que quatre ans le jour où son père avait été assassiné.

Irritée, Erica ferma le fichier. Ses réflexions revenaient sans cesse à l'enquête de Patrik, à Victoria et aux autres filles. Ce ne serait peut-être pas une mauvaise chose après tout d'y réfléchir un peu. Elle observait souvent un regain d'énergie quand elle abandonnait le travail en cours pour se consacrer un moment à un autre sujet. Et s'occuper du linge sale ne la motivait pas vraiment.

Elle sortit un bloc de Post-it du tiroir de son bureau. Ces petits papillons l'avaient aidée maintes fois au moment de structurer les matériaux épars. Elle commença par chercher des articles sur le Web. Les filles disparues avaient fait la une à plusieurs reprises, et les informations étaient faciles à dénicher. Elle écrivit leurs noms sur cinq Post-it, de couleurs différentes pour plus de clarté. Sur une autre série de petits carrés multicolores, elle inscrivit toutes les données dont elle disposait : domicile, âge, parents, frères et sœurs, jour et lieu de la disparition, passe-temps. Puis elle les colla au mur, sur plusieurs lignes. Elle sentit un coup au ventre en les contemplant. Derrière chaque rangée se dissimulaient un deuil et une douleur indescriptibles. Le pire cauchemar de tout parent.

Cependant, il manquait quelque chose : des visages à ajouter au texte succinct des Post-it. Les sites des tabloïdes regorgeaient de photos, et elle en imprima une de chaque fille en se demandant combien d'exemplaires supplémentaires ils avaient vendus grâce à ces articles. Mais elle écarta aussitôt cette pensée cynique. Les journaux faisaient leur boulot et elle était mal placée pour les critiquer, elle qui gagnait confortablement sa vie en écrivant sur les tragédies d'autrui de façon beaucoup plus détaillée et intime que ne le feraient jamais les tabloïdes.

Pour finir, elle imprima une carte de Suède en plusieurs morceaux qu'elle assembla avec du scotch et afficha à côté des Post-it. Avec un stylo rouge, elle marqua les lieux où les filles avaient disparu.

Elle disposait désormais d'une structure de base, d'un squelette. Après toutes les recherches qu'elle avait faites pour ses livres, elle avait appris qu'on trouvait souvent les réponses en apprenant à connaître les victimes. Que possédaient ces filles qui avait amené le ravisseur à les choisir, elles précisément ?

Erica ne croyait pas au hasard. Au-delà du physique et de l'âge, un autre élément devait les unir, forcément, un détail en rapport avec leur personnalité ou leurs conditions de vie. Quel était ce dénominateur commun ?

Elle observa les cinq visages au mur. Tant d'espoir, tant de curiosité pour ce que la vie avait à offrir. Son regard s'attarda sur une des photos, et tout à coup elle sut par quel bout commencer.

Laila répandit les coupures de journaux devant elle et sentit son cœur s'emballer. Une réaction physique à une angoisse psychique. Il cognait de plus en plus fort, et la sensation d'impuissance accéléra les pulsations jusqu'à l'asphyxier.

Elle essaya de prendre quelques grandes respirations, inspira à fond l'air renfermé de sa petite chambre, força son cœur à ralentir. Elle avait beaucoup appris sur la gestion de l'angoisse au fil des ans et savait comment se comporter face aux crises, sans l'aide de thérapeutes ou de médicaments. Au début elle prenait tous les comprimés qu'on lui donnait, elle avalait tout ce qui pouvait la plonger dans une brume d'oubli, où le mal ne se dressait plus devant elle. Mais quand les cauchemars avaient commencé à déchirer la brume, elle avait arrêté net les tranquillisants. Elle gérait mieux ces rêves quand elle était lucide et attentive. Si elle perdait le contrôle, n'importe quoi pourrait arriver, ses secrets pourraient lui échapper.

Les coupures les plus anciennes avaient jauni. Elles étaient froissées à force de rester pliées dans la petite boîte qu'elle avait réussi à cacher sous son lit. Quand c'était jour de ménage, elle la dissimulait sous ses vêtements.

Ses yeux survolaient les articles. Elle n'avait pas besoin de les lire, elle les connaissait par cœur. Sauf les plus récents qu'elle n'avait pas explorés assez souvent pour que les mots résonnent tout seuls dans sa tête. Elle passa sa main sur ses cheveux ras. La sensation était toujours aussi bizarre. Dès sa première année en centre de détention, elle avait coupé ses longs cheveux, sans raison particulière. Une manière de marquer une distance, un point final, peut-être. Ulla aurait sûrement une bonne théorie là-dessus, mais Laila ne la lui avait pas demandée. Elle n'avait aucune raison d'analyser les motivations de son comportement. Elle savait pertinemment pourquoi les choses avaient tourné comme elles avaient tourné. Elle détenait toutes les réponses.

Parler avec Erica revenait à jouer avec le feu. Elle n'aurait jamais pris elle-même l'initiative d'entrer en contact avec quelqu'un, mais Erica s'était manifestée pour la énième fois juste au moment où une nouvelle coupure était venue rejoindre la collection dans la boîte, ce qui l'avait sans doute rendue vulnérable. Elle ne se rappelait pas très bien. Elle se souvenait seulement qu'à sa propre surprise, elle avait consenti à une visite.

Erica était venue le jour même. Et bien que Laila n'ait pas su, pas plus qu'aujourd'hui, si elle allait pouvoir répondre à ses demandes, elle l'avait rencontrée, elle avait parlé avec elle, elle avait écouté ses questions, les laissant planer sans réponses dans la salle des visites. Après le départ d'Erica, l'angoisse la saisissait parfois, la conviction que le temps pressait, qu'elle devait parler du mal à quelqu'un, qu'Erica était probablement la bonne personne pour prendre soin de son histoire. Mais il était tellement difficile d'ouvrir une porte restée fermée si longtemps.

Pourtant elle se réjouissait d'avance de ses visites. Erica posait les mêmes questions que tous les autres, mais elle les posait différemment. Pas avec une curiosité avide. Elle montrait un intérêt sincère. C'était peut-être cc qui motivait Laila à continuer de la recevoir. Ou alors ce qu'elle portait au fond d'elle depuis trop longtemps devait-il sortir. Parce que la peur l'emportait, la peur de ce qui pourrait arriver encore.

Erica allait venir le lendemain. Le personnel avait transmis sa demande de visite à Laila, qui s'était contentée de hocher la tête.

Elle remit les coupures dans la boîte, les plia comme avant pour ne pas former d'autres plis, et referma le couvercle. Son cœur s'était apaisé.

Patrik ramassa d'une main tremblante les documents qu'il venait d'imprimer. Il était submergé par des vagues de nausée et fut obligé d'attendre un instant afin de reprendre ses esprits, avant de traverser l'étroit couloir jusqu'au bureau de Mellberg. Il frappa à la porte fermée.

— Qu'est-ce qu'il y a?

La voix de Mellberg était irritée. Il venait de rentrer de sa prétendue promenade, et Patrik devina qu'il s'était déjà installé pour un petit roupillon.

— C'est Patrik. J'ai reçu le rapport de Pedersen, je me suis dit que toi aussi, tu voudrais voir les résultats de l'autopsie.

Il résista à l'impulsion d'ouvrir la porte à la volée. La dernière fois qu'il l'avait fait, il avait trouvé le chef du commissariat en train de ronfler, vêtu en tout et pour tout d'un slip délavé. Le genre d'erreurs qu'on ne commet pas deux fois.

— Entre, lança Mellberg au bout d'un moment.

Il était en train de déplacer des documents sur son bureau pour donner l'illusion d'être pleinement occupé. Patrik s'assit en face de lui, et Ernst sortit immédiatement de sa place sous la table pour lui dire bonjour. Le chien tenait son nom d'un ancien policier du commissariat, décédé aujourd'hui, et même si Patrik répugnait à dire du mal d'un mort, il trouvait le chien bien plus sympathique que son homonyme.

— Salut, mon vieux, dit-il, et il gratta la tête du chien qui gémit d'aise.

— Tu es blanc comme un linge, constata Mellberg, ce qui était une observation inhabituellement pertinente venant de lui.

— Oui, ce n'est pas une lecture très agréable, expliqua Patrik en posant le rapport imprimé devant Mellberg. Tu veux le lire d'abord, ou je te fais un résumé?

— Vas-y, je t'écoute.

— Je ne sais pas trop par où commencer. Les yeux ont été éliminés avec de l'acide. Les plaies avaient eu le temps de se refermer et, au vu des cicatrices, Pedersen estime que cela a été fait peu après son enlèvement.

— Quelle horreur! s'écria Mellberg, et il appuya ses coudes sur le bureau.

— La langue a été coupée avec un objet tranchant. Pedersen ne peut pas préciser lequel, mais il penche pour un gros sécateur, une cisaille ou ce genre d'outil. Plutôt qu'un couteau.

Patrik pouvait entendre l'écœurement qui perçait dans sa propre voix, et Mellberg sembla réprimer un haut-le-cœur.

— Ce n'est pas tout. Un objet acéré a été introduit dans ses oreilles, causant de tels dégâts que Victoria avait également perdu l'ouïe.

Il ne fallait pas qu'il oublie de le dire à Erica. Son idée d'une fille dans une bulle s'était révélée exacte.

Mellberg le fixa un long moment.

— Alors elle ne pouvait ni voir ni entendre ni parler, articula-t-il lentement.

— C'est ça.

Ils observèrent un long silence. Tous deux essayèrent d'imaginer comment ce serait de perdre les trois sens les plus importants, d'être prisonnier d'une obscurité compacte et silencieuse sans possibilité de communiquer.

— Quelle horreur! s'exclama Mellberg encore une fois.

Le silence se prolongea, les mots n'étaient pas suffisants. Ernst poussa un jappement et les regarda, inquiet. Il percevait la lourdeur de l'atmosphère, sans réussir à l'interpréter.

— Toutes ces mutilations lui ont vraisemblablement été infligées juste après son enlèvement, ou peu de temps après. Et elle a dû être attachée. Il y a des marques laissées par des cordes autour des poignets et des chevilles, certaines de fraîche date. Le corps présente aussi des escarres.

Mellberg était livide.

— L'analyse chimique est terminée, ajouta Patrik. Il y avait des traces de kétamine dans son sang.

— Kéta quoi?

— Kétamine. C'est un anesthésiant. Classé comme stupéfiant.

— Pourquoi avait-elle ça dans le sang?

— Difficile à dire. D'après Pedersen, les effets varient selon le dosage. Une forte dose vous rend insensible à la douleur et vous fait perdre conscience, à plus faible dose on risque une psychose toxique avec hallucinations. Qui sait quel effet le ravisseur cherchait à obtenir? Peut-être les deux.

— Et ça se trouve où, cette téka, kéta… truc?

— Ça s'achète comme n'importe quelle drogue, mais elle serait assez sophistiquée, apparemment. Il faut savoir l'utiliser et la doser. Les mecs qui en prennent dans les boîtes de nuit ne tiennent pas à s'endormir et louper toute la soirée, ce qui arrive quand on en prend trop. Elle est souvent mélangée à de l'ecstasy. Sinon c'est surtout le monde médical qui s'en sert, comme anesthésiant. Et les vétérinaires, pour endormir les chevaux, notamment.

— Oh putain, s'exclama Mellberg en faisant le lien. Est-ce qu'on a examiné de plus près ce Jonas, le vétérinaire?

— Oui, évidemment. Victoria a disparu en quittant le centre équestre qu'il tient avec sa femme. Il a un alibi solide, il soignait un cheval malade. Les propriétaires certifient qu'il est arrivé chez eux quinze minutes après que Victoria a été vue la dernière fois dans l'écurie, et il y est resté plusieurs heures. Nous n'avons pas non plus trouvé de lien entre lui et les autres filles.

— Mais maintenant on devrait quand même l'examiner à la loupe, non?

— Absolument. Quand je l'ai annoncé aux autres, Gösta s'est souvenu que le cabinet de Jonas a été cambriolé il y a peu de temps. Il va ressortir le rapport et voir s'il est fait mention de kétamine. Reste à savoir si Jonas aurait déclaré un vol s'il allait lui-même utiliser le produit. Quoi qu'il en soit, on va l'interroger de nouveau.

Patrik se tut un instant avant de prendre son élan:

— Il y a autre chose. Je m'étais dit que, Martin et moi, on ferait une petite excursion aujourd'hui.

— Ah bon?

Mellberg eut l'air de flairer des dépenses supplémentaires.

— J'aimerais aller à Göteborg rencontrer la mère de Minna Wahlberg. Et tant qu'à y être...

— Oui?

La méfiance de Mellberg décupla.

— Eh bien, par la même occasion, on irait consulter une personne qui nous établirait une analyse comportementale du criminel.

— Un de ces foutus psychologues, dit Mellberg, et sa grimace exprima sans équivoque ce qu'il pensait de ce corps de métier.

— On pioche au hasard, je sais, mais ça n'entraînera pas de frais supplémentaires, puisque de toute façon on sera déjà sur place.

— Oui, oui, du moment que tu ne nous ramènes pas une Mme Irma, marmonna Mellberg, rappelant à Patrik combien Mellberg et Gösta se ressemblaient parfois. Et fais gaffe où tu mets les pieds. Tu sais comment ça fonctionne : si tu empiètes sur les plates-bandes des collègues de Göteborg, tu risques de te faire mordre.

— Je vais enfiler mes gants de velours, promit Patrik.

Il sortit et referma la porte. Bientôt les ronflements résonneraient dans le couloir.

Erica était tout à fait consciente d'avoir un caractère impulsif. Un peu trop, parfois. En tout cas, c'est ce qu'affirmait Patrik quand elle fourrait son nez dans les affaires des autres. Mais elle l'avait plus d'une fois aidé dans ses enquêtes, il ne pouvait donc pas trop s'en plaindre.

Dans le cas présent il jugerait sans aucun doute qu'elle se mêlait de ce qui ne la regardait pas. Du coup, elle avait l'intention d'évoquer son excursion uniquement si elle donnait des résultats. Si tel n'était pas le cas, elle pourrait lui servir la même excuse qu'à sa belle-mère Kristina, appelée en urgence pour s'occuper des enfants : elle devait rencontrer son agent à Göteborg au sujet d'une proposition de contrat avec un éditeur allemand.

Elle enfila sa veste et fit une petite grimace en regardant autour d'elle. On aurait dit qu'une bombe avait éclaté dans la maison. Kristina ne se priverait pas de faire des commentaires : Erica aurait droit à un long sermon sur l'importance de maintenir son intérieur bien rangé. Bizarrement, Kristina ne servait pas ce sermon à son fils, jugeant sans doute les tâches ménagères indignes d'un homme. Et cela semblait convenir à Patrik.

Non, elle était injuste. Patrik était formidable de maintes façons. Sans se plaindre, il faisait sa part du travail à la maison, et partageait naturellement avec elle la responsabilité des enfants. Mais la parité n'était pas totale. C'était elle qui devait s'improviser chef de projet, qui notait quand les vêtements des enfants étaient trop petits et qu'il fallait revoir leur garde-robe, qui savait quand ils devaient apporter un goûter au jardin d'enfants ou quand il fallait les amener à la PMI pour les vaccinations. Et mille autres choses encore. Qui remarquait quand il fallait racheter de la lessive ou renouveler le stock de couches, qui savait quelle crème était efficace pour les petites fesses rouges, et qui savait toujours où Maja avait égaré son dou-dou préféré. Pour elle, ces préoccupations étaient devenues une seconde nature, alors que Patrik semblait totalement incapable de gérer ce genre de choses. À supposer qu'il ait la moindre envie de le faire. Ce soupçon était toujours à l'œuvre dans un coin de sa tête. Préférant cependant l'ignorer, elle avait résolument endossé son rôle, contente d'avoir malgré tout un parte-naire qui exécutait volontiers les missions qu'elle lui confiait. Beaucoup de ses amies n'avaient même pas cette chance.

Quand elle ouvrit la porte d'entrée, l'air glacial la fit presque reculer. Quel froid de canard! Elle espéra que les routes ne seraient pas trop glissantes. Elle n'était pas une conductrice très expérimentée et ne prenait le volant que contrainte et forcée.

Elle verrouilla soigneusement la porte. Kristina avait sa propre clé puisqu'elle venait souvent garder les enfants en cas d'urgence, ce qui était à la fois un avantage et un incon-vénient. Erica plissa le front en se dirigeant vers la voiture. Cette fois, Kristina avait demandé si c'était OK qu'elle vienne avec quelqu'un, vu qu'Erica l'avait sollicitée au pied levé. Sa belle-mère avait une vie sociale riche et beaucoup d'amies, et il arrivait que celles-ci l'accompagnent quand elle gardait les enfants. Mais la manière dont elle avait dit "quelqu'un" avait mis la puce à l'oreille à Erica. Est-ce que, pour la première fois depuis son divorce, Kristina aurait rencontré un homme?

Erica trouva l'idée amusante et elle sourit en démarrant le moteur. Patrik deviendrait dingue. Il n'avait aucun mal à se faire à l'idée que son père avait une nouvelle femme dans sa vie depuis de nombreuses années, mais, pour une raison obscure, quand il s'agissait de sa mère, c'était différent. Erica le taqui-nait parfois en prétendant qu'elle allait inscrire Kristina sur un site de rencontres, et chaque fois Patrik avait l'air troublé. Mais il fallait bien qu'il accepte que sa mère ait une vie à elle. Erica pouffa de rire toute seule et se mit en route pour Göteborg.

Jonas faisait le ménage dans son cabinet de consultation, et ses mouvements brusques témoignaient de sa colère. Il en voulait toujours à Marta d'avoir annulé le concours. Molly aurait dû avoir sa chance. Il savait combien c'était important pour elle, et sa déception lui fendait le cœur.

Le cabinet installé à domicile avait comporté d'énormes avantages quand elle était petite. Il avait douté de la capacité de Marta à s'occuper d'un bébé correctement, et cette combinaison lui permettait de faire un saut entre deux clients pour s'assurer que tout allait bien à la maison.

Contrairement à Marta, il avait désiré être parent, transmettre son héritage. Il imaginait se reconnaître dans un enfant, et avait toujours supposé qu'il aurait un garçon. Mais c'est Molly qui était arrivée, et dès sa naissance il avait été submergé par des sentiments dont il n'avait jamais soupçonné l'existence.

Ce jour-là, Marta avait déposé le bébé dans ses bras, le visage impassible. La pointe de jalousie qu'il avait aperçue dans son regard avait disparu à peine apparue. Il s'était attendu à ce qu'elle réagisse ainsi, c'était tout à fait normal, car Marta était à lui, et il était à elle. Avec le temps, elle allait comprendre que l'enfant n'y changerait rien, et qu'au contraire elle renforcerait leurs liens.

Dès leur première rencontre, il avait su que Marta était faite pour lui. Sa jumelle, son âme sœur. Des mots galvaudés, des clichés, mais dans leur cas absolument authentiques. Il n'y avait qu'à l'égard de Molly que leurs opinions divergeaient. Marta avait fait de son mieux. Elle l'avait élevée comme Jonas le souhaitait, en évitant d'interférer dans leur relation privilégiée pour se donner corps et âme à celle qu'ils avaient tissée tous les deux, Jonas et elle.

Il espérait que Marta comprenait combien il l'aimait, combien elle était importante pour lui. Il s'efforçait de le lui montrer, il était tolérant et la laissait tout partager. Il n'avait eu de doutes qu'à une seule occasion. L'espace d'un instant, il avait senti un gouffre s'ouvrir entre eux, une menace contre la symbiose dans laquelle ils vivaient depuis si longtemps. Mais ces doutes étaient désormais effacés.

Jonas sourit et remit en place la boîte avec les gants en plastique. Il avait tant de raisons d'être reconnaissant, il le savait très bien.

Mellberg attacha la laisse au collier d'Ernst et, tout excité, le chien se précipita aussitôt vers l'entrée du commissariat. En passant devant Annika à l'accueil, le commissaire annonça qu'il rentrait déjeuner chez lui. Dès que la porte se fut refermée, il inspira un grand bol d'air frais. Après le récit de Hedström, son bureau lui avait soudain paru exigu et étouffant.

La rue commerçante était déserte. Durant l'hiver, la petite ville n'était pas très animée, ce qui signifiait qu'il avait tout son temps pour piquer un petit roupillon. En été, en revanche, il n'y avait pas de limites aux bêtises que les gens pouvaient faire, par ignorance ou sous le coup d'une alcoolémie trop élevée. Les touristes étaient une véritable plaie. Mellberg aurait préféré que Tanumshede et les localités voisines soient aussi dépeuplées l'été que l'hiver. Chaque année, à la fin du mois d'août, il était pratiquement HS, épuisé par tout le boulot. Il avait vraiment choisi un sale métier. Mais que faire de ce don inné pour le travail policier ? Il était maudit, voilà tout. Son habileté éveillait beaucoup de jalousies. Il voyait bien les regards envieux mal dissimulés que lui jetaient parfois Patrik, Martin et Gösta. Paula, en revanche, paraissait moins impressionnée, et c'était peut-être dans l'ordre des choses. Non pas qu'elle soit bête, il ne dirait pas ça, il lui arrivait même d'avoir des fulgurances et d'apporter une réelle contribution. Mais la logique mâle lui faisait défaut, de sorte qu'elle n'avait pas la capacité d'apprécier le cerveau brillant de Bertil Mellberg à sa juste valeur.

En arrivant chez lui, il se sentait un peu mieux. L'air frais avait rafraîchi son esprit, il pouvait de nouveau réfléchir. Même si ce qui était arrivé à la jeune fille était une épouvantable tragédie et que l'affaire leur occasionnait un tas de travail à une époque de l'année censée être peinarde, il trouvait l'enquête assez excitante. Elle lui fournissait aussi une excellente occasion de montrer ses talents.

— Ohé ? appela-t-il en entrant.

Il vit les chaussures de Paula dans le vestibule ; elle était donc là avec Lisa.

— On est dans la cuisine ! répondit Rita.

Mellberg lâcha Ernst qui fila retrouver Señorita. Il tapa des pieds sur le paillasson pour se débarrasser de la neige, accrocha sa veste et suivit le chien.

Dans la cuisine, Rita était en train de mettre la table, et Paula farfouillait dans un placard, le nourrisson dans un porte-bébé sur son ventre.

— On n'a plus de café à la maison, s'excusa-t-elle.

— Cherche au fond à droite, dit Rita. Je te mets une assiette aussi, autant avaler un morceau avec nous puisque tu es là.

— Merci, je veux bien. Comment ça va au boulot ?

Paula se tourna vers Mellberg, le paquet de café à la main. Elle l'avait effectivement trouvé là où Rita avait dit. Il régnait un ordre militaire dans la cuisine de sa mère.

Mellberg hésita à parler du résultat de l'autopsie à une femme allaitant et épuisée. Mais il savait que Paula deviendrait folle si elle découvrait qu'il lui avait caché des informations, et il lui fit un résumé de ce que Patrik venait de lui raconter. Devant le plan de travail, Rita se figea un instant, avant de sortir les couverts d'un tiroir.

— Mais c'est épouvantable, dit Paula en caressant distraitement le dos de Lisa. Sa langue était coupée, tu dis ?

Mellberg dressa l'oreille. Malgré tout, Paula avait de temps en temps fait preuve d'une certaine aptitude pour les investigations, et elle avait une mémoire phénoménale.

— Tu penses à quoi ?

Il s'assit à côté d'elle et la fixa avec impatience. Paula secoua la tête.

— Je ne sais pas, mais ça me rappelle... Oh, ce fichu cerveau d'allaitement, il me rend dingue !

— Ça va passer, la rassura Rita en levant la tête de la salade qu'elle préparait.

— Oui, mais là, c'est vraiment pénible. Cette histoire de langue, ça me dit quelque chose…

— Souvent ça revient au moment où on n'y pense plus, la consola Rita.

— Mmm, répondit Paula, et Mellberg pouvait voir qu'elle fouillait dans ses souvenirs. Je me demande si ça peut venir d'un ancien rapport de police que j'ai lu. Tu serais d'accord pour que je vienne faire un tour au poste tout à l'heure ?

— Tu crois que c'est une bonne idée de sortir Lisa avec ce froid ? Et pour travailler qui plus est. Toi qui es si fatiguée, protesta Rita.

— Je ne serai pas plus fatiguée là-bas qu'ici. Et Lisa pourrait peut-être rester avec toi ? Je ne serai pas absente longtemps, je vais juste jeter un rapide coup d'œil aux archives.

Rita marmonna une réponse inaudible, mais Mellberg savait qu'elle serait absolument ravie de garder Lisa, même si la petite risquait de pleurer. Il remarqua aussi qu'à la perspective de venir au commissariat, Paula eut tout de suite l'air revigorée.

— Dans ce cas j'aimerais avoir accès au rapport d'autopsie dès que j'arrive, dit-elle. Ça ne posera pas de problèmes, j'espère ? Je veux dire, officiellement je suis en congé parental.

Mellberg renifla. Quelle importance qu'elle soit en congé parental ou pas ? Il n'avait aucune idée de ce qui était en vigueur, mais s'il devait suivre toutes les règles et recommandations sur les lieux de travail en général et dans la police en particulier, il n'aurait plus le temps de faire grand-chose d'autre.

— Il est dans le dossier d'enquête. Tu n'auras qu'à le demander à Annika.

— Bien, je vais juste me refaire une beauté, ça sera plus agréable pour tout le monde, et je file.

— Mais d'abord tu manges, dit Rita.

— Oui, maman, d'abord je mange.

La marmite dégageait un fumet qui fit gronder le ventre de Mellberg. La cuisine de Rita battait tous les records. Seule ombre au tableau : pour les desserts, elle était mesquine. En son for intérieur, il visualisa les gâteaux de la pâtisserie. Il y était déjà allé une fois aujourd'hui, mais il pourrait peut-être y refaire un tour sur le chemin du commissariat. Aucun repas n'était tout à fait complet sans une petite sucrerie finale.

Gösta ne demandait plus grand-chose à la vie. Si on a la tête et les pieds au chaud, il faut s'estimer heureux, c'est ce que disait toujours son grand-père. Gösta comprenait de mieux en mieux ce qu'il voulait dire : il ne faut pas trop en demander. Et depuis qu'Ebba était revenue dans sa vie, après les événements étranges de l'été dernier, il était parfaitement satisfait de son existence. Elle était retournée s'installer à Göteborg, et pendant quelque temps il avait craint qu'elle ne disparaisse de nouveau, que ça ne l'intéresse pas de garder le contact avec un vieux schnock qu'elle n'avait connu que très brièvement dans sa petite enfance. Mais elle donnait de ses nouvelles de temps à autre, et quand elle venait chez sa mère à Fjällbacka, elle passait toujours le voir, lui aussi. Il la trouvait chaque fois un peu plus requinquée, même si elle était encore fragile après tout ce qu'elle avait vécu. Il souhaitait de tout son cœur que ses plaies guérissent et qu'un jour elle retrouve sa foi en l'amour. Et peut-être qu'avec un peu de chance il pourrait faire office de grand-père de substitution et gâter un bambin de nouveau. C'était son rêve : s'occuper des framboisiers du jardin avec un petit à ses côtés, un enfant sur des jambes chancelantes, un doigt solidement ancré dans sa main, qui l'aiderait à cueillir les baies sucrées et juteuses.

Trêve de rêveries! Il ferait mieux de se concentrer sur l'enquête. Il frémit en pensant aux mutilations de Victoria dont Patrik lui avait parlé, mais s'obligea à repousser sa sensation de malaise. Il ne fallait surtout pas s'y attarder. Il avait vu beaucoup d'atrocités au cours de ses années de service, et même si celles-ci dépassaient l'entendement, le principe restait le même : il devait faire son boulot.

Il lut rapidement le rapport qu'il avait sorti et réfléchit un instant avant de se lever pour rejoindre le bureau de Patrik, voisin du sien.

— Jonas a signalé le cambriolage quelques jours avant la disparition de Victoria. Et la kétamine fait partie des produits qui ont été volés. Je pourrais faire un saut à Fjällbacka pour l'interroger pendant que vous allez à Göteborg, Martin et toi.

Il remarqua le regard de Patrik et se sentit un peu froissé. Néanmoins, il pouvait comprendre la surprise qu'il y lisait. Il n'avait pas toujours été le plus assidu de l'équipe, et pour être tout à fait honnête, cet état de choses durait depuis un moment déjà. La capacité était pourtant là, en lui, et ces derniers temps, un sentiment nouveau s'était manifesté. Il voulait qu'Ebba soit fière de lui. Et puis, il compatissait particulièrement à la souffrance de la famille Hallberg dont il avait suivi de près les tourments pendant plusieurs mois.

— Ça ressemble indéniablement à un lien. C'est bien que tu t'en sois souvenu, dit Patrik. Mais tu es sûr de vouloir y aller seul ? Sinon je pourrais t'accompagner demain.

Gösta déclina l'offre en agitant la main.

— Non, je m'en occupe. Ce n'est pas un gros truc. Et comme c'est moi qui ai pris la déposition, c'est à moi d'y aller. Bonne chance à Göteborg.

Il hocha brièvement la tête et alla rejoindre sa voiture.

La ferme équestre n'était qu'à cinq minutes de route, et il fut bientôt garé dans la cour, devant la maison de Marta et Jonas.

— Toc, toc, dit-il en ouvrant la porte à l'arrière.

Le cabinet vétérinaire n'était pas très grand. Une minuscule salle d'attente, pas beaucoup plus grande qu'un vestibule, un coin cuisine et une salle de soins.

— J'espère que vous n'avez pas de boas ici. Ou d'araignées ou d'autres bestioles de ce genre, plaisanta-t-il en apercevant Jonas.

— Tiens, Gösta, bonjour. Non, soyez sans crainte. Il n'y a pas beaucoup d'animaux comme ça à Fjällbacka, Dieu soit loué.

— Je peux entrer ?

— Bien sûr, mon prochain rendez-vous n'est que dans une heure. La journée s'annonce calme. Vous pouvez poser votre veste là-bas. Je vous sers un café ?

— Oui merci, je veux bien. Sans vouloir trop vous déranger.

Jonas l'assura que non et se dirigea vers le coin cuisine où trônaient une machine à café et différentes capsules dans un bol.

— J'ai investi dans une de ces machines pour survivre. Vous le voulez comment? Corsé ou doux? Avec du lait? Du sucre?

— Corsé, avec du lait et du sucre, merci.

Gösta se débarrassa de sa veste et prit place sur une des deux chaises réservées aux visiteurs.

— Voilà, tenez.

Jonas lui tendit son café et s'assit en face de lui.

— Vous venez me parler de Victoria, je suppose.

— Ben, en fait, je voulais vous poser quelques questions au sujet du cambriolage dont vous avez été victime.

Jonas leva les sourcils.

— Ah bon, je croyais que c'était une affaire classée. J'étais un peu déçu que l'enquête n'ait rien donné, même si je comprends que vous ayez donné la priorité à Victoria. Je suppose que vous ne pouvez pas me dire pourquoi vous vous y intéressez soudain à nouveau?

— Non, je regrette. Comment avez-vous découvert qu'on s'était introduit ici? Je sais que nous en avons déjà parlé, mais j'aimerais que vous me le racontiez une nouvelle fois.

Gösta fit un geste comme pour s'excuser et faillit renverser son café. Il rattrapa la tasse de justesse, puis la garda dans sa main pour éviter d'autres maladresses.

— Oui, donc, comme je l'ai déjà dit, j'ai trouvé la serrure fracturée en arrivant le matin. Vers neuf heures. C'est l'heure habituelle où je démarre la journée, les gens aiment rarement se déplacer plus tôt. Toujours est-il que j'ai immédiatement compris qu'il y avait eu effraction.

— Dans quel état avez-vous trouvé le cabinet?

— Pas trop saccagé, en fait. Certains objets avaient été sortis des meubles et éparpillés par terre, rien de bien méchant. Ce qui m'a le plus embêté, c'est que le meuble où je garde les produits classés comme stupéfiants avait été forcé. Je fais toujours très attention de le fermer à clé. La criminalité à Fjällbacka est plutôt faible, mais les quelques toxicos du coin savent que je conserve des substances ici. Cela dit, je n'ai jamais eu de problèmes auparavant.

— Je vois de qui vous parlez, et nous les avons interrogés juste après le vol. Nous n'avons pas réussi à leur faire cracher le morceau. Je ne pense pas qu'ils auraient réussi à tenir leur langue si l'un d'entre eux s'était introduit ici. Et aucune des empreintes digitales ne correspondait aux leurs.

— Vous avez raison. Ça doit être quelqu'un d'autre.

— Qu'est-ce qui manquait? Je sais, ça figure dans votre déposition, mais reprécisez-le malgré tout.

Jonas plissa le front.

— Les stupéfiants en question étaient de l'éthylmorphine, de la kétamine et de la codéine. Pour le reste, il manquait aussi certains produits paramédicaux, des gazes, des antiseptiques et... des gants en latex, je crois. Des trucs ordinaires et pas chers qu'on peut acheter dans n'importe quelle pharmacie.

— Sauf si on veut se procurer tout un tas d'articles de soins sans attirer l'attention, réfléchit Gösta à voix haute.

— Oui, évidemment.

Jonas but une gorgée de café, la dernière, et se leva pour s'en préparer un deuxième.

— Vous en voulez un autre, aussi?

— Non merci, il m'en reste, répondit Gösta, qui réalisa qu'il n'y avait pas touché. Parlez-moi encore des substances classées comme stupéfiants. Y en a-t-il qui présenteraient un intérêt particulier pour des toxicomanes?

— Oui, la kétamine, sans doute. J'ai entendu dire qu'elle était populaire chez les toxicos. Elle passe sous le nom de Spécial K dans le milieu de la fête.

— Et vous, en tant que vétérinaire, vous vous en servez comment?

— Nous, comme les médecins, nous l'utilisons en anesthésique avant des interventions chirurgicales. Les anesthésiques classiques entraînent un risque d'arrêt cardiaque et de dépression respiratoire, la kétamine n'a pas ces effets secondaires.

— Et quels sont les animaux à qui on l'administre?

— Surtout les chiens et les chevaux. Pour les endormir efficacement et en toute sécurité.

Gösta étira ses jambes. Ses articulations avaient tendance à émettre des craquements, d'hiver en hiver il se sentait de plus en plus raide.

— Quelle quantité de kétamine a été volée?

— Si je m'en souviens bien, quatre flacons de cent millilitres ont disparu.

— C'est beaucoup ? Combien on en donne à un cheval par
exemple ?

— Ça dépend de son poids, répondit Jonas. Il faut généralement compter deux millilitres pour cent kilos.

— Et pour les humains ?

— Je ne sais pas. Il faudrait vous renseigner auprès d'un chi-
rurgien ou d'un anesthésiste. J'ai suivi quelques cours de médecine générale, mais c'était il y a pas mal d'années. Je connais
les animaux, pas les humains. Dites-moi, pourquoi êtes-vous
si intéressé par la kétamine ?

Gösta hésita. Il ne savait pas trop s'il devait en parler et révéler le but de sa visite. Mais il était curieux de voir la réaction
de Jonas. Si, contre toute attente, c'était lui qui avait utilisé la
kétamine en signalant un vol pour écarter les soupçons, son
expression le trahirait peut-être.

— On a reçu les résultats de l'autopsie, finit-il par dire. Victoria avait des traces de kétamine dans le sang.

Jonas sursauta et lui jeta un regard à la fois surpris et effaré.

— Vous voulez dire que *ma* kétamine aurait été utilisée par
son ravisseur ?

— On ne peut rien affirmer pour le moment. Mais ce n'est
pas totalement improbable, vu qu'elle a été volée juste avant
la disparition de Victoria, près de l'endroit où elle a été vue
pour la dernière fois.

— C'est absolument épouvantable, dit Jonas en secouant
la tête.

— Vous ne voyez vraiment pas qui a pu s'introduire ici ? Vous
n'avez rien remarqué de suspect les jours avant ou juste après ?

— Non, vraiment rien. Comme je l'ai dit, c'est la première
fois que ça m'arrive depuis que j'ai ouvert le cabinet. J'ai toujours fait extrêmement attention à tout enfermer à clé.

— Et vous ne pensez pas qu'une des filles… ?

Gösta hocha la tête en direction de l'écurie.

— Non, certainement pas. Elles ont peut-être bu de la gnole
maison en cachette une ou deux fois, et fumé une clope de
temps en temps. Mais aucune n'a suffisamment d'expérience

pour savoir que les vétérinaires utilisent des produits classés comme stupéfiants qui peuvent être consommés pour faire la fête. Vous pouvez parler avec elles si vous y tenez. Je vous certifie qu'aucune n'en aura jamais entendu parler.

— Vous avez sûrement raison, murmura Gösta.

Il ne trouva pas grand-chose de plus à demander à Jonas, et celui-ci sembla remarquer son hésitation.

— Autre chose? Dans ce cas, peut-on l'évoquer une autre fois? Je dois recevoir ma patiente suivante. Nelly, la souris dansante, a une petite indigestion.

— Beurk, je ne comprends pas comment on peut avoir ce genre de bête comme animal de compagnie, dit Gösta en fronçant le nez.

— Si vous saviez…

Jonas prit congé en lui serrant fermement la main.

UDDEVALLA, 1968

Dès le début elle avait compris que tout n'était pas normal. C'était comme s'il manquait quelque chose. Laila n'arrivait pas à mettre le doigt dessus, et elle semblait être la seule à s'en rendre compte. Plusieurs fois elle avait essayé d'en parler à Vladek et de proposer qu'ils fassent examiner l'enfant. Il ne voulait rien entendre. Sa fille était si mignonne, si calme. Il n'y avait rien d'anormal.

Puis les signes étaient devenus plus nets. Le visage de l'enfant était toujours empreint d'une étrange gravité, et Laila attendait un premier sourire qui ne venait jamais. Vladek réalisa alors à son tour que quelque chose clochait, mais personne ne prenait le problème au sérieux. Au centre PMI on disait à Laila que c'était très variable, qu'il n'existait pas de normes, que tout finirait par rentrer dans l'ordre. Pourtant, elle en était certaine. Il manquerait toujours quelque chose à sa fille.

Elle ne pleurait jamais non plus. Parfois Laila devait se retenir pour ne pas la pincer, la secouer, n'importe quoi qui puisse provoquer une réaction. Quand la petite était éveillée, elle restait en silence à contempler le monde avec un regard baigné d'une telle ombre que Laila devait reculer d'un pas. Une ombre du fond des âges. Elle n'émanait pas seulement des yeux de l'enfant, mais de tout son corps.

Devenir mère n'était pas du tout comme elle l'avait imaginé. L'idée qu'elle s'en était faite, les sentiments qu'elle pensait éprouver en tenant son bébé dans ses bras – rien ne correspondait à la réalité. Elle devinait que cela venait de l'enfant. Or, elle était sa mère. Et la tâche d'une mère était de protéger son enfant, quoi qu'il arrive.

Monter en voiture avec Patrik était toujours aussi épouvantable. Agrippé à la poignée de la portière passager, Martin ne cessait de formuler des prières même s'il n'était pas croyant pour un sou.

— La route est bonne aujourd'hui, constata Patrik d'un ton joyeux.

Devant l'église de Kville, il ralentit un peu. Une fois la petite localité traversée, il accéléra de nouveau. Dans le virage serré quelques kilomètres plus loin, Martin fut violemment projeté contre la portière et sa tête vint heurter la vitre.

— Arrête d'accélérer dans les virages, Patrik! Je ne sais pas ce que ton vieux moniteur d'auto-école t'a appris il y a cent ans, mais ce n'est pas la bonne technique.

— Je suis un excellent conducteur, marmonna Patrik, mais il leva le pied.

Ils avaient déjà eu cette discussion, et ils l'auraient probablement maintes fois encore.

— Comment va Tuva? demanda-t-il ensuite.

Martin se rendit compte que Patrik lui jetait un regard furtif. Il aurait préféré que les gens ne soient pas si inquiets. Il n'avait rien contre leurs questions, au contraire. Elles montraient qu'ils se souciaient de lui et de Tuva. Elles n'aggravaient rien, le pire était déjà arrivé. Les questions ne venaient pas non plus ouvrir d'autres plaies, c'était la même qui se rouvrait tous les soirs quand il couchait sa fille et qu'elle réclamait sa maman. Ou quand il se glissait au lit, à côté de la place vide de Pia. Ou chaque fois qu'il prenait le téléphone pour appeler la maison et demander s'il devait faire des courses avant de rentrer, et réalisait qu'elle n'allait plus jamais répondre.

— Bien, j'ai l'impression. Elle réclame sa mère, bien sûr, mais elle me demande surtout de lui parler d'elle. Elle semble avoir accepté son absence. Les enfants sont plus raisonnables que nous pour ces choses, je crois.

— Je n'arrive même pas à imaginer ce que j'aurais fait si Erica avait été tuée ce jour-là, dit Patrik doucement.

Martin comprit qu'il pensait à ce qui s'était passé deux ans plus tôt, lorsque Erica mais aussi les jumeaux qu'elle portait dans son ventre avaient failli mourir dans un accident de la route.

— Je ne sais pas si j'aurais pu continuer à vivre.

La voix de Patrik tremblait au souvenir de ce jour où il l'avait presque perdue.

— Tu aurais pu, dit Martin en contemplant le paysage enneigé qui défilait. On y arrive. Et il y a toujours quelqu'un pour qui vivre. Tu aurais eu Maja. Tuva est tout pour moi maintenant, et Pia continue à vivre en elle.

— Tu crois qu'un jour tu seras prêt à rencontrer quelqu'un d'autre?

Martin remarqua que Patrik hésitait à l'interroger, comme si se poser ce genre de question avait quelque chose d'interdit.

— Là, maintenant, ça me paraît impensable. Et d'un autre côté, ça me paraît tout aussi impensable de passer ma vie seul. Ça se fera en temps voulu. Pour l'instant, j'essaie de trouver un équilibre pour moi et Tuva, c'est une occupation à plein temps. On apprend à remplir les vides que Pia a laissés, on fait de notre mieux. Et puis, Tuva aussi devra être prête à laisser quelqu'un d'autre entrer dans la famille.

— C'est bien raisonné, dit Patrik, puis il rigola. D'ailleurs, il ne doit plus rester beaucoup de nanas à draguer à Tanum. Tu as eu le temps de toutes les essayer, avant de tomber sur Pia. Il va falloir élargir ton terrain de chasse si tu ne veux pas du réchauffé.

— Ah ah ah, te fous pas de moi!

Martin sentit qu'il rougissait. Patrik exagérait, mais il n'avait pas entièrement tort. Martin n'avait jamais été ce qu'on appelle un bel homme, mais la combinaison de son côté gamin, de ses cheveux roux et de ses taches de rousseur en avait fait un vrai tombeur. Quand il avait rencontré Pia, cela avait mis un terme au batifolage. Il n'avait jamais regardé une autre femme pendant toutes ces années ensemble. Il l'avait aimée d'un amour profond et elle lui manquait à chaque seconde.

Soudain il n'eut plus la force de parler d'elle. La douleur frappa fort et sans pitié, et il changea de sujet. Patrik comprit le message et, jusqu'à Göteborg, ils ne discutèrent plus que de sport.

Erica hésita un peu avant de sonner à la porte. C'était toujours problématique de déterminer comment structurer l'entretien avec un proche. La mère de Minna lui avait paru calme et sympathique au téléphone. Pas de ton brusque ou sceptique – la réaction la plus fréquente quand elle contactait un parent pour le besoin de ses livres. Et pourtant, aujourd'hui il ne s'agissait pas d'un cas résolu depuis longtemps, mais d'une enquête en cours.

Elle appuya sur la sonnette. Des pas se firent bientôt entendre derrière la porte avant qu'on l'entrouvre.

— Bonjour, dit Erica. Anette?

— Nettan, dit la femme, et elle s'écarta pour la laisser entrer.

Déprimant. Ce fut le premier mot qui vint à l'esprit d'Erica en pénétrant dans le vestibule. Les lieux tout autant que la personne qui l'accueillit lui parurent déprimants, et ce n'était sans doute pas uniquement dû à la disparition de Minna. La femme devant elle semblait avoir perdu espoir depuis belle lurette, humiliée par toutes les déceptions que la vie lui avait apportées.

— Entrez, dit Nettan en la précédant dans le séjour.

La pièce était parsemée d'affaires et d'objets qui s'étaient retrouvés là et n'en avaient plus bougé. Nettan fixa nerveusement un tas de vêtements sur le canapé avant de le faire tomber par terre, sans autre forme de procès.

— Je n'ai pas eu le temps de ranger… dit-elle en laissant la phrase flotter.

Erica observa à la dérobée la mère de Minna en prenant place au bord du canapé. Elle savait que Nettan avait presque dix ans de moins qu'elle, mais elle avait l'air d'avoir son âge, ou même plus. Sa peau était grise, probablement le résultat de trop de cigarettes, et ses cheveux ternes et emmêlés.

— Je me demandais…

Nettan serra son tricot bouloché plus près du corps. Elle semblait se préparer à poser une question gênante.

— Pardon, je suis un peu nerveuse. Ce n'est pas souvent qu'une célébrité vient chez moi. À vrai dire, c'est la première fois.

Elle rit de sa maladresse et, un bref instant, Erica put entrevoir la femme qu'elle avait dû être dans sa jeunesse. Quand la joie de vivre l'habitait encore.

— Pfft, ça fait bizarre quand vous le dites comme ça, déclara-t-elle avec une grimace.

Elle détestait sincèrement qu'on la qualifie de célébrité. Elle avait le plus grand mal à s'identifier comme telle.

— Oui, mais vous *êtes* célèbre. Je vous ai vue à la télé. Vous étiez plus maquillée.

Elle regarda par en dessous le visage d'Erica dépourvu de tout artifice.

— Oui, on vous tartine pour passer à l'antenne. Mais c'est nécessaire, les projecteurs vous font une tête affreuse. Sinon, je ne me maquille presque jamais.

Erica sourit et vit que Nettan commençait à se détendre.

— Moi non plus, dit-elle, et c'était presque touchant de l'entendre souligner ce qui était si évident. Ce que je voulais vous demander, c'est… pourquoi vous avez envie de me voir? La police m'a déjà interrogée, plusieurs fois.

Erica réfléchit. En fait, elle n'avait pas d'explication raisonnable. La curiosité était sans doute la réponse la plus proche de la vérité, mais ça, elle ne pouvait pas l'avouer.

— J'ai collaboré avec la police locale à quelques reprises, et depuis ils me consultent quand leurs propres ressources ne suffisent pas. Et après ce qui s'est passé à Fjällbacka avec la jeune fille disparue, ils ont eu besoin d'un peu d'aide supplémentaire.

— Ah bon, c'est étrange parce que…

Nettan laissa la phrase s'envoler, et Erica s'en tint là. Elle voulait entrer dans le vif du sujet et poser ses questions sur Minna.

— Parlez-moi de la disparition de votre fille.

Nettan serra son tricot encore plus près du corps. Elle fixa ses genoux, puis se mit à parler d'une voix si basse qu'Erica eut du mal à distinguer ses mots.

— Je n'avais pas compris qu'elle avait disparu. Je veux dire, pour de vrai. Elle allait et venait un peu à sa guise. Je n'ai jamais su m'occuper d'elle. Minna a toujours eu beaucoup de volonté, et je suppose que je n'ai pas…

Elle leva les yeux et regarda par la fenêtre avant d'ajouter :

— Parfois elle dormait chez des copines pendant quelques jours. Ou chez un garçon.

— Un garçon en particulier ? Est-ce qu'elle avait un copain attitré ?

Nettan secoua la tête.

— Pas que je sache. Il y en avait plusieurs, des différents. Non, je ne pense pas qu'elle en avait un en particulier. Elle m'avait paru plus joyeuse les derniers temps, et je m'étais posé des questions. Mais j'ai demandé à ses copines, personne n'a entendu parler d'un petit ami. Je pense qu'elles auraient été au courant, elles formaient une bande assez soudée.

— Pourquoi pensez-vous qu'elle était plus joyeuse ?

Nettan haussa les épaules.

— Je ne sais pas. Je me souviens de ma propre adolescence. L'humeur change facilement. C'était peut-être aussi parce que Johan avait déménagé.

— Johan ?

— Oui, mon copain. Il a vécu ici quelque temps. Mais Minna et lui ne se sont jamais entendus.

— Il a déménagé quand ?

— Je ne sais plus. Six mois peut-être avant la disparition de Minna.

— Est-ce que la police l'a interrogé ?

Nettan haussa les épaules de nouveau.

— La police a interrogé plusieurs de mes anciens copains. Ça a été un peu chaotique par moments.

— Est-ce que l'un d'eux s'était montré menaçant ou violent envers Minna ?

Erica ravala l'énervement qui bouillonnait en elle. Elle avait certaines connaissances sur les victimes de violences et leurs réactions. Et, après ce que Lucas avait fait subir à Anna, elle savait que la volonté d'un individu peut être réduite à néant par la peur. Mais comment pouvait-on exposer un enfant à ça? Comment l'instinct maternel pouvait-il s'émousser au point de laisser quelqu'un blesser son enfant, que ce soit psychiquement ou physiquement? Elle ne le comprenait pas. Un instant, elle pensa à Louise, seule et enchaînée dans la cave de la maison des Kowalski. C'était le même processus, mais en pire.

— Eh ben, je suppose, oui, ça pouvait arriver. Mais Johan ne la frappait pas, simplement ils n'arrêtaient pas de se crier dessus. Je crois qu'elle a été soulagée quand il est parti. Un jour, il a pris ses cliques et ses claques et il s'est tiré. On n'a plus jamais entendu parler de lui.

— À quel moment avez-vous compris qu'elle n'était pas chez une copine?

— Ça ne lui était jamais arrivé de rester absente plus d'un jour ou deux. Alors comme elle n'était toujours pas revenue, et qu'elle ne répondait pas sur son portable, j'ai appelé toutes ses copines. Personne n'avait eu de ses nouvelles depuis trois jours, et...

Erica serra les dents. Comment pouvait-on attendre trois jours avant de réagir à l'absence d'une gamine de quatorze ans? Pour sa part, elle avait l'intention de surveiller ses enfants de près quand ils atteindraient l'adolescence. Jamais elle ne les laisserait partir sans savoir où ils allaient et avec qui.

— La police ne m'a pas prise au sérieux au début, poursuivit Nettan. Ils connaissaient Minna, elle a eu certains... problèmes, ils ne voulaient même pas enregistrer ma déposition.

— Quand ont-ils compris qu'il y avait un souci?

— Au bout de vingt-quatre heures. Puis ils ont trouvé cette dame qui avait vu Minna monter dans une voiture. Enfin quoi, avec ces autres filles qui avaient disparu, ils auraient dû comprendre! Mon frère trouve que je devrais porter plainte contre la police. Il dit que si ça avait été un enfant de riches, comme l'une des autres, ils auraient donné l'alerte tout de suite. Alors que des gens comme nous, on ne nous écoute pas. Ce n'est pas juste.

Nettan baissa les yeux et se mit à tirer sur les bouloches de son tricot.

Erica reconsidéra ses opinions. C'était intéressant de noter que Nettan qualifiait les autres filles de riches. En réalité, elles étaient plutôt de condition moyenne, mais les différences de classe sont parfois assez relatives. Quant à elle, elle était venue ici avec un tas d'idées préconçues, qui s'étaient renforcées dès qu'elle avait mis un pied dans l'appartement. De quel droit faisait-elle des reproches à Nettan ? Elle ignorait tout des circonstances qui avaient façonné sa vie.

— Ils auraient dû vous écouter, dit-elle, et elle posa spontanément sa main sur celle de Nettan.

Celle-ci sursauta comme si elle s'était brûlée, mais ne retira pas sa main. Les larmes coulaient le long de ses joues.

— J'ai fait tellement de bêtises. J'ai... j'ai... et maintenant il est peut-être trop tard.

Sa voix était saccadée et les larmes ruisselaient en un flot continu.

C'était comme un robinet qu'on ouvre, et Erica devina que Nettan avait retenu ses larmes bien trop longtemps. À présent elle pleurait sa fille disparue qu'elle ne reverrait vraisemblablement plus jamais. Sans doute pleurait-elle aussi toutes les mauvaises décisions qu'elle avait prises, qui avaient imposé à Minna une vie si différente de celle dont Nettan avait rêvé pour son enfant.

— J'avais tellement envie qu'on soit une famille unie. Que Minna et moi, on ait quelqu'un pour s'occuper de nous. Personne ne s'est jamais occupé de nous.

Les pleurs la secouèrent, et Erica s'approcha d'elle, l'entoura de ses bras et la laissa pleurer tout son soûl contre son épaule. Elle lui caressa les cheveux en lui murmurant "chut, chut", comme elle le faisait avec Maja ou les jumeaux quand ils avaient besoin d'être consolés. Nettan n'avait peut-être jamais consolé Minna ainsi. Cette femme n'avait connu qu'un malheureux enchaînement de déceptions au long d'une vie qui n'avait pas tenu ses promesses.

— Vous voulez voir des photos ? demanda Nettan tout à coup.

Elle se dégagea des bras d'Erica et s'essuya les yeux avec sa manche, l'air un peu ragaillardi.

— Bien sûr, avec plaisir.

Nettan se leva et alla chercher des albums rangés sur une étagère Ikea bancale.

Le premier contenait des photos de Minna toute petite. On voyait une Nettan jeune et souriante, tenant sa fille dans les bras.

— Vous êtes rayonnante, constata Erica, incapable de tenir sa langue.

— Oui, c'était une chouette période. La meilleure que j'aie connue. Je n'avais que dix-sept ans quand je l'ai eue, mais j'étais si heureuse, dit Nettan en passant un doigt sur le cliché. Mon Dieu, quelle dégaine j'avais…

Elle rit et Erica dut lui donner raison. La mode des années 1980 était affreuse, et celle des années 1990 ne valait guère mieux.

Elles continuèrent à feuilleter les albums, les années défilant sous leurs doigts. Minna avait été une petite fille très mignonne, mais en grandissant, son visage s'était refermé, et ses yeux s'étaient éteints petit à petit. Erica vit que Nettan s'en rendait compte.

— Je croyais que je faisais de mon mieux, dit-elle silencieusement. Ce n'était pas vrai. Je n'aurais pas dû…

Elle fixa son regard sur l'un des hommes qui figuraient dans les albums. Erica put constater qu'ils étaient assez nombreux. Des hommes qui étaient entrés dans la vie de Nettan, qui avaient causé une énième déception puis étaient repartis.

— Tiens, ça, c'est Johan. Notre dernier été ensemble.

Nettan montra une autre photo qui exhalait la chaleur de l'été. Un grand homme blond l'entourait de ses bras dans un berceau de verdure. Derrière eux on voyait une maison rouge aux huisseries blanches. La seule chose qui dérangeait l'idylle était une Minna manifestement boudeuse assise à côté d'eux, qui les fixait d'un regard furibond.

Nettan referma vivement l'album.

— Tout ce que je veux, c'est qu'elle rentre. Je ferai tout différemment. Tout.

Erica se tut. Elles restèrent ainsi en silence un moment sans savoir quoi ajouter. Mais ce n'était pas un silence désagréable, il semblait apaisant et rassurant. Soudain on sonna à la porte et elles sursautèrent toutes les deux. Nettan se leva pour ouvrir.

En voyant la silhouette qui entrait dans le vestibule, Erica se redressa, stupéfaite.

— Patrik! Euh, salut, gloussa-t-elle avec un sourire idiot.

Paula trouva Gösta dans la cuisine du commissariat, comme elle s'y était attendue. Le visage de son collègue s'éclaira en l'apercevant.

— Salut, Paula.

Elle lui rendit un grand sourire. Annika aussi avait été enchantée de sa visite, elle s'était précipitée pour la serrer fort contre elle et la bombarder de questions sur la jolie petite Lisa.

Gösta la pressa sur son cœur, un peu plus sobrement qu'Annika, et la garda ensuite à bras tendus pour l'examiner.

— Tu es blanche comme un linge, on dirait que tu n'as pas dormi depuis des semaines.

— Merci Gösta, on peut dire que tu sais parler aux femmes, plaisanta-t-elle, mais elle vit aussi son regard inquiet. C'est vrai que j'ai eu des mois difficiles. Être maman, ce n'est pas que du bonheur, ajouta-t-elle.

— Oui, j'ai entendu dire que la petite te mène la vie dure. J'espère que c'est une visite de courtoisie que tu nous fais, je ne voudrais surtout pas que tu te fatigues en pensant au boulot en plus.

Avec une douce fermeté, il la conduisit jusqu'à la chaise devant la fenêtre.

— Assieds-toi. Le café arrive.

Il posa une tasse remplie sur la table, se servit lui-même et s'installa en face.

— Ben, disons un peu des deux, dit Paula.

Se retrouver sans le bébé était une sensation étrange, néanmoins, reprendre son bon vieux rythme pendant un moment lui parut aussi très agréable.

— Ici, on tient le coup, précisa Gösta en fronçant les sourcils.

— Je sais, t'inquiète pas. Tout à l'heure, Bertil a dit un truc qui m'a chatouillé la mémoire. J'ai senti que je devais essayer de me rappeler quelque chose.

— C'est-à-dire?

— Eh bien, quand il m'a parlé des résultats de l'autopsie, notamment la langue coupée, ça m'a fait tilt. J'ai déjà vu ça quelque part, et je me suis dit que j'allais fouiller un peu dans les archives, histoire de voir si je peux relancer la machine. Mon cerveau n'est pas au top de sa forme. On dit que l'allaitement te met l'esprit en compote, et je te confirme que ce n'est pas un mythe. Je n'arrive presque plus à me servir de la télécommande.

— Ah oui, mon Dieu, les hormones, je connais ça. Je me souviens de Maj-Britt, quand…

Il détourna les yeux et regarda par la fenêtre. Paula comprit qu'il pensait à l'enfant qu'ils avaient eu, sa femme et lui, et perdu peu après la naissance. Elle comprit aussi qu'il savait qu'elle savait. Si bien qu'elle le laissa tranquille un petit moment avec ses souvenirs.

— Et tu n'as aucune idée de ce que ça peut être ? finit-il par dire en la fixant de nouveau.

— Je crains que non, soupira-t-elle. Ce serait plus facile si je savais au moins par quel bout commencer. Elles sont tellement énormes, ces archives.

— Oui, se lancer comme ça, sans méthode, ça me paraît un boulot fou.

— Je sais, répondit-elle avec une grimace. Autant m'y mettre tout de suite.

— Tu es sûre que tu ne devrais pas être à la maison, à t'occuper de toi et de la petite Lisa ?

Gösta avait toujours une ride soucieuse entre les sourcils.

— Tu n'es pas obligé de me croire, mais c'est plus reposant ici. Et je suis contente d'abandonner mon pantalon de pyjama un moment. Merci pour le café !

Paula se leva. La plupart des dossiers étaient conservés dans des archives numérisées, mais les anciennes enquêtes existaient toujours en version papier. S'ils en avaient eu les moyens, ils auraient sans doute scanné tout le matériel pour le stocker sur un seul disque dur plutôt que de laisser monopoliser une pièce entière au sous-sol. Mais ils ne disposaient pas de ces ressources et ce n'était pas près de changer.

Elle descendit l'escalier, ouvrit la porte et resta un instant sur le seuil. Bon sang, tous ces dossiers ! Il y en avait plus que dans ses souvenirs. Les enquêtes étaient classées par année, et pour suivre une sorte de stratégie, elle décida de commencer par les plus anciennes. Résolument, elle saisit le premier carton, le posa par terre et s'installa à côté.

Une heure plus tard, elle n'avait parcouru que la moitié du contenu, et elle comprit que son projet pourrait s'avérer aussi chronophage que stérile. Elle ne savait pas exactement ce qu'elle cherchait, et n'était même pas sûre que ça se trouve dans cette pièce. Cependant, depuis ses débuts au commissariat, elle avait consacré pas mal de temps à examiner de vieux dossiers. Parce que ça l'intéressait, d'une part, mais aussi pour se familiariser avec l'historique de la criminalité locale. Il était donc plutôt logique de considérer que ce qu'elle essayait de retrouver était rangé dans cette pièce.

Un coup frappé à la porte l'interrompit dans ses recherches. Mellberg pointa la tête.

— Comment ça se passe? Rita vient d'appeler, elle m'a chargé de te dire que tout va bien avec Lisa.

— Tant mieux. Moi aussi ça va très bien. Mais je suppose que ce n'est pas pour ça que tu es venu?

— Eh bien, je…

— Je n'ai pas beaucoup avancé, malheureusement, et je ne sais toujours pas ce que je dois chercher. Si ça se trouve, c'est juste mon cerveau surmené qui me joue des tours.

De frustration, elle enleva le chouchou qu'elle gardait autour du poignet et noua ses cheveux châtains en une queue de cheval approximative.

— Non, non, non, ne te mets surtout pas à douter maintenant, dit Mellberg. Tu as beaucoup de flair, il faut toujours se fier à son intuition.

Paula le regarda, surprise. Du soutien et des encouragements de la part de Bertil? C'était le moment d'aller acheter un billet de loterie! Un jour de chance!

— Oui, tu as raison, répondit-elle, et elle organisa les documents devant elle en un tas propret. Il y a quelque chose, c'est sûr. Je vais fouiller encore un peu.

— Toutes les initiatives sont les bienvenues. On n'a encore aucun indice. Patrik et Martin sont allés à Göteborg voir un gars qui va prédire qui est le coupable en regardant dans une sorte de boule de cristal mentale, déclara Mellberg d'un air important, et il poursuivit d'une voix affectée : Je vous dis que l'assassin a entre dix-sept et soixante-dix ans, c'est soit un homme soit une femme qui vit en appartement, ou à la riguer en pavillon. Cette personne a entrepris un ou plusieurs voyages à l'étranger au cours de sa vie, fait généralement ses courses à Ica, à moins que ce ne soit à Konsum, mange des tacos le vendredi et ne loupe jamais *Let's Dance* à la télé. Ni *Tous en chœur à Skansen* en été.

Paula ne put s'empêcher de rire de sa performance d'impro.

— C'est bien, Bertil. Ce ne sont pas les préjugés qui t'étouffent ! Mais je ne suis pas d'accord avec toi. Je pense que ça peut donner des résultats, surtout quand les circonstances sont aussi particulières que dans cette affaire.

— Oui, oui, on verra bien qui a raison. Continue de chercher. Mais ne t'épuise pas. Rita m'assassinerait.

— Je te le promets, sourit Paula, avant de se replonger dans les documents.

Patrik bouillonnait de rage. La surprise de découvrir sa femme dans le salon de la mère de Minna s'était rapidement muée en colère. Erica avait une fâcheuse tendance à se mêler de ce qui ne la regardait pas, et à quelques occasions cela avait failli très mal se terminer. Mais il n'avait rien pu montrer devant Nettan. Il avait été obligé de se donner une contenance pendant tout l'entretien, avec Erica assise à côté de lui, les yeux grands ouverts, l'oreille tendue et un sourire de Mona Lisa aux lèvres.

Dès qu'ils furent sortis de l'immeuble, hors d'écoute de Nettan, il explosa.

— Putain, mais qu'est-ce que tu fabriques ?

Il prenait très rarement la mouche, et il sentit le mal de tête poindre dès la première syllabe.

— Je pensais que...

Erica essaya de marcher au même rythme que Patrik et Martin jusqu'au parking. Martin se faisait tout petit, il aurait sans doute préféré être à mille lieues de là.

— Tu pensais? J'ai vraiment du mal à croire que tu as eu recours à ton cerveau!

Patrik toussa. Son éclat de colère lui avait fait avaler de travers un grand bol d'air glacial.

— Avec vos moyens limités, vous n'avez pas le temps de tout faire, et je me suis dit que... tenta Erica de nouveau.

— Tu aurais pu me demander avant, non? Évidemment, je n'aurais jamais permis que tu ailles discuter avec la mère d'une victime pendant une enquête en cours, et je soupçonne que c'est pour ça que tu n'as pas demandé.

— Ce n'est pas faux. J'avais besoin de faire une pause dans mon écriture. Je suis enlisée et j'ai pensé qu'en me concentrant sur une autre histoire un instant, peut-être que...

— Alors pour toi cette affaire, ce serait comme une sorte de thérapie professionnelle! Si tu as la crampe de l'écrivain, il te faut trouver un autre moyen d'y remédier. Non mais je rêve, tu t'es mêlée d'une enquête en cours! Malheureuse, tu as perdu la tête ou quoi?

— Oh oh, les années 1940 viennent d'appeler, elles voudraient récupérer leur archaïsme, dit Erica en guise de plaisanterie, ce qui n'eut pour effet que d'attiser la colère de Patrik.

— C'est complètement ridicule. Comme dans un mauvais polar anglais, quand une vieille dame fourre son nez curieux partout.

— Sauf que quand j'écris mes livres, je fais un peu la même chose que vous. Je parle avec des gens, je sonde des faits, je comble des trous dans des enquêtes, je vérifie des témoignages...

— Bien sûr, et en tant qu'écrivain, tu es très douée. Mais là, il s'agit d'une enquête de police, c'est donc à la police de faire le travail, tu peux le comprendre, non?

Ils s'étaient arrêtés devant la voiture. Martin hésitait à ouvrir la portière du passager, ne sachant trop comment se comporter, coincé en terrain miné.

— Mais admets que je vous ai été utile plusieurs fois, dit Erica.

— Tout à fait, avoua Patrik à contrecœur.

Elle avait en effet été utile, elle avait activement contribué à résoudre plusieurs de leurs enquêtes, mais ça, il n'avait pas l'intention de le souligner maintenant.

— Et vous retournez au commissariat, là ? Ça fait une trotte juste pour bavarder avec Nettan.

— C'est bien ce que tu as fait, toi, contre-attaqua Patrik.

— Touché.

Erica sourit, et Patrik sentit sa colère baisser d'un cran. Il n'arrivait jamais à être en rogne contre sa femme très long-temps et, malheureusement, elle le savait.

— Mais moi, je ne suis pas obligée de veiller aux dépenses, contrairement à la police, poursuivit-elle. Qu'est-ce que vous êtes venus faire d'autre à Göteborg ?

Patrik jura intérieurement. Parfois elle était un peu trop futée pour son propre bien. Du regard, il chercha l'appui de Martin qui se contenta de secouer la tête. Espèce de dégonflé, pensa Patrik.

— On va voir quelqu'un.

— Quelqu'un ? Qui ça ?

Patrik serra les mâchoires. Il connaissait parfaitement l'obs-tination de sa femme, et sa curiosité. Une combinaison qui pouvait se révéler agaçante au plus haut point.

— On va parler à un expert. Au fait, qui va chercher les en-fants ? Ma mère ? demanda-t-il pour tenter d'orienter la conver-sation sur une autre piste.

— Oui, Kristina et son nouveau mec, dit Erica en prenant l'air satisfait du chat qui a avalé le canari.

— Et son quoi ?

Patrik sentit son mal de tête virer à la migraine. Cette jour-née ne faisait qu'empirer d'heure en heure.

— Je suis sûre qu'il est très sympa. Bon, c'est quoi cet expert que vous allez voir ?

De lassitude, Patrik s'appuya contre la voiture. Il jetait l'éponge.

— On va voir un expert en portraits criminels.

— Un profileur !?

Les yeux d'Erica se mirent à briller, et Patrik soupira.

— Non, on ne peut pas l'appeler comme ça.

— OK, je viens avec vous, trancha-t-elle, et elle se dirigea vers sa voiture.

— Non, ce n'est pas… lança Patrik derrière elle, mais Mar-tin l'interrompit.

— Tu ferais mieux d'abandonner, tu n'as aucune chance. Laisse-la venir. Elle l'a dit elle-même, son aide nous a déjà été utile, et cette fois on sera présents, on pourra la surveiller. Trois paires d'oreilles valent sûrement mieux que deux.

— Oui, enfin, quand même, grommela Patrik.

Il s'installa au volant.

— Et en plus, on n'a rien appris de nouveau chez la mère de Minna.

— Non, mais avec un peu de chance, Erica aura pêché du neuf, elle, sourit Martin.

Patrik le fusilla du regard. Puis il démarra la voiture et partit sur les chapeaux de roues.

— Comment on va l'habiller pour son enterrement?

La question de sa mère atteignit Ricky comme un coup de poignard. Il n'aurait pas cru que la douleur puisse augmenter davantage, mais l'idée de Victoria plongée dans une obscurité éternelle lui fit tellement mal qu'il eut envie de hurler.

— Eh bien, qu'est-ce qu'elle a de beau dans sa garde-robe? rétorqua Markus. Peut-être la robe rouge qu'elle aimait tant.

— Elle avait dix ans quand elle la portait, fit remarquer Ricky.

Malgré le chagrin, il ne put s'empêcher de sourire. Apparemment son père n'avait pas fait de mise à jour depuis des lustres.

— Ah bon, ça fait si longtemps?

Markus se leva et commença à laver la vaisselle, mais s'arrêta en plein milieu et retourna s'asseoir. C'était pareil pour tout le monde. Par habitude, ils essayaient d'accomplir les gestes du quotidien avant de se rendre compte qu'ils n'en avaient pas l'énergie. Tout leur semblait insurmontable. Et voilà qu'il y avait un tas de décisions à prendre quant à la cérémonie et à l'enterrement alors qu'ils arrivaient à peine à décider ce qu'ils mangeraient au petit-déjeuner.

— On va lui mettre la robe noire. Celle de chez Filippa K, proposa Ricky.

— Laquelle, tu dis? demanda Helena.

— Celle que vous avez toujours trouvée trop courte. Victoria l'adorait. Elle ne faisait pas du tout vulgaire sur elle, elle lui allait très bien. Très très bien.

— Tu crois vraiment ? demanda Markus. Du noir... C'est déprimant.

— Elle se sentait belle dans cette robe. Vous ne vous en souvenez pas ? Elle avait économisé pendant six mois pour se l'offrir.

— Tu as raison. Bien sûr qu'elle portera la robe noire, dit Helena avec un regard implorant. Et pour la musique ? Qu'est-ce qu'on choisira comme musique ? Je ne sais même pas ce qu'elle aimait...

Elle éclata en sanglots et Markus lui caressa maladroitement le bras.

— On mettra *Some Die Young* de Laleh et puis *Beneath Your Beautiful* de Labrinth. Elle les adorait, ces morceaux. Ils sont parfaits.

C'était fatigant de devoir tout décider, et la gorge de Ricky se noua. Ces foutues larmes n'étaient jamais loin.

— Et pour le buffet ?

Encore une question angoissée. Les mains de sa mère papillonnaient au-dessus de la table. Ses doigts si pâles, si minces.

— Des gâteaux-sandwiches. Victoria avait des goûts ringards. Vous avez oublié qu'elle en raffolait ?

Sa voix se brisa, il savait qu'il était injuste. Évidemment qu'ils n'avaient pas oublié. Ils avaient tellement plus de souvenirs que lui, qui remontaient tellement plus loin que les siens. En ce moment ils leur arrivaient sûrement par rafales, sans qu'ils ne parviennent à faire le tri. À lui de les y aider, justement.

— Et du *julmust*. Elle pouvait en écluser des litres. On devrait encore en trouver, non ? C'est plus Noël, mais ils en vendent encore, hein ?

Il essaya de visualiser les rayons des supermarchés : y avait-il vu récemment le fameux soda qui détrône le Coca-Cola à Noël ? Aucune image ne vint le confirmer et la panique l'envahit presque. Soudain cela lui parut la mission la plus importante au monde : trouver du *julmust* pour le buffet de la cérémonie d'enterrement.

— Je suis sûr qu'on en trouve encore, dit son père en posant une main apaisante sur la sienne. C'est une très bonne idée.

Tout ce que tu as dit, c'est très bien. On prend la robe noire. Maman sait où elle est, elle va la repasser. Et on va demander à tante Anneli de préparer quelques gâteaux-sandwiches. Elle sait très bien faire ça et, c'est vrai, Victoria les adorait. On avait pensé en commander pour son examen en juin… poursuivit-il, et il parut perdre le fil un instant avant de reprendre : Donc, je sais qu'on peut encore acheter du *julmust*. Ce sera très bien. Tout sera très bien.

Non, tout ne sera pas bien, voulut hurler Ricky. Ils étaient en train de parler de sa sœur enfermée dans un cercueil pour être enterrée. Rien ne serait plus jamais bien.

Au fond de son recoin, le secret l'écorchait de plus en plus. Il avait l'impression qu'on pouvait lire sur son visage qu'il cachait quelque chose, mais ses parents n'étaient pas en état de le remarquer. Ils avaient le regard vide, assis là dans la petite cuisine avec les rideaux traditionnels décorés d'airelles que sa mère trouvait si jolis et que Victoria et lui avaient souvent essayé de faire remplacer.

Est-ce que tout serait différent quand ils sortiraient de leur torpeur ? Allaient-ils voir et comprendre ? Ricky réalisa que tôt ou tard il serait obligé de parler à la police. Papa et maman seraient-ils assez solides pour supporter la vérité ?

Parfois Marta se sentait comme l'horrible directrice d'orphelinat dans *Annie*. Des filles, des filles, partout rien que des filles.

— Ça fait trois fois d'affilée que Liv monte Blackie ! Ça devrait être à moi maintenant.

Ida fonçait sur elle dans la cour, les joues en feu, et Marta soupira. Toujours ces disputes. La hiérarchie dans l'écurie était très stricte, et de leurs conflits, elle voyait, entendait et comprenait bien plus que ce que les filles imaginaient. En général, elle accueillait avec satisfaction leur jeu de pouvoir qu'elle jugeait intéressant, mais aujourd'hui c'était trop.

— Vous réglerez ces détails entre vous. Ne venez pas me déranger pour des broutilles pareilles !

Ida recula, presque effrayée. Les filles étaient habituées à ce qu'elle soit sévère, mais en général elle ne s'emportait pas autant.

— Je suis désolée, dit-elle aussitôt, sans être vraiment sincère.

Ida était gâtée et geignarde, il aurait fallu lui apprendre les bonnes manières, mais Marta devait raisonner en termes pratiques. Jonas et elle dépendaient des revenus de l'école d'équitation, ils ne pourraient pas vivre avec ce que Jonas gagnait en tant que vétérinaire, et les élèves – ou plutôt leurs parents – étaient ses clients. Elle était obligée de les caresser dans le sens du poil.

— Je suis désolée, Ida, répéta-t-elle. Je suis un peu perturbée à cause de Victoria, j'espère que tu le comprends.

Elle serra les dents et sourit à Ida qui se détendit tout de suite.

— Pas de problème, je comprends. C'est tellement affreux. Qu'elle soit morte et tout.

— Bon, on va aller voir Liv, pour lui annoncer que c'est à toi de monter Blackie aujourd'hui. À moins que tu ne préfères Scirocco?

Les yeux d'Ida se mirent à briller d'excitation.

— Je peux? Molly ne va pas le monter?

— Pas aujourd'hui, dit Marta, et elle fit une grimace en pensant à sa fille privée de concours, en train de bouder dans sa chambre.

— Dans ce cas, je préfère Scirocco, comme ça Liv peut prendre Blackie aujourd'hui aussi, dit Ida, magnanime.

— Super, alors c'est réglé.

Marta passa le bras autour d'Ida et entra avec elle dans l'écurie. L'odeur de cheval l'accueillit. Cet endroit était l'un des rares au monde où elle se sentait chez elle, où elle se sentait comme un être humain normal. La seule qui avait aimé cette odeur autant qu'elle était Victoria. Chaque fois qu'elle pénétrait dans l'écurie, une expression béate illuminait son visage, la même qui habitait Marta. Elle était surprise que la jeune fille lui manque autant. Son absence la frappait avec une force inattendue qui la bouleversait. Elle resta dans l'allée centrale et entendit au loin Ida interpeller Liv en train de bouchonner Blackie dans son box.

— Tu peux le monter aujourd'hui. Marta m'a dit de prendre Scirocco.

Le triomphe dans sa voix était manifeste.

Marta ferma les yeux et visualisa Victoria. Ses cheveux bruns qui volaient autour du visage quand elle passait en trombe dans la cour. La souple fermeté avec laquelle elle menait ses montures. Marta aussi avait ce pouvoir, difficilement explicable, sur les chevaux, mais il y avait une grande différence. Les chevaux obéissaient à Marta parce qu'ils la respectaient, parce qu'ils la craignaient. Ils obéissaient à Victoria grâce à ce mélange de manières douces et de volonté. Cette antinomie avait toujours fasciné Marta.

— Pourquoi elle a le droit de monter Scirocco et pas moi ?

Marta dévisagea Liv qui surgit devant elle, bras croisés sur la poitrine.

— Parce que tu ne sembles pas très encline à partager Blackie. Comme ça tu peux le monter aujourd'hui aussi. Exactement comme tu voulais. Tout le monde est content, tu vois !

Elle s'emportait de nouveau. Son travail aurait été tellement plus simple si elle n'avait eu à se soucier que des chevaux.

D'autant qu'elle avait sa propre morveuse à gérer. Jonas détestait quand elle appelait Molly la morveuse, même si elle lui faisait croire que c'était pour rire. Elle ne comprenait pas comment il pouvait être aussi aveugle. Leur fille était en train de devenir insupportable, Jonas ne voulait rien entendre et Marta n'y pouvait rien.

Dès leur première rencontre, elle avait su qu'il était le morceau de puzzle manquant dans sa vie. Un seul regard leur avait suffi pour comprendre qu'ils formaient un tout. Chacun s'était retrouvé dans les yeux de l'autre, comme dans un miroir, et il en serait toujours ainsi. Le seul grain de sable, c'était Molly.

Jonas avait menacé de la quitter si elle n'acceptait pas qu'ils aient un enfant, et elle avait dû céder. En réalité, elle ne l'avait pas vraiment cru. Il savait bien que s'ils se séparaient, ni l'un ni l'autre ne trouverait jamais la même connivence avec un nouveau partenaire. Mais elle n'avait pas osé prendre le risque. En lui, elle avait découvert son alter ego, et pour la première fois de sa vie, elle avait plié devant le désir d'autrui.

Après la naissance de Molly, ce qu'elle avait craint était arrivé. Elle avait dû partager Jonas avec elle. Une grande part lui était volée, par un être qui, au début, n'avait même pas de volonté propre ni d'identité. C'était incompréhensible.

Jonas avait aimé Molly dès le premier instant, d'un amour si évident et inconditionnel qu'elle ne le reconnaissait pas. Et depuis, une légère barrière s'était dressée entre eux.

Elle alla aider Ida à préparer Scirocco. À tous les coups, Molly se fâcherait tout rouge qu'elle ait laissé quelqu'un d'autre le monter, mais après la bouderie de sa fille, Marta y trouva une certaine satisfaction. Jonas allait probablement lui faire des reproches aussi. Elle savait cependant comment lui changer les idées. Le prochain concours aurait lieu dans une semaine seulement, il serait alors comme de la cire molle entre ses mains.

Paula ne s'était pas attelée à une tâche facile. Gösta ne put s'empêcher de s'inquiéter pour elle. Elle était si pâle.

Il déplaça au hasard les documents sur son bureau. C'était frustrant de ne pas savoir comment poursuivre l'enquête. Le travail accompli depuis la disparition de Victoria n'avait donné aucun résultat, et ils avaient quasiment épuisé toutes les pistes. L'interrogatoire de Jonas n'avait rien donné non plus. Gösta avait fait exprès de lui demander de tout raconter encore une fois, pour voir s'il s'écarterait de sa déclaration initiale. Mais Jonas avait relaté le même déroulement des événements sans la moindre variation. Et sa réaction en apprenant que la kétamine avait peut-être été administrée à Victoria avait paru naturelle et tout à fait plausible. Gösta soupira. Autant consacrer un moment aux dépôts de plainte qui prenaient la poussière sur son bureau.

La plupart étaient des broutilles : vols de vélos, vols à l'étalage, litiges entre voisins s'injuriant et s'accusant mutuellement de tout et de rien. Certaines plaintes, néanmoins, étaient en attente depuis trop longtemps, et il s'en voulut.

Il prit celle qui se trouvait en dessous de la pile, autrement dit la plus ancienne. Un cambriolage. Quoique, était-ce réellement un cambriolage ? Une Katarina Mattsson avait vu des empreintes de pieds mystérieuses dans son jardin, put-il lire, et un soir elle y avait aperçu quelqu'un en train de scruter l'obscurité. C'est Annika qui avait enregistré la plainte. La femme n'avait pas redonné de ses nouvelles, donc, pour autant qu'il sache, les intrusions avaient sans doute cessé. Il préférait quand même vérifier, et décida qu'il passerait un coup de fil à cette femme dans la journée.

Au moment de reposer le document, il regarda l'adresse et s'arrêta net. Ses pensées se mirent à tournoyer. Il pouvait s'agir d'une simple coïncidence, mais rien n'était moins sûr. Il réfléchit une bonne minute tout en relisant la déposition. Puis se décida.

Quelques minutes plus tard, il était en route pour Fjällbacka. L'adresse où il se rendait était située en zone pavillonnaire, et il bifurqua dans une rue tranquille, où les jardins étaient petits et les maisons très proches les unes des autres. Il ignorait si la femme serait là, mais en se garant devant la maison, il vit de la lumière aux fenêtres. Il appuya sur la sonnette, impatient. S'il avait raison, sa découverte pourrait être décisive. Gösta regarda à la dérobée la maison sur la gauche. Il n'y avait personne en vue, et il espérait qu'aucun membre de la famille n'était à la fenêtre à cet instant précis.

Des pas s'approchèrent et la porte s'ouvrit sur une femme qui le dévisagea, surprise. Gösta se présenta rapidement et expliqua ce qui l'amenait.

— Ah oui, ça fait tellement longtemps que j'avais presque oublié. Entrez.

Elle s'effaça pour lui laisser le passage. Deux enfants d'environ cinq ans apparurent dans l'embrasure d'une porte, et Katarina hocha la tête dans leur direction.

— Mon fils Adam et son copain Julius.

Les deux garçons s'illuminèrent en voyant Gösta dans son uniforme. Il leur fit un signe maladroit de la main, et ils s'approchèrent pour l'examiner de la tête aux pieds.

— T'es un vrai policier ? T'as un pistolet ? T'as déjà tué quelqu'un ? T'as apporté des menottes ? T'as une radio pour parler avec les autres policiers ?

Gösta rit et leva les mains pour les arrêter.

— On se calme, les bambins ! Oui, je suis un vrai policier. Oui, j'ai un pistolet, mais pas sur moi, et je n'ai jamais tiré sur qui que ce soit. C'était quoi, la question suivante? Ah oui, j'ai une radio pour appeler du renfort si vous n'êtes pas sages. Et les menottes, elles sont là. Je vous les montrerai tout à l'heure, je voudrais d'abord parler avec la maman d'Adam sans être dérangé.

— On pourra les voir? Coooool!

Les garçons sautèrent de joie et Katarina secoua la tête.

— La journée est sauvée. Peut-être même l'année. Mes biquets, vous avez entendu ce qu'a dit monsieur l'agent. Il vous montrera les menottes et la radio seulement si vous nous laissez parler tranquillement. Retournez voir votre film, on vous appellera quand on aura fini.

— D'accord…

Les deux garçons partirent avec un dernier coup d'œil admiratif sur Gösta.

— Ils vous ont fait subir un interrogatoire en règle, je suis vraiment désolée, s'excusa Katarina en le précédant vers la cuisine.

— Pas de problème, j'aime bien les enfants. Il faut en profiter tant qu'on peut. Dans dix ans, ils crieront peut-être mort aux flics en me voyant.

— Ne me dites pas ça. Déjà que j'appréhende les joyeusetés de l'adolescence.

— Ça ira, ne vous en faites pas. Je suis sûr que vous l'élevez correctement, votre mari et vous. Vous avez d'autres enfants?

Gösta s'installa à la table. La cuisine était un peu défraîchie, mais claire et accueillante.

— Non, on n'a qu'Adam. Mais on est… eh bien on a divorcé quand Adam avait un an, et son père ne s'intéresse pas spécialement à la vie de son fils. Il a une nouvelle femme, de nouveaux enfants, et apparemment pas assez d'amour pour tout le monde. Les rares fois où Adam va chez lui, il a surtout l'impression d'être de trop.

Lui tournant le dos pour verser du café dans le filtre, elle pivota et haussa les épaules en un geste de regret.

— Désolée de m'épancher comme ça. L'amertume déborde par moments. Mais on s'en sort bien, Adam et moi, et si son père ne veut pas voir qu'il a un petit garçon formidable, tant pis pour lui.

— Ne vous excusez pas, la rassura Gösta. On dirait que vous avez toutes les raisons d'être déçue.

Il y a vraiment des mufles, se dit-il. Comment pouvait-on rejeter un enfant pour se consacrer à une nouvelle progéniture? Il observa Katarina qui préparait les tasses, elle dégageait une sorte de quiétude agréable. Elle devait avoir dans les trente-cinq ans. Il avait lu dans sa déclaration qu'elle était institutrice, elle lui fit l'effet d'une femme compétente et respectable.

— Je ne pensais pas que vous alliez me contacter, dit-elle, et elle s'assit après avoir servi le café et ouvert une boîte de biscuits. Je ne dis pas ça pour me plaindre. Quand Victoria a disparu, j'ai compris que vous deviez vous concentrer sur elle.

Elle lui tendit la boîte et il prit trois gâteaux secs. Des sablés à l'avoine. Après les Ballerina, c'étaient ses préférés.

— Oui, c'est vrai que ça nous a occupés pratiquement à plein temps. Mais j'aurais quand même dû examiner votre plainte plus tôt, et je vous présente mes excuses pour l'attente.

— Vous êtes là maintenant, c'est ce qui compte, dit-elle.

Gösta lui sourit avec reconnaissance.

— Pouvez-vous me dire ce dont vous vous souvenez, ce qui s'est passé exactement et pourquoi vous avez décidé de le signaler à la police?

— Eh bien… fit-elle en hésitant et en plissant le front. La première chose que j'ai remarquée, c'est les traces de pas dans le jardin. Mon gazon se transforme en champ de boue quand il pleut et il était tombé des trombes d'eau au début de l'automne. J'ai vu ces empreintes dans la boue plusieurs matins. Elles étaient grandes, du coup j'ai supposé que c'étaient celles d'un homme.

— Et ensuite vous avez vu quelqu'un se tenir là?

Katarina plissa le front de nouveau.

— Oui, je crois que c'était quelques semaines après la première fois où j'avais remarqué les empreintes. À un moment, je me suis demandé si ça pouvait être Mathias, le père d'Adam, mais ça ne me paraît pas très crédible. Pourquoi viendrait-il nous espionner alors qu'il veille à avoir le moins de contact possible? En plus, cette personne fumait, ce qui n'est pas le cas de Mathias. Je ne sais pas si je l'ai dit, mais j'ai trouvé des mégots.

— Vous n'en avez pas conservé, par hasard? demanda Gösta, même s'il savait d'avance que c'était parfaitement invraisemblable.

Katarina fit une grimace.

— Non. Je pense les avoir tous retirés. Je ne voulais pas qu'Adam les trouve. Évidemment, je peux en avoir loupé un ou deux, mais…

Elle montra l'extérieur et Gösta comprit ce qu'elle voulait dire. Un épais manteau de neige recouvrait le jardin. Il poussa un petit soupir.

— Vous avez pu voir à quoi ressemblait cet individu?

— Non, je suis désolée. En fait, j'ai surtout vu le bout rougeoyant de la cigarette quand il tirait dessus. On était déjà couchés, mais Adam s'était réveillé parce qu'il avait soif, et je suis descendue dans la cuisine lui chercher un verre d'eau. C'est à ce moment-là que j'ai vu quelqu'un fumer dans le jardin, mais j'ai seulement distingué une silhouette.

— Vous pensez quand même qu'il s'agissait d'un homme.

— Oui, si c'est bien celui qui a laissé les empreintes. À la réflexion, je dirais une personne de grande taille.

— Et comment avez-vous réagi? Vous avez montré d'une façon ou d'une autre que vous l'aviez vu?

— Non, je n'ai même pas allumé la lumière. Je me suis contentée de vous le signaler. C'était assez désagréable, mais je ne me suis pas vraiment sentie menacée. Ensuite il y a eu la disparition de Victoria, et il était difficile de penser à autre chose. Et après, je n'ai plus rien remarqué de bizarre.

— Mmmm… fit Gösta.

Il se maudit de ne pas s'être occupé de son dépôt de plainte plus tôt. Mais il était trop tard maintenant pour pleurer sur le lait renversé. Il devait juste essayer de se rattraper. Il se leva.

— Vous avez une pelle à neige? Je vais sortir voir si je ne trouve pas un mégot malgré tout.

— Bien sûr, elle est dans le garage, allez-y. N'hésitez pas à dégager l'allée d'accès aussi, tant qu'à faire!

Gösta enfila ses chaussures et sa veste et se rendit dans le garage, qui était propre et bien rangé. La pelle à neige était appuyée contre le mur, derrière la porte.

Dans le jardin, il s'arrêta et réfléchit un instant. Ce serait bête de transpirer inutilement, il fallait bien choisir l'endroit où commencer. Katarina avait ouvert la porte de la terrasse, et il lui demanda :

— À quel endroit avez-vous ramassé le plus de mégots ?

— Là-bas à gauche, tout près de la maison.

Il pataugea dans la lourde neige. Au premier coup de pelle, il sentit la douleur se réveiller dans le dos.

— Vous êtes sûr que vous ne voulez pas que je le fasse ? demanda Katarina d'un air soucieux.

— Mais oui, ça lui fait du bien à ce vieux corps de travailler un peu.

Il vit les garçons le regarder avec curiosité par la fenêtre et leur fit un signe de la main avant de poursuivre son travail. Au bout d'un moment, et après quelques pauses, il avait dégagé un carré d'à peu près un mètre sur un mètre. Il s'accroupit et examina minutieusement le sol, mais ne distingua que de la terre gelée et quelques brins d'herbe pris dedans. Puis son regard fut attiré par un petit bout jaune qui pointait juste au bord du carré qu'il avait creusé. Avec précaution, il enleva la neige qui le recouvrait. Un mégot de cigarette. Il le dégagea tout doucement et se redressa, le dos endolori. Il observa le mégot puis leva les yeux sur ce qu'avait forcément vu celui qui avait fumé ici. Pile à cet endroit, on avait une vue dégagée sur la maison de Victoria. Et sur sa chambre à l'étage.

UDDEVALLA, 1971

C'est avec des sentiments mitigés qu'elle s'était rendu compte de sa nouvelle grossesse. Elle n'était peut-être pas destinée à être mère. Elle était peut-être incapable d'éprouver de l'amour pour un enfant qu'elle portait en elle.

Mais elle s'était inquiétée inutilement. Tout était si différent avec Peter. Si merveilleux. Elle n'en avait jamais assez d'admirer son fils, de humer son odeur, de caresser sa peau douce du bout des doigts. Quand elle le tenait dans ses bras, comme en ce moment, il posait sur elle un regard si confiant que son cœur débordait. Aimer son enfant, c'était donc ça. Elle n'avait jamais imaginé qu'il soit possible d'être emporté par des sentiments aussi forts. Même son amour pour Vladek s'estompait comparé à ce qu'elle ressentait pour son bébé.

En revanche, dès qu'elle était face à sa fille, son ventre se nouait. Elle devinait ses regards, les sombres pensées qu'elle nourrissait. La jalousie envers son frère, qui s'exprimait par des pinçons et des coups. Et la crainte tenait Laila éveillée la nuit. Il lui arrivait de rester assise à côté du berceau de Peter, sans quitter des yeux son visage paisible.

Vladek s'éloignait d'elle, de plus en plus. Et elle de lui. Ils étaient déchirés par des forces qu'ils n'auraient jamais pu imaginer. Dans ses rêves, elle courait parfois derrière lui, de plus en plus vite, mais plus elle courait, plus la distance se creusait. À la fin, elle ne distinguait que son dos au loin.

Les paroles aussi avaient disparu. Leurs conversations le soir à table, les petits mots d'amour qui avaient éclairé leur quotidien. Tout avait été englouti par un silence que n'interrompaient que les cris d'enfants.

Elle contempla encore son fils et se laissa envahir par un désir instinctif de protection qui chassa tout le reste. Vladek ne pouvait plus tout représenter pour elle. Pas maintenant que Peter était là.

La vaste grange était silencieuse et froide. Un peu de neige était entrée avec le vent par les fissures et s'était mélangée à la saleté et à la poussière. Le grenier à foin était vide et son échelle cassée depuis aussi loin que Molly s'en souvenait. À part leur van, il n'y avait ici que de vieux véhicules oubliés de tous. Une moissonneuse-batteuse rouillée, un tracteur Petit Gris inutilisable et des tas de voitures.

Au loin, Molly entendit les voix provenant du centre équestre, mais aujourd'hui elle n'avait pas envie de monter à cheval. Ça n'avait pas de sens puisqu'elle ne participerait pas au concours du lendemain. Une des autres filles serait sûrement aux anges de monter Scirocco.

Lentement elle passa d'une voiture à une autre. Les vestiges de l'entreprise de son grand-père. Tout au long de son enfance, elle l'avait entendu rabâcher à ce sujet. Il fallait toujours qu'il se vante de toutes les bonnes affaires qu'il avait faites partout dans le pays, des voitures qui en principe étaient bonnes pour la casse qu'il avait achetées pour une bouchée de pain, puis rénovées et revendues bien plus cher. Depuis qu'il était tombé malade, la grange s'était transformée en cimetière d'automobiles. Il y traînait des trucs à moitié restaurés dont personne n'avait eu le courage de se débarrasser.

Elle passa la main sur une vieille Volkswagen Coccinelle en train de rouiller dans un coin. Elle allait bientôt commencer la conduite accompagnée. Elle pourrait peut-être convaincre Jonas de la remettre en état pour elle.

Elle tira sur la poignée et la portière s'ouvrit. L'intérieur aussi nécessitait d'être retapé. Malgré la rouille, la crasse et les sièges défoncés, elle devinait que la voiture avait du potentiel, qu'elle pourrait devenir vraiment chouette. Elle s'installa à la place du conducteur et posa ses mains sur le volant. Oui, ça lui irait bien de conduire cette Coccinelle. Les autres filles seraient vertes de jalousie.

Elle s'imaginait sillonner les rues de Fjällbacka, laissant les copains monter avec elle, selon son bon plaisir. Elle devrait attendre encore quelques années avant de pouvoir conduire toute seule, mais elle décida d'en parler à Jonas dès maintenant. Il allait lui retaper cette voiture, qu'il le veuille ou non. Elle savait qu'il en était capable. Grand-père lui avait raconté que Jonas l'aidait à bricoler les voitures, qu'il était très doué, même. C'est la seule fois où elle l'avait entendu dire un mot gentil sur Jonas. Sinon, il ne savait que se plaindre.

— Alors c'est ici que tu te caches ?

Elle sursauta au son de la voix de son père.

— Elle te plaît ?

Il sourit quand elle ouvrit la portière, un peu gênée. C'était la honte, se faire prendre en train de jouer à conduire.

— Elle est sympa, dit-elle. Je me suis dit que je pourrais la conduire, quand j'aurai mon permis.

— Elle n'est pas vraiment en état de rouler.

— Non, mais…

— Mais tu t'es dit que je pourrais te la retaper ? Ben, pourquoi pas, ce n'est pas pour tout de suite. Je devrais trouver le temps, si je le fais par étapes.

— C'est vrai ?

Elle rayonna et se jeta à son cou.

— C'est vrai, dit-il en la serrant fort contre lui, avant de la repousser en gardant les mains sur ses épaules. À condition que tu arrêtes de bouder. J'ai conscience que ce concours était important pour toi, on en a déjà parlé, mais il y en aura bientôt un autre.

— Oui, je sais.

Molly sentit que sa bonne humeur était de retour. Elle déambula parmi les voitures. Il y en avait d'autres qui pourraient devenir cool, mais elle préférait quand même la Coccinelle.

— Pourquoi tu ne les retapes pas toutes ? Sinon autant les mettre à la casse, non ?

Elle s'arrêta devant une grosse voiture noire avec un écusson Buick.

— Grand-père ne veut pas. Du coup, elles vont rester ici jusqu'à ce qu'elles tombent en ruine, ou jusqu'à ce que grand-père disparaisse.

— Je trouve ça dommage.

Elle s'approcha d'un minibus vert qui ressemblait au *Mystery Van* dans *Scooby-Doo*. Jonas la tira sur le côté.

— Allez viens. Je n'aime pas trop que tu traînes ici. Il y a plein d'éclats de verre et de ferraille rouillée. J'ai même vu des rats l'autre jour.

— Des rats ! s'exclama Molly, et elle fit un bond en arrière en regardant autour d'elle.

Jonas rit.

— Viens, c'est l'heure d'un café. Il fait froid. Et à la maison, il n'y a pas de rats, je te le garantis.

Il passa son bras autour de ses épaules et ils se dirigèrent vers la porte. Molly frissonna. Il avait raison. Il faisait un froid de canard ici, et elle aurait eu une sacrée frousse si elle avait vu un rat. Mais l'idée de conduire un jour cette voiture la remplit de bonheur et la réchauffa. Elle avait hâte de raconter ça à ses copines.

Tyra était secrètement contente qu'on ait remis Liv à sa place aujourd'hui. Elle était, si possible, encore plus gâtée que Molly. La tête qu'elle avait faite en apprenant qu'Ida allait monter Scirocco ! Elle avait boudé pendant toute la reprise, et Blackie l'avait bien senti. Il s'était montré plutôt difficile, ce qui n'avait pas amélioré l'humeur de Liv.

Tyra transpirait sous ses vêtements chauds. C'était pénible de marcher dans toute cette neige, elle avait les jambes en feu. Vivement le printemps, quand elle pourrait venir au club à vélo. Ça rendait la vie tellement plus simple.

La piste de luge "Les sept bosses" était bondée d'enfants. Elle y avait beaucoup joué elle-même, elle se souvenait encore de la sensation vertigineuse quand elle dévalait la pente. Certes, aujourd'hui la piste ne lui paraissait plus aussi longue ni raide, mais elle était toujours plus balèze que "La descente du docteur" à côté de la pharmacie. Celle-là, il n'y avait que les tout-petits qui y jouaient. Elle se rappelait l'avoir descendue à ski de fond, ce qui lui avait valu quelques soucis lors de son seul et unique séjour de ski. Elle avait expliqué à un moniteur sceptique qu'elle savait déjà skier, qu'elle avait appris chez elle à Fjällbacka. Puis elle s'était lancée sur la piste – une vraie piste de ski alpin. Finalement, elle s'en était bien sortie, et sa mère racontait toujours cette histoire avec beaucoup de fierté, émerveillée par l'aplomb de sa petite.

Où était-il passé, cet aplomb? Tyra n'en savait rien. Si, il demeurait dans sa complicité avec les chevaux, mais pour le reste, elle avait plutôt l'impression d'être une poule mouillée. Depuis l'accident de voiture dans lequel son père avait péri, elle se disait que la catastrophe guettait à chaque coin de rue. Elle l'avait constaté: l'existence pouvait se dérouler normalement, puis l'instant d'après changer à tout jamais.

Avec Victoria elle s'était sentie courageuse. C'était comme si elle devenait quelqu'un d'autre quand elles étaient ensemble. Quelqu'un de meilleur. Elles se voyaient toujours chez Victoria, jamais chez elle. Elle prétextait qu'il y avait trop de bazar avec ses petits frères, mais en réalité, elle avait honte de Lasse, de ses cuites, et plus tard de ses délires religieux. Elle avait honte de sa mère aussi, parce qu'elle se laissait faire et qu'elle se déplaçait dans la maison comme une souris terrorisée. Pas comme les parents adorables de Victoria, qui étaient des gens normaux, parfaitement normaux.

Tyra donna des coups de pied dans la neige. La sueur coulait dans son dos. Ça faisait une petite trotte, mais elle avait pris sa décision plus tôt dans la journée et elle n'avait pas l'intention de faire demi-tour maintenant. Il y avait des choses qu'elle aurait dû demander à Victoria, des réponses qu'elle aurait dû exiger. L'idée de ne jamais savoir ce qui lui était arrivé lui était insupportable. Elle avait tout fait pour Victoria et elle voulait continuer.

À l'université de Göteborg, le couloir du département de sociologie était impersonnel et quasi désert. Ils avaient demandé leur chemin jusqu'aux bureaux des criminologues et se trouvaient maintenant devant la porte de Gerhard Struwer. Patrik frappa quelques coups légers.

— Entrez! fit une voix de l'autre côté.

Patrik ne savait pas exactement à quoi il s'était attendu, en tout cas pas à un homme qui avait l'air tout droit sorti d'une publicité pour Dressmann. Il se leva et leur serra la main à tour de rôle, en finissant par Erica, qui se tenait un peu en retrait.

— Bonjour! Quel honneur de rencontrer Erica Falck!

Gerhard Struwer était un peu trop enthousiaste pour plaire à Patrik. Struwer séducteur, pourquoi pas – il n'était pas à une surprise près. Heureusement sa femme n'était pas sensible à ce genre d'hommes.

— L'honneur est pour moi. J'ai vu vos analyses pertinentes à la télé, déclara Erica.

Patrik la dévisagea. C'était quoi, ce ton roucoulant?

— Gerhard tient une rubrique dans *Avis de recherche*, expliqua Erica tout en adressant un sourire radieux au mannequin de mode. J'ai particulièrement aimé votre portrait de Juha Valjakkala. Vous avez soulevé un point que personne d'autre n'avait vu, et je trouve que…

Patrik s'éclaircit la gorge. Les choses ne se déroulaient pas du tout comme il avait imaginé. Il examina le criminologue et nota une dentition admirable et une nuance de gris parfaite aux tempes. Ainsi que des chaussures propres et cirées. Qui, nom de Dieu, arrivait à avoir des chaussures cirées en plein hiver? Patrik jeta un regard triste sur ses propres godillots qui devraient être passés au Kärcher pour retrouver un aspect correct.

— Nous avons quelques questions à vous poser, dit-il.

Il s'assit dans une des chaises des visiteurs en s'efforçant de garder une expression neutre. Erica n'aurait pas la satisfaction de le soupçonner d'être jaloux. Car il ne l'était pas. Il trouvait simplement inutile de gaspiller un temps précieux à du bavardage sur des sujets qui n'avaient rien à voir avec l'objet de leur visite.

— Oui, j'ai lu attentivement les documents que vous m'avez fait parvenir, dit Gerhard en s'asseyant derrière son bureau. Ceux concernant la disparition de Victoria, et les autres. Je ne peux évidemment pas faire une analyse approfondie aussi rapidement et avec si peu de données, mais deux, trois choses m'ont frappé...

Il croisa ses jambes et joignit le bout de ses doigts, un geste que Patrik trouva extrêmement agaçant.

— Je prends des notes ? demanda Martin.

Il donna un petit coup de coude à Patrik, qui sursauta et hocha la tête.

— Oui, s'il te plaît, répondit-il, et Martin sortit bloc-note et stylo.

Gerhard reprit :

— Je dirais qu'il s'agit de quelqu'un de rationnel et bien organisé. Il ou elle – pour plus de simplicité, disons il – a trop bien réussi à effacer toutes traces pour être, par exemple, psychotique ou déséquilibré.

— Comment peut-on qualifier de rationnel le fait d'enlever une adolescente ? Ou de lui faire subir ce que Victoria a subi ?

Patrik perçut lui-même son ton un rien virulent.

— Quand je dis rationnel, je veux dire que nous avons affaire à une personne capable de planifier ses actes, d'en prévoir les conséquences et d'agir en fonction, quitte à rapidement modifier ses plans si les circonstances l'exigent.

— Pour moi, c'est clair comme de l'eau de roche, dit Erica.

Patrik serra les dents et laissa Struwer poursuivre son rapport.

— Le coupable est probablement un homme mûr. Un adolescent ou un jeune adulte n'aurait pas ce genre de sang-froid et cette capacité à planifier. Et vu la force physique nécessaire pour maîtriser les victimes, il s'agit certainement d'un homme plutôt fort et en bonne forme physique.

— Ou alors ils sont plusieurs, glissa Martin.

Gerhard opina du chef.

— Oui, on ne peut pas l'exclure. Il y a des exemples de crimes commis collectivement. Dans ce genre de cas, il y a souvent une sorte de mobile religieux, comme pour Charles Manson et sa secte.

— Que pensez-vous des laps de temps entre les enlèvements ? Les trois premières filles ont disparu à des intervalles assez réguliers, de six mois à peu près. Ensuite il ne s'est écoulé que cinq mois avant que Minna disparaisse. Puis environ trois mois avant l'enlèvement de Victoria, dit Erica, et Patrik fut obligé de reconnaître que sa question était pertinente.

— Si on prend des tueurs en série célèbres aux États-Unis, comme Ted Bundy, John Wayne Gacy, Jeffrey Dahmer – vous avez sûrement déjà entendu ces noms-là –, on constate que leur besoin de tuer se construit petit à petit, ils ressentent une sorte de pression intérieure. Ils commencent à fantasmer sur le crime à commettre, puis ils poursuivent la victime qu'ils ont choisie, l'observent pendant une période avant de passer à l'acte. Ou alors c'est le hasard qui prime. L'assassin fantasme sur un certain type de victime et tombe sur quelqu'un qui correspond à ses fantasmes.

— C'est peut-être une question stupide, mais existe-t-il des tueuses en série ? demanda Martin. Je crois n'avoir entendu parler que d'hommes.

— Il est plus courant qu'il s'agisse d'hommes en effet. Il y a néanmoins des femmes tueuses. Aileen Wuornos en est un exemple, mais il y en a d'autres.

Struwer pressa de nouveau les bouts de ses doigts les uns contre les autres.

— Pour revenir sur la question du temps : le criminel peut garder sa victime prisonnière plus ou moins longtemps. Quand elle a pour ainsi dire rempli sa fonction, ou qu'elle est morte de ses blessures ou par épuisement, le tueur doit tôt ou tard dénicher une nouvelle proie pour satisfaire ses besoins. La pression augmente sans cesse jusqu'à ce qu'il soit obligé de trouver un exutoire. Alors il passe à l'action. Beaucoup de tueurs en série ont décrit le phénomène dans des interviews, affirmant qu'il n'est plus question de libre arbitre, mais de contrainte.

— Vous pensez que nous avons affaire à ce genre de comportement ici ? demanda Patrik.

Malgré lui, il était de plus en plus fasciné par les explications de Struwer.

— C'est ce que laisse penser la chronologie. Son besoin est peut-être devenu plus pressant. Le tueur ne peut plus attendre aussi longtemps avant de trouver ses victimes. À condition que ce soit un tueur en série que vous cherchez, je veux dire. Si j'ai bien compris, aucun corps n'a été découvert, et Victoria Hall-berg était en vie quand elle a été retrouvée.

— C'est exact. Mais il est quand même plus plausible de penser que le ravisseur n'ait pas eu l'intention de la laisser vivre, qu'elle ait réussi à s'évader d'une façon ou d'une autre.

— Oui, tout l'indique en effet. Mais même si nous considérons uniquement l'enlèvement, le ravisseur a pu suivre un schéma d'action identique. Nous pouvons aussi avoir affaire à un criminel sadique, un psychopathe qui tue pour son plus grand plaisir. Ou pour la satisfaction sexuelle. L'autopsie de Victoria a montré qu'elle n'a pas subi d'agression de cet ordre, mais ce genre d'enlèvement a souvent des mobiles sexuels. Pour l'instant, nous en savons trop peu pour déterminer si tel est le cas, et de quelle manière.

— Savez-vous que des recherches ont démontré que zéro virgule cinq pour cent d'une population peut être défini comme psychopathe? dit Erica, tout excitée.

— Oui, renchérit Martin. J'ai lu ça dans *Café*. À propos des chefs.

— Je ne sais pas si on peut se fier aux articles scientifiques d'un magazine comme *Café* qui s'intéresse surtout à la mode masculine. Mais sur le principe, vous avez raison, Erica, répliqua Gerhard en lui adressant un sourire éclatant, toutes dents dehors. Un certain pourcentage de la population normale correspond aux critères de la psychopathie. Et si en général on associe le mot psychopathe aux tueurs, ou au moins aux criminels, on est loin de la vérité. La plupart mènent des existences en apparence normales. Ils apprennent comment se comporter pour s'intégrer à la société, ils peuvent même se montrer ultra-productifs. Mais intérieurement, ils ne seront jamais comme vous et moi. Ils sont incapables de ressentir de l'empathie et de comprendre les sentiments d'autrui. Leur monde et leur activité intellectuelle tournent entièrement autour d'eux-mêmes. L'interaction avec l'entourage dépend de leur capacité d'imiter et de feindre les sentiments qu'on attend d'eux dans différentes situations. Et ils n'y parviennent jamais pleinement. Quelque chose sonne faux et ils ont du mal à créer des relations intimes et durables avec les autres. Souvent ils utilisent les gens de leur entourage à leurs propres fins, et quand cela ne fonctionne plus, ils passent à la victime suivante, sans ressentir de regret, de mauvaise conscience ou de culpabilité. Et, pour répondre à votre question, Martin : des recherches démontrent que la part de psychopathes est plus importante dans les catégories socioprofessionnelles élevées que parmi le reste de la population. Beaucoup des caractéristiques que je viens d'énumérer peuvent se révéler un avantage dans certaines positions de pouvoir où la brutalité et le manque d'empathie remplissent une fonction.

— On ne remarque donc pas forcément qu'une personne est psychopathe ? demanda Martin.

— Non, pas tout de suite. Au contraire, ils peuvent se montrer tout à fait charmants. Mais celui qui entre dans une relation durable avec un psychopathe se rendra compte tôt ou tard que tout n'est pas normal.

Patrik se tortilla sur sa chaise. Elle n'était pas très confortable et son dos protestait déjà. Après un regard à Martin qui notait fébrilement, il se tourna vers Struwer.

— À votre avis, pourquoi ce sont ces filles précisément qui ont été choisies ?

— Il s'agit probablement de la préférence sexuelle du ravisseur. Des filles jeunes, intactes, qui n'ont pas encore d'expérience sexuelle. Il est aussi plus facile de contrôler et d'effrayer une jeune qu'une adulte. Je dirais que c'est une combinaison de ces deux facteurs.

— Est-ce que le fait qu'elles se ressemblent signifie quelque chose ? Toutes ont, ou avaient, des cheveux châtains et des yeux bleus. Ce sont des attributs que le tueur recherche ?

— C'est possible. Il est même hautement probable que ce soit important. Dans ce cas, les victimes lui rappellent quelqu'un, et son acte se réfère à cette personne. Ted Bundy en est un exemple. La plupart de ses victimes se ressemblaient, elles lui rappelaient une ancienne petite amie qui l'avait quitté. Il se vengeait d'elle à travers ses victimes.

Martin, toujours aussi attentif, se pencha en avant :

— Vous disiez que la victime doit remplir une fonction. Quel peut être le but des mutilations de Victoria ? Pourquoi le ravisseur fait-il une chose pareille ?

— Comme je viens de le dire, il est probable que les victimes ressemblent à une personne qui est importante pour le criminel. Au vu des blessures, je dirais que leur but est de lui procurer un sentiment de contrôle. En la privant de ses sens, il la contrôle entièrement.

— Mais il aurait pu se contenter de la garder prisonnière dans ce cas?

— Pour la plupart, cela suffit, effectivement. Mais dans le cas qui nous préoccupe, il est allé plus loin. Réfléchissez : il a privé Victoria de la vue, de l'ouïe et de la parole, elle est enfermée dans un espace noir et silencieux sans possibilité de communiquer. En principe, il a créé une poupée vivante.

Patrik frémit. Ce que disait cet homme était tellement bizarre et ignoble que ça paraissait sorti d'un film d'horreur. Or, c'était la réalité. Il réfléchit encore un moment. Malgré l'intérêt de ces éléments d'analyse, il était difficile de voir concrètement comment s'en servir pour faire avancer l'enquête.

— En partant de ce dont nous venons de parler, dit-il, est-ce que vous voyez comment nous devons nous y prendre pour arrêter un tel barbare?

Struwer garda le silence un court instant, semblant réfléchir à la manière d'exprimer sa pensée.

— Je m'avance peut-être, mais je dirais que la victime de Göteborg, Minna Wahlberg, est particulièrement intéressante. Son histoire est un peu différente de celles des autres filles. Elle est également la seule avec qui le ravisseur a commis l'imprudence d'être vu.

— Nous ne sommes pas sûrs que le conducteur de la voiture blanche soit le ravisseur, fit remarquer Patrik.

— Non, c'est vrai. Mais si on part de cette idée, il est intéressant de constater qu'elle est montée dans la voiture de son plein gré. On ignore certes comment les autres filles ont été enlevées, mais le fait que Minna monte dans le véhicule nous indique que le conducteur lui a paru inoffensif, ou bien qu'elle l'a reconnu et n'a pas eu peur de lui.

— Vous voulez dire que Minna connaissait peut-être le ravisseur? Qu'il a un lien avec elle ou avec le lieu où il l'a enlevée?

Ce que disait Struwer faisait écho aux pensées que Patrik avait nourries. Minna tranchait nettement avec les autres.

— Ils ne se connaissaient pas forcément, mais elle savait peut-être qui il était. Il a été vu en la faisant monter dans sa voiture, contrairement aux autres fois. Ce qui peut signifier qu'il était en terrain connu et se sentait trop en sécurité.

— Cela aurait dû le rendre plus prudent, il me semble ? Il risquait davantage d'être reconnu, objecta Erica, et Patrik lui lança un regard respectueux.

— Oui, d'un point de vue logique, il aurait dû se méfier, dit Struwer. Mais nous, les humains, ne sommes pas aussi cohérents. Les schémas et les habitudes sont solidement ancrés en nous. Il devait se sentir à l'aise dans son propre environnement, et ce paramètre augmente forcément le risque de commettre des erreurs. Et il en a commis une.

— Je suis d'accord avec le fait que Minna se distingue des autres, dit Patrik. Malheureusement, nous venons de parler avec sa mère, mais sans rien découvrir de plus.

Du coin de l'œil, il vit Erica hocher la tête, en signe d'acquiescement.

— À votre place, je continuerais sur cette piste. Focalisez-vous sur les différences, c'est un conseil général pour les portraits psychologiques de criminels. Pourquoi le schéma est-il rompu ? Qu'est-ce qui rend une victime particulière au point de changer le comportement du coupable ?

Patrik réalisa qu'il avait raison.

— Nous devons examiner les différences plutôt que les dénominateurs communs ?

— Oui, c'est ce que je vous conseille. Même si votre priorité reste le cas de Victoria, la disparition de Minna peut vous être utile. D'ailleurs, vous vous êtes réunis ?

— Comment ça ? demanda Patrik.

— Les districts. Est-ce que vous vous êtes réunis pour évoquer ensemble les données dont vous disposez ?

— On reste en contact et on partage tout notre matériel.

— C'est bien, mais je pense qu'une véritable réunion aurait un effet salutaire. Parfois, il suffit d'une sensation qui mène à une autre, rien qui ne soit écrit sur un papier, mais qui se trouve entre les lignes dans le matériel d'investigation. Vous connaissez sûrement cette intuition qui vous chatouille le ventre et vous aide à avancer. Dans de nombreuses enquêtes, c'est ce flou imprécis qui a finalement permis d'arrêter le criminel. Et ça n'a rien d'étrange. Notre inconscient joue un rôle bien plus grand qu'on ne le croit. On prétend parfois que l'homme n'utilise qu'un infime pourcentage de son cerveau, et c'est sans doute vrai. Faites en sorte de vous rencontrer, et écoutez-vous.

— Je suis d'accord, on aurait déjà dû le faire. Mais on n'a pas trouvé le moment.

— Ça vaut le coup, croyez-moi, dit Gerhard.

Il y eut un silence. Plus personne n'avait de questions à poser, chacun méditait les paroles de Struwer. Patrik doutait un peu de l'efficacité de sa proposition, mais il était prêt à tout considérer. Tout plutôt que de ne pas prendre Struwer au sérieux et de se rendre compte après coup qu'il avait raison.

— Merci d'avoir pris le temps de nous recevoir, dit Patrik, et il se leva.

— Tout le plaisir était pour moi.

Gerhard Struwer fixa ses yeux bleus sur Erica, et Patrik prit une profonde inspiration. Des types comme lui, il y en avait beaucoup trop. Il brûlait d'envie d'établir son profil, ça ne devrait pas être trop difficile.

Terese ressentait toujours un malaise quand elle se rendait au centre équestre. La ferme lui était si familière. Jonas et elle étaient sortis ensemble pendant deux ans. Ils étaient très jeunes à l'époque, en tout cas c'est l'impression qu'elle avait aujourd'hui, et beaucoup d'eau avait coulé sous les ponts. Mais ça faisait quand même bizarre, d'autant que Marta avait été à l'origine de leur rupture.

Un jour, Jonas lui avait tout bonnement dit qu'il avait rencontré une autre femme et qu'elle était son âme sœur. C'étaient ses propres mots. Terese avait trouvé le terme étrange ; grave et désuet à la fois. Plus tard, quand elle avait rencontré sa propre âme sœur, elle avait compris ce qu'il avait voulu dire. Car c'est exactement ce qu'elle avait ressenti lorsque Henrik, le père de Tyra, l'avait invitée à danser au bal populaire sur le ponton de la place Ingrid-Bergman. Elle avait tout de suite su qu'ils allaient passer leur vie ensemble. Puis tout avait basculé, en une fraction de seconde. Tous leurs projets, tous leurs rêves. Un aquaplaning un soir de pluie, et Tyra et elle s'étaient retrouvées seules.

Ça n'avait jamais été pareil avec Lasse. Leur relation n'avait été qu'un moyen de sortir de la solitude, de partager à nouveau le quotidien avec quelqu'un. Et ça avait fini en eau de boudin. Aujourd'hui elle ne savait pas ce qui était le pire : toutes ces années où il buvait et où Tyra et elle vivaient dans l'inquiétude permanente de ce qu'il pourrait entreprendre. Ou bien sa toute récente sobriété, qu'elle avait d'abord saluée avant de découvrir les problèmes qu'elle occasionnait.

Si Terese ne croyait pas un seul instant à la foi toute neuve de Lasse, elle comprenait parfaitement ce que cette Église évangélique avait eu d'attirant pour lui. Elle lui avait offert l'occasion de jeter aux oubliettes ses mauvaises décisions et ses vieilles dettes sans en assumer la responsabilité. Dès qu'il avait rejoint la communauté et reçu le pardon de Dieu – d'après elle en un temps record – il s'était scindé en deux personnes. Tout ce qu'elle et les enfants avaient subi, il l'attribuait à l'ancien Lasse, celui qui avait vécu dans le péché et l'égoïsme. Le nouveau Lasse était un homme pur et honnête qui ne pouvait en aucune manière être tenu pour responsable des actes de l'ancien. Si elle se hasardait à évoquer les humiliations qu'il leur avait infligées, il réagissait à son "prêchi-prêcha" avec une colère retenue en se disant très déçu qu'elle se focalise sur les aspects négatifs au lieu de recevoir Dieu, comme il l'avait fait, et de devenir un être qui répandait "lumière et amour".

Terese souffla de mépris. Lasse ignorait totalement ce qu'étaient la lumière et l'amour. Il ne s'était jamais excusé de la manière dont il les avait traités. Dans sa logique, elle était un être mesquin, puisqu'elle n'était pas aussi prompte à pardonner que Dieu et qu'elle lui tournait le dos chaque soir dans le lit.

Contrariée, elle serra le volant en bifurquant vers la ferme équestre. La situation devenait intenable. Elle ne supportait plus de le voir, ne supportait pas d'entendre ses murmures de citations bibliques qui planaient comme un fond sonore dans l'appartement. Mais il lui fallait résoudre les problèmes pratiques d'abord. Ils avaient deux enfants ensemble, et elle était tellement épuisée qu'elle n'était pas sûre d'avoir la force d'entamer une procédure de divorce.

— Écoutez, vous restez là pendant que je vais chercher Tyra, et vous êtes sages, hein ? D'accord ?

Elle se retourna et regarda sévèrement ses deux mouflets sur le siège arrière. Ils pouffaient, et elle savait pertinemment que dès qu'elle serait hors de la voiture, une dispute allait éclater.

— Je serai de retour tout de suite, les avertit-elle.

Encore des rires étouffés. Elle soupira sans pouvoir, en même temps, s'empêcher de sourire en fermant la portière.

Elle grelotta en pénétrant dans l'écurie. Ce bâtiment n'existait pas à l'époque où elle venait ici, c'est Marta et Jonas qui l'avaient construit.

— Il y a quelqu'un ?

Du regard, elle chercha Tyra, mais ne vit que les autres filles.

— Tyra n'est pas là ?

— Non, elle est partie il y a une heure environ, répondit Marta en sortant d'un box.

— Ah bon ?

Terese fronça les sourcils. Elle avait promis à Tyra de venir la chercher aujourd'hui, pour une fois. Sa fille s'était réjouie de ne pas avoir à rentrer à pied dans la neige, comment avait-elle pu oublier ?

— Tyra est une cavalière douée, dit Marta en s'avançant vers elle.

Comme tant de fois auparavant, Terese fut frappée par la beauté de Marta. Dès la première fois où elle l'avait vue, elle avait compris qu'elle ne pourrait jamais se mesurer à elle. Elle se sentit tout à coup grosse et informe face à Marta, toujours aussi mince et gracieuse.

— Tant mieux, répondit-elle, le regard rivé au sol.

— Elle sait s'y prendre avec les chevaux. Elle devrait participer aux concours. Je pense qu'elle se défendrait bien. Tu y as déjà pensé ?

— Oui, peut-être…

Terese hésita et se sentit encore plus anéantie. Ils n'en avaient pas les moyens, mais comment expliquer ça ?

— On a eu pas mal de dépenses ces temps-ci, avec les garçons et tout ça. Et Lasse est demandeur d'emploi… Je vais y réfléchir. En tout cas, ça fait plaisir d'entendre qu'elle se débrouille bien. Elle est… oui, je suis fière d'elle.

— Il y a de quoi, dit Marta, et elle l'observa un instant avant de poursuivre : Elle est très affectée par ce qui est arrivé à Victoria, je l'ai senti. Nous le sommes tous.

— Oui, c'est difficile pour elle. Il lui faudra du temps pour faire le deuil.

Terese chercha un moyen de clore la conversation. Elle n'avait aucune envie de rester ici à bavarder bêtement alors que l'inquiétude commençait à monter. Où Tyra pouvait-elle bien être passée ?

— Les petits m'attendent dans la voiture, je ferais mieux d'y aller avant qu'ils s'entre-tuent.

— Bien sûr. Et ne t'inquiète pas pour Tyra. Elle a dû oublier que tu venais la chercher. Tu sais ce que c'est, les ados.

Marta retourna dans le box, et Terese fila vers sa voiture. Elle voulait rentrer à la maison. Avec un peu de chance, Tyra y serait déjà.

Assise à la table de la cuisine, Anna parlait au dos de Dan. Elle voyait clairement ses muscles se tendre à travers son tee-shirt, mais il ne disait rien, se consacrant entièrement à la vaisselle.

— Qu'est-ce qu'on va faire ? On ne peut pas continuer comme ça.

Elle était prise de panique rien qu'à l'idée d'une séparation, mais il fallait bien qu'ils évoquent l'avenir. Anna avait déjà vécu des périodes très difficiles avant les événements de l'été dernier. Elle avait ressuscité un bref moment, mais pour les mauvaises raisons, et aujourd'hui leur vie n'était plus qu'un immense chaos, débordant d'espoirs déçus. Et tout était sa faute. Elle ne pouvait pas, de quelque façon que ce soit, partager son sentiment de culpabilité avec Dan, ni rejeter la responsabilité sur lui.

— Tu sais à quel point je regrette, de tout mon cœur. Je voudrais que ça ne se soit jamais produit, mais ce n'est pas possible. Alors, si tu veux que je déménage, je le ferai. Je trouverai un logement pour moi et les enfants, je crois qu'il y a des appartements disponibles dans les immeubles à côté, ça devrait pouvoir se faire rapidement. Parce qu'on ne peut pas vivre comme ça. On se détruit. Tous les deux, et les enfants aussi. Tu le vois, non ? Ils n'osent même pas se disputer, ils osent à peine parler, tellement ils ont peur de dire ce qu'il ne faut pas et d'aggraver la situation. Je n'en peux plus, je préfère partir. Je t'en prie, dis quelque chose !

Des sanglots vinrent couper les derniers mots, et ce fut comme entendre quelqu'un d'autre parler, quelqu'un d'autre pleurer. Elle flottait au-dessus d'elle-même, contemplant les débris de sa vie, contemplant l'homme qui était son grand amour et qu'elle avait tant blessé.

Lentement Dan se retourna. Il s'appuya contre le plan de travail, le regard rivé sur ses pieds. Anna eut un coup au cœur en voyant les rides sur son visage, la morne résignation. Elle l'avait ébranlé, profondément bouleversé, et c'est ce qu'elle avait le plus de mal à se pardonner. Dan, qui avait toujours été bienveillant, qui partait du principe que les gens étaient aussi honnêtes et sincères que lui… Elle lui avait apporté la preuve du contraire, elle avait bousculé sa foi dans leur amour et dans son univers.

— Je ne sais pas, Anna. Je ne sais pas ce que je veux. Les mois passent et on se contente de gérer le quotidien en se tournant autour.

— Enfin, Dan, il faut qu'on essaie de résoudre le problème. Ou alors qu'on se sépare. Je ne supporte plus de vivre dans un tel entre-deux. Les enfants aussi méritent qu'on se décide.

Elle sentit la morve couler et l'essuya avec la manche de son pull. Elle n'avait pas la force de se lever pour chercher un bout d'essuie-tout. Et puis le rouleau se trouvait derrière Dan et elle avait besoin d'une distance de quelques mètres entre eux pour mener à bien cette conversation. Sentir son odeur de près, sentir la chaleur de son corps ferait tout s'écrouler. Depuis l'été dernier, ils faisaient chambre à part. Dan dormait sur un matelas dans le bureau alors qu'elle occupait leur grand lit. Elle lui avait proposé de changer, considérant que c'était plutôt à elle de s'installer sur le matelas mince et inconfortable et de se réveiller le dos en compote. Mais il avait seulement secoué la tête, et chaque soir, il allait se coucher dans le bureau.

— Je veux essayer, chuchota-t-elle. À condition que toi aussi, tu le veuilles et que tu penses qu'on a une petite chance. Sinon, il vaut mieux que je déménage. Je peux appeler une agence immobilière dès cet après-midi pour me renseigner. On n'a pas besoin de grand-chose pour commencer, les enfants et moi. On a déjà vécu dans un petit appartement, on sait faire.

Dan fit une grimace. Il cacha son visage dans ses mains, et ses épaules furent secouées de sanglots. Depuis l'été dernier, il avait porté un masque de déception et de rage contenues, mais à présent les larmes coulaient, elles tombaient goutte à goutte de son menton et mouillaient son tee-shirt. Anna fut incapable de se retenir. Elle alla l'étreindre. Il se figea, mais ne se dégagea pas. Elle sentit sa chaleur, et aussi son corps qui vibrait sous les pleurs allant crescendo, et elle le serra de plus en plus fort, comme si elle voulait l'empêcher de voler en éclats.

Quand ses pleurs se furent apaisés, ils restèrent ainsi, et il l'entoura de ses bras.

Lasse sentit la colère couver en lui quand il tourna à gauche après le moulin en direction de Kville. Tout de même, que Terese refuse de l'accompagner, ne serait-ce qu'une seule fois! Était-ce trop demander qu'ils partagent de temps en temps les mêmes activités? Qu'elle montre de l'intérêt pour ce qui avait transformé sa vie du tout au tout et avait fait de lui un homme nouveau? Lui et la communauté avaient tant à lui apprendre, mais elle choisissait de vivre dans l'obscurité plutôt que de laisser l'amour de Dieu rayonner sur elle, comme il rayonnait sur lui.

Il appuya plus fort sur l'accélérateur. Il avait perdu tellement de temps à la supplier qu'il allait être en retard à la réunion de leadership. Surtout qu'il avait été obligé de lui expliquer pourquoi il ne voulait pas qu'elle aille dans ce centre équestre, près de Jonas. Elle avait commis le péché avec lui, elle avait couché avec lui en dehors du mariage, et peu importe que ce soit de l'histoire ancienne. Dieu tenait à ce que les hommes et les femmes vivent dans la pureté et la vérité, sans que leur âme soit alourdie par les actes impudiques du passé. Pour sa part, il s'était confessé et débarrassé de tout cela, il s'était purifié.

Ça n'avait pas toujours été facile. Le péché menaçait partout autour de lui. Des femmes provocantes qui s'offraient sans vergogne, qui ne respectaient pas la volonté et les commandements de Dieu, qui poussaient les hommes au vice. De telles pécheresses méritaient d'être punies et il était persuadé que là était sa mission. Dieu lui avait parlé, et personne ne devait mettre en doute qu'il était devenu un homme nouveau.

Les membres de la communauté le voyaient et le comprenaient. Ils l'inondaient d'amour, lui certifiant que Dieu lui avait pardonné et qu'il était redevenu une page vierge. Il avait failli retomber dans ses travers, mais d'une façon miraculeuse, Dieu l'avait sauvé de la faiblesse de la chair et avait fait de lui un disciple fort et courageux. Pourtant, Terese refusait obstinément d'admettre qu'il avait changé.

Son irritation persista jusqu'à ce qu'il soit arrivé. Comme toujours, il fut rempli de sérénité en franchissant les portes du bâtiment contemporain financé par des membres généreux. La communauté était grande pour une si petite localité grâce à son leader, Jan-Fred, qui l'avait reprise dix ans auparavant à la suite de luttes internes. Elle s'appelait à cette époque la congrégation pentecôtiste de Kville, mais Jan-Fred l'avait immédiatement rebaptisée Christian Faith, ou Faith comme ils disaient la plupart du temps.

— Bonsoir Lasse, je suis ravie de te voir.

Leonora, l'épouse de Jan-Fred, vint l'accueillir. C'était une belle blonde d'une quarantaine d'années qui dirigeait le groupe de leadership avec son mari.

— C'est toujours aussi merveilleux de venir ici, dit-il en l'embrassant sur la joue.

Il sentit l'odeur de son shampooing et, avec elle, un vent de péché. Mais ça ne durait qu'un bref instant, et il savait qu'avec l'aide de Dieu il finirait par repousser définitivement ses vieux démons. Il était parvenu à vaincre son penchant pour l'alcool, mais le penchant pour les femmes se révélait un adversaire plus redoutable.

— Jan-Fred et moi, on a parlé de toi ce matin.

Leonora le prit sous le bras et l'entraîna vers la salle de conférences où se tiendrait le cours.

— Ah bon, dit-il, impatient d'entendre ce qu'elle allait lui annoncer.

— On parlait du travail formidable que tu as accompli. On est très fiers de toi. Tu es un disciple juste et digne, il y a en toi un énorme potentiel.

— Je ne fais que ce que Dieu me demande de faire. Tout ça, c'est grâce à Dieu. Il m'a donné la force et le courage de voir mes péchés et de me purifier.

— Oui, Dieu est bon pour nous, pauvres pécheurs. Sa patience et Son amour sont infinis, dit-elle en lui tapotant le bras.

En arrivant dans la pièce, il vit que les autres participants à la formation étaient déjà là.

— Et ta femme ? Elle ne pouvait pas venir ce soir non plus ?

Leonora semblait le regretter. Lasse serra les mâchoires et secoua la tête.

— La famille est importante pour Dieu. Ce que Dieu a uni, l'homme ne doit pas le séparer. Et une femme doit partager la vie de son mari, et sa vie avec Dieu. Mais tu verras, un jour elle découvrira la belle âme que Dieu a trouvée en toi. Il t'a réparé.

— J'en suis sûr, il faut juste un peu de temps, murmura-t-il.

Il sentit le goût métallique de colère dans sa bouche, mais se força à repousser les pensées négatives. À la place, il répéta silencieusement son mantra : lumière et amour. C'est ce qu'il était : lumière et amour. Il fallait juste le faire comprendre à Terese.

— On est vraiment obligés ? demanda Marta pendant qu'elle enfilait des vêtements propres après avoir éliminé l'odeur d'écurie sous la douche. On ne peut pas plutôt rester à la maison et faire ce que font les gens le vendredi soir ? Je ne sais pas, moi, commander des tacos ou autre chose ?

— On n'a pas le choix, tu le sais bien.

— Mais pourquoi faut-il toujours qu'on mange chez eux le vendredi soir? Tu y as pensé? Pourquoi on ne ferait pas des repas de famille le dimanche comme tout le monde? À midi.

Elle boutonna son chemisier et se coiffa devant le miroir en pied.

— Combien de fois en a-t-on déjà parlé? On est trop souvent absents le week-end à cause des concours hippiques, le vendredi soir est le seul qui reste si on ne veut pas y aller en semaine. Pourquoi tu poses des questions dont tu connais déjà la réponse?

Marta entendit la voix de Jonas partir dans les aigus, signe qu'il était sur le point de s'énerver. Bien sûr qu'elle connaissait déjà la réponse. Simplement, elle ne comprenait toujours pas pourquoi ils devaient se caler sur Helga et Einar.

— En plus, personne n'y tient, personne ne trouve ça sympa, mais personne n'ose rien dire. Je pense que tout le monde serait soulagé si on échappait à ces dîners, dit-elle en enfilant un collant supplémentaire.

Il faisait toujours un froid de canard chez les parents de Jonas. Einar était pingre et voulait économiser sur l'électricité. Marta mit un tricot par-dessus le chemisier. Autrement elle serait frigorifiée avant le dessert.

— Molly non plus n'a pas envie d'y aller. Combien de temps tu crois qu'on pourra la forcer avant qu'elle se rebelle?

— Aucun ado n'aime les repas de famille. Mais elle vient avec nous, point final, ce n'est quand même pas trop demander?

Marta s'arrêta et le regarda dans le miroir. Elle le trouvait plus beau aujourd'hui que quand ils s'étaient rencontrés. À cette époque, il était timide et dégingandé, et ses joues étaient marquées par l'acné. Elle avait cependant discerné autre chose sous le voile d'embarras, une disposition qu'elle avait appris à reconnaître. Avec le temps, et avec son aide, l'hésitation avait disparu. Maintenant il se tenait droit, il était fort et musclé, et après toutes ces années, il parvenait encore à la faire vibrer.

Tout ce qu'ils partageaient maintenait le désir vivant, et elle sentit celui-ci se réveiller une fois de plus à cet instant. Très vite, elle enleva ses collants et sa petite culotte, mais garda son chemisier. Elle s'approcha de lui et déboutonna le jean qu'il venait d'enfiler. Sans un mot, il la laissa le baisser, et elle vit qu'il avait déjà réagi. Elle le poussa fermement sur le lit et le chevaucha jusqu'à ce qu'il jouisse, fort, le dos formant un arc tendu. Elle essuya quelques gouttes de sueur de son front, et se laissa glisser sur le côté. Leurs regards se croisèrent dans le miroir lorsque, en lui tournant le dos, elle remit sa culotte et ses collants.

Un quart d'heure plus tard, ils arrivaient chez Helga et Einar, une Molly bougonne à la traîne. Comme prévu, elle avait bruyamment protesté contre l'idée de passer encore un vendredi soir chez ses grands-parents. Ses copines avaient mille choses plus amusantes à faire, et sa vie serait détruite si elle ne pouvait pas les accompagner. Mais Jonas avait été intraitable, et Marta l'avait laissé gérer la situation.

— Bonsoir, entrez!

Helga se dressa sur la pointe des pieds pour embrasser son fils sur la joue. Marta se contenta d'une accolade empruntée.

Un merveilleux fumet flottait dans l'air, et Marta sentit son ventre gronder. C'était la seule circonstance atténuante de ces repas chez ses beaux-parents : la cuisine de Helga.

— Ce soir, je vous ai préparé un filet mignon au four. Tu vas chercher papa? dit Helga en hochant la tête vers l'étage.

— Bien sûr, répondit Jonas, et il monta l'escalier.

Marta entendit des murmures, puis le bruit d'un objet lourd poussé sur le plancher. Ils avaient touché une subvention pour l'installation d'un monte-escalier pour handicapés, mais il fallait quand même une certaine force physique pour descendre Einar. Le son de la plate-forme et du fauteuil roulant glissant sur le rail était désormais familier. Autrefois, avant son amputation, Einar lui avait toujours fait penser à un grand taureau furibard. Maintenant il ressemblait plutôt à un gros crapaud glissait en bas des marches.

— Rien que du beau monde, comme d'habitude. Viens par là Molly, faire un bisou à ton grand-père, dit-il en plissant les yeux, et Molly s'approcha à contrecœur et l'embrassa sur la joue.

Helga leur fit signe de venir dans la cuisine où le repas était servi.

— Dépêchez-vous, sinon ça va refroidir.

Jonas aida son père à s'installer à table, et ils prirent place en silence.

— Pas de compétition demain, c'est ça ? demanda Einar au bout d'un moment.

Marta aperçut la lueur méchante dans ses yeux, elle savait qu'il abordait le sujet uniquement par vacherie. Molly laissa échapper un profond soupir et Jonas lança un regard d'avertissement à son père.

— Après tous les événements, on a trouvé l'occasion assez mal choisie, expliqua-t-il, et il tendit le bras pour prendre le plat de pommes de terre.

— Oui, ça, je comprends.

Einar exhorta son fils du regard, et celui-ci le servit d'abord.

— Et ça se passe comment ? Elle avance, la police ? demanda Helga en posant une tranche de filet mignon sur l'assiette de chacun avant de s'asseoir.

— Gösta est venu aujourd'hui me poser des questions sur le cambriolage, répondit Jonas, et Marta ouvrit de grands yeux.

— Pourquoi tu ne m'en as pas parlé ?

Jonas haussa les épaules.

— Ce n'était pas grand-chose. À l'autopsie, ils ont trouvé des restes de kétamine dans le corps de Victoria, et Gösta voulait savoir ce qui avait été volé dans mon cabinet.

— Heureusement que tu l'avais signalé.

Marta baissa le regard. Elle détestait ne pas avoir le contrôle des événements, et le fait que Jonas n'ait pas mentionné la visite de la police la remplit d'une rage silencieuse. Ils en parleraient plus tard, en tête à tête.

— Dommage pour la petite, lança Einar en enfournant une si grosse bouchée qu'un peu de sauce brune coula au coin de sa bouche. Elle était jolie, il me semble, le peu que je l'ai vue. Vous me gardez prisonnier là-haut, j'ai rien pour me rincer l'œil. La seule que je vois désormais, c'est la vieille bique, là !

Il rit en montrant Helga.

— On est vraiment obligés de parler de Victoria ? protesta Molly.

Elle mangeait du bout des lèvres et Marta se demanda quand elle l'avait vue manger avec appétit pour la dernière fois. C'était sans doute cette fichue obsession de la minceur qui taraudait toutes les adolescentes. Ça finirait par lui passer.

— Molly a découvert la vieille Coccinelle dans la grange, elle aimerait la récupérer. J'ai pensé la retaper pour elle, qu'elle soit prête pour quand elle aura son permis, dit Jonas en changeant de sujet et en faisant un clin d'œil à Molly qui promenait ses haricots verts d'un bout à l'autre de son assiette.

— Tu crois que c'est bien qu'elle aille dans la grange ? Elle pourrait se faire mal, déclara Einar.

Il enfourna une autre bouchée, alors que la trace de sauce restait visible sur son menton.

— Oui, vous devriez y faire un peu de ménage, renchérit Helga. Enlever ces vieilleries qui prennent de la place.

— Je veux garder tout ça en l'état, dit Einar. Ce sont mes souvenirs. De beaux souvenirs. Et tu as entendu, Helga : Jonas prend la relève maintenant.

— Qu'est-ce que tu veux qu'elle en fasse, Molly, d'une vieille Coccinelle ? dit Helga en posant sur la table le plat qu'elle était allée regarnir.

— Elle va être super-cool ! Personne d'autre n'en aura une comme ça ! s'exclama Molly, les yeux brillants.

— Elle pourrait devenir chouette, c'est vrai, confirma Jonas.

Il se resservit. Marta savait qu'il adorait la cuisine de sa mère, c'était peut-être la raison principale qui le poussait à les traîner ici tous les vendredis.

— Tu te rappelles comment on fait ? demanda Einar.

Marta pouvait presque voir les souvenirs tournoyer dans sa tête. Des souvenirs d'une époque où il était un taureau, pas un crapaud.

— Je l'ai dans les doigts, je crois. J'ai retapé suffisamment de voitures avec toi pour que ça me revienne, répondit Jonas en échangeant un regard avec son père.

— Oui, c'est spécial, ce qu'un père transmet à son fils, ses savoirs et ses passions, philosopha Einar en levant son verre. Santé aux Persson, père et fils, santé à nos intérêts communs. Et félicitations, ma petite demoiselle, pour ta nouvelle voiture.

Molly leva son verre de Coca et trinqua avec lui. Le bonheur de pouvoir récupérer la voiture brillait dans ses yeux.

— Soyez prudents, c'est tout, dit Helga. Un accident est si vite arrivé. Il faut savoir apprécier la chance qu'on a et ne pas défier le sort.

Les joues d'Einar étaient devenues rouges après le vin qu'il avait bu, et il se tourna vers elle.

— Faut toujours que tu sois rabat-joie, toi. Un vrai oiseau de mauvais augure. Ça a toujours été comme ça. Les idées, les visions, c'était moi, et ma chère épouse s'est toujours plainte et ne voyait que les problèmes. T'as jamais osé vivre pleinement, hein. Qu'est-ce que t'en dis, Helga, tu as osé vivre ? T'as vraiment vécu ? Ou est-ce que tu as eu tellement peur que tu t'es contentée d'essayer de tenir le coup et de nous entraîner, nous aussi, dans la peur ?

Il bafouillait un peu et Marta devina qu'il s'était déjà enfilé un verre ou deux avant leur arrivée. Cela aussi faisait partie du rituel des repas du vendredi soir chez ses beaux-parents.

— J'ai fait de mon mieux. Et ça n'a pas été facile.

Helga se leva et commença à débarrasser la table. Marta vit que ses mains tremblaient. Elle avait toujours eu les nerfs fragiles.

— Toi qui as eu tellement de chance ! Tu as eu un bon mari, bien meilleur que ce que tu méritais. On devrait me donner une médaille pour t'avoir supportée toutes ces années. Je ne sais pas ce qui m'a pris à l'époque, alors qu'un tas de filles me couraient après. Je devais me dire que tu avais des hanches larges et solides pour mettre au monde des enfants. Alors que même ça, t'as à peine réussi à le faire. Allez, santé !

Einar leva de nouveau son verre.

Marta étudia ses ongles. Elle ne se sentait même pas mal à l'aise. Elle avait assisté à ces scènes tant de fois. En général, Helga non plus ne prêtait pas attention aux tirades d'ivrogne d'Einar, mais ce soir ce fut différent. Soudain elle prit une casserole et la balança dans l'évier de toutes ses forces. Puis elle se retourna lentement. Sa voix était basse, à peine audible. Mais dans leur silence stupéfait, les mots furent parfaitement clairs.

— Je. N'en. Peux. Plus.

— Salut, c'est moi!

Enfin de retour chez soi! Le déplacement à Göteborg avait vivement contrarié Patrik, et il n'avait pas réussi à se calmer pendant le trajet du retour. Pour couronner le tout, Erica avait l'air de penser que sa mère était venue chez eux accompagnée d'un homme.

— Salut! gazouilla Kristina dans la cuisine.

Patrik regarda l'intérieur de sa maison d'un œil méfiant. Un instant il se demanda s'il n'était pas entré chez quelqu'un d'autre. Tout semblait si propre et bien rangé.

Erica ouvrit de grands yeux lorsque, à son tour, elle franchit la porte. Elle se fendit d'un "Waouh!", mais le changement sembla lui inspirer des sentiments mitigés.

— Tu as fait appel à une société de nettoyage ou quoi? lança Patrik à sa mère.

Il ne savait pas que le sol du vestibule pouvait être aussi nickel, débarrassé de ce sempiternel gravier. Il étincelait. Toutes les chaussures étaient soigneusement alignées sur l'étagère prévue à cet effet – un meuble qui n'était que rarement utilisé, les chaussures formant en général un grand tas par terre.

— Juste l'agence Hedström et Zetterlund, dit Kristina de sa voix flûtée en sortant de la cuisine.

— Zetterlund?

Patrik devina vite la réponse.

— Bonjour! Je m'appelle Gunnar.

Venant du séjour, un homme s'avança vers lui, la main tendue. Patrik l'examina et entraperçut en même temps l'amusement d'Erica, qui l'observait. La poignée de main de Gunnar fut enthousiaste et vigoureuse, un peu trop peut-être.

— Vous avez vraiment une maison sympa, et des enfants formidables! Cette petite demoiselle ne se laisse pas faire, elle est sacrément délurée, je vous le dis. Et ces deux petits garnements, j'imagine qu'ils vous donnent du fil à retordre, mais ils sont tellement adorables!

Il continua de secouer la main de Patrik qui réussit à produire un sourire.

— Oui, c'est vrai, ils sont chouettes.

Il fallut encore de longues secondes avant que Gunnar finisse par lui lâcher la main.

— Je me suis dit que vous auriez faim, du coup j'ai préparé à manger, dit Kristina en retournant dans la cuisine. J'ai fait tourner quelques machines aussi, et j'avais demandé à Gunnar d'apporter sa boîte à outils, tant qu'à faire, comme ça il a pu réparer quelques petits trucs que tu n'avais pas eu le temps d'arranger, Patrik.

Il nota alors que la porte des toilettes, qui était bancale depuis quelque temps, voire quelques années, était soigneusement redressée. Il se demanda quels autres problèmes dans son domicile Bob le Bricoleur avait réglés, se sentant malgré lui un peu agacé. Il avait eu l'intention de s'occuper de cette porte. C'était sur sa liste de choses à faire. Dès qu'il aurait le temps.

— Oh, c'était un plaisir. J'ai eu une entreprise de bâtiment pendant de nombreuses années, et ces petites bricoles, c'est un jeu d'enfant. L'astuce, c'est de prendre les problèmes à bras-le-corps, tout de suite, pour éviter qu'ils ne s'accumulent, précisa Gunnar.

Patrik afficha un autre sourire figé.

— Mmm, merci. Je… j'apprécie, vraiment.

— Ben oui, ce n'est pas facile pour vous les jeunes de trouver le temps de tout faire. Les mômes, le boulot, le ménage et avec ça la maison à entretenir. Il y a toujours une flopée de bricoles à réparer dans les vieilles maisons comme celle-ci. Mais elle est belle, solide quoi. Ils savaient construire à cette époque, pas comme les murs d'aujourd'hui qui sont montés à la va-vite. Après, les gens se demandent pourquoi ils ont des problèmes d'humidité et de moisissure. Le bon vieux savoir-faire d'antan, personne ne sait plus ce que c'est…

Gunnar secoua la tête et Patrik saisit l'occasion de se retirer dans la cuisine où Kristina était aux fourneaux, en pleine conversation avec Erica. Avec une pointe de joie maligne, il nota que même sa femme adorée avait un sourire forcé aux lèvres.

— Je sais que vous avez beaucoup à gérer, Patrik et toi. Ce n'est pas facile de combiner les enfants et une carrière, et les gens de votre génération s'imaginent qu'on peut tout faire en même temps, mais le plus important pour une femme, ne le prends pas mal, Erica, je le dis avec les meilleures intentions, c'est de donner la priorité aux enfants et à la maison, et les gens peuvent bien rire de nous, les femmes au foyer, mais moi, j'ai trouvé ça très satisfaisant de rester à la maison avec les miens et de ne pas être obligée de les conduire tous les jours dans une de ces garderies, et ils ont pu grandir dans une atmosphère propre et ordonnée, cette histoire comme quoi un peu de poussière dans les coins serait bénéfique je n'y crois pas une seconde, c'est sûrement pour ça que les enfants de nos jours ont un tas d'allergies et de maladies bizarroïdes, parce que les gens ne savent plus faire le ménage chez eux, et puis permets-moi aussi de souligner l'importance d'une nourriture saine et cuisinée à la maison, car quand le mari rentre, et Patrik a tout de même un travail lourd en responsabilités, il est en droit de trouver un foyer rangé et paisible où on lui sert des repas équilibrés, pas ces horribles plats cuisinés tout prêts avec un tas d'additifs abracadabrants qui remplissent votre frigo, et je dois dire que...

Patrik écoutait, fasciné, en se demandant si sa mère avait respiré une seule fois pendant sa longue tirade. Il vit qu'Erica serrait les dents, et sa joie mesquine se transforma en compassion.

— On fait les choses différemment, maman, l'interrompit-il. Ça ne veut pas dire que c'est moins bien. Tu as fait un boulot formidable pour ta propre famille, mais Erica et moi, on a choisi de partager la responsabilité des enfants et de la maison, et sa carrière est tout aussi importante que la mienne. Je veux bien reconnaître que parfois je suis un peu paresseux et que je la laisse assumer toute la charge, mais je m'efforce de m'améliorer. Alors si tu dois critiquer quelqu'un, c'est moi, parce que Erica se démène comme un diable pour que tout fonctionne chez nous. Et on a une vie magnifique. Il y a peut-être un peu de crasse ici ou là, et le panier à linge déborde, et, oui, c'est vrai qu'on mange du poisson pané et les boulettes de viande du supermarché, mais jusque-là personne n'en est mort. – Il embrassa Erica sur la joue. – En revanche, nous sommes très reconnaissants pour tout ce que tu fais, et tes merveilleux petits plats nous font vraiment plaisir. Ça nous change des trucs sous plastique.

Il fit aussi une bise à sa mère. Il ne voulait surtout pas lui faire de la peine. Ils ne s'en sortiraient pas sans son aide, et il l'aimait profondément. Mais ici, c'était chez eux, chez Erica et lui, et il était important que Kristina le comprenne.

— Oui, bon, je ne voulais pas critiquer, seulement vous donner quelques conseils utiles, dit-elle, sans paraître trop froissée.

— Parle-nous de ton copain maintenant, suggéra Patrik.

Il ressentit une certaine satisfaction à voir une rougeur s'étaler sur les joues de sa mère. Mais il trouvait cette situation un peu étrange, voire, pour être tout à fait honnête, *très* étrange.

— Eh bien, tu comprends… commença Kristina.

Patrik prit une profonde inspiration et se blinda. Sa vieille mère avait un copain. Son regard croisa celui d'Erica dont la bouche mima un baiser.

Terese ne tenait pas en place. Les garçons jouaient si bruyamment qu'elle faillit leur hurler dessus, mais elle se maîtrisa. Ce n'était pas leur faute si elle était folle d'inquiétude.

Bon sang, où pouvait-elle être ? Comme bien souvent, son angoisse se mua en colère, et la peur lui lacéra la poitrine. Comment Tyra pouvait-elle se comporter ainsi après ce qui était arrivé à Victoria ? Tous les parents de Fjällbacka avaient les nerfs à vif depuis sa disparition. Et si le ravisseur était encore dans les parages ? Et si leur enfant était en danger ?

Sa culpabilité vint s'ajouter à la colère. Ce n'était peut-être pas si surprenant que Tyra ait oublié qu'elle viendrait la chercher. La plupart du temps, elle devait rentrer par ses propres moyens, et plusieurs fois déjà, quand Terese avait promis de venir la récupérer en voiture, un imprévu l'en avait empêchée.

Ne devrait-elle pas appeler la police ? Lorsqu'elle avait constaté que Tyra n'était pas à la maison, elle avait essayé de se convaincre que sa fille n'allait pas tarder, qu'elle traînait sans doute avec une copine quelque part. Terese s'était même préparée à répondre aux commentaires renfrognés dont Tyra ne se priverait pas lorsque, frigorifiée et en sueur après sa marche à pied, elle pousserait la porte d'entrée. Et elle s'était vue en train de la bichonner, de lui préparer un chocolat chaud et des tartines avec une bonne couche de beurre et du gouda.

Mais Tyra n'était pas arrivée. Personne n'avait ouvert la porte, personne n'avait tapé des pieds pour se débarrasser de la neige, personne n'avait balancé sa veste dans un coin. Assise là, dans la cuisine, Terese devinait ce qu'avaient pu ressentir les parents de Victoria le jour où elle n'était plus réapparue. Elle ne les avait croisés qu'à quelques reprises, ce qui était assez étrange, vu que leurs filles étaient inséparables depuis toutes petites. À la réflexion, elle n'avait pas non plus rencontré Victoria si souvent. Les filles se retrouvaient toujours chez Victoria. Pour la première fois, elle s'interrogea sur ce détail, tout en connaissant déjà la douloureuse réponse. Elle n'avait pas su créer pour ses enfants le foyer dont elle avait rêvé, l'endroit rassurant dont ils avaient besoin. Les larmes brûlaient ses paupières. Si seulement Tyra rentrait, elle ferait tout ce qui était en son pouvoir pour que les choses changent.

Elle consulta son portable, comme si par magie un message de sa fille allait surgir sur l'écran. Terese avait immédiatement essayé de l'appeler en sortant de l'écurie, puis en rentrant à la maison. Une sonnerie avait retenti dans la chambre de Tyra. Ce n'était pas la première fois qu'elle oubliait de prendre son téléphone. Quelle tête en l'air !

Soudain elle sursauta en percevant un bruit dans le vestibule. C'était peut-être son imagination qui lui jouait des tours, car il était quasi impossible d'entendre quoi que ce soit à travers les cris et les hurlements des garçons. Mais si ! Une clé dans la serrure ! Elle se leva et se précipita dans l'entrée, tourna elle-même le verrou et ouvrit la porte. L'instant d'après, elle serra sa fille dans ses bras et laissa couler les larmes qu'elle avait retenues ces dernières heures.

— Ma chérie, ma chérie, chuchota-t-elle contre les cheveux de son enfant.

Les questions, ce serait pour plus tard. Pour l'instant, Tyra était là, avec elle, et c'était tout ce qui comptait.

UDDEVALLA, 1972

La petite la suivait du regard où qu'elle aille, et Laila avait l'impression d'être une prisonnière dans sa propre maison. Vladek était tout aussi désemparé, mais contrairement à elle, il extériorisait sa frustration.

Son doigt lui faisait mal. La fracture avait commencé à guérir, mais l'os qui se ressoudait la démangeait. Elle s'était rendue aux urgences à maintes reprises ces six derniers mois. Les médecins avaient fini par se montrer suspicieux et indiscrets. Intérieurement, elle mourait d'envie de poser son front sur le bureau, de laisser libre cours aux pleurs et de tout raconter. Mais elle pensait à Vladek et se retenait. Les problèmes devaient être résolus au sein du foyer, c'était sa conviction. Et il ne le lui pardonnerait jamais si elle ne gardait pas le silence.

Elle s'était éloignée de sa famille. Sa sœur se posait des questions, tout comme sa mère, elle en était consciente. Au départ, elles étaient venues les voir à Uddevalla, mais c'était fini maintenant. Désormais, elles se contentaient d'appeler de temps en temps pour demander frileusement comment ça allait. Elles avaient déclaré forfait, et Laila aurait voulu pouvoir faire pareil. Mais ce n'était pas possible, alors elle les maintenait à distance, répondait sommairement à leurs questions, s'efforçait de garder un ton léger et de parler de choses futiles. Elle ne pouvait rien raconter.

La famille de Vladek donnait encore moins de nouvelles, mais c'était comme ça depuis le début. Ils sillonnaient le monde et n'avaient pas d'adresse fixe, alors comment rester en contact ? Et d'ailleurs tant mieux. Il était tout aussi impossible de leur expliquer la situation. Vladek et elle n'arrivaient même pas à se l'expliquer.

C'était un fardeau qu'ils devaient porter tout seuls.

Lasse sifflota en longeant la route. La satisfaction qu'il avait ressentie la veille après la réunion de la congrégation demeurait. La sensation d'appartenance lui faisait l'effet d'une ivresse sobre. C'était tellement libérateur d'être débarrassé de tous ces niveaux de gris et de réaliser que la réponse à ses questions se trouvait dans la Bible.

Sa démarche était juste, il le savait. Sinon, pourquoi Dieu lui en avait-il donné les moyens? Pourquoi l'avait-il placé au bon endroit au bon moment, en face de quelqu'un qui méritait d'être puni? Le jour même où cela s'était produit, il venait de prier Dieu de l'aider à se sortir d'une situation de plus en plus difficile. Il avait cru que la réponse à ses prières viendrait sous la forme d'un emploi, mais c'est une tout autre voie qui s'était présentée. Et la personne qui en subissait les conséquences était de la pire espèce, celle des pécheurs qui méritaient une justice biblique.

Terese avait commencé à poser des questions sur leur situation financière. C'est lui qui veillait à ce que les factures soient payées, mais elle avait demandé comment son modeste salaire de caissière de supermarché pouvait suffire à tout couvrir. Il avait murmuré quelque chose à propos d'indemnités de chômage, mais il voyait bien qu'elle était sceptique. Enfin, ça finirait par s'arranger. Les réponses viendraient à lui, c'était certain.

Il se rendait maintenant à la baignade de Sälvik. C'est lui qui avait choisi ce lieu de rendez-vous, sachant qu'il serait désert à cette époque de l'année. La plage, située tout près du camping, grouillait de monde en été, mais elle était vide en cette saison.

Et la première maison était relativement éloignée. C'était un endroit parfait pour se rencontrer, il le proposait chaque fois.

La chaussée était glissante et il descendait lentement la route qui menait à la plage. Elle était blanche de neige et une glace épaisse recouvrait l'eau jusqu'à plusieurs dizaines de mètres du bord. Au bout du ponton, un trou avait été percé dans la glace par les fous furieux qui insistaient pour prendre un bain de mer en hiver. Personnellement, il soutenait que le climat suédois ne convenait pas à la baignade, même en été.

Il était le premier arrivé. Le froid s'insinuait sous ses vêtements et il regretta de ne pas avoir mis un deuxième pull. Mais ayant dit à Terese qu'il se rendait à une réunion à la congrégation, il avait craint d'éveiller ses soupçons en s'emmitouflant sous plusieurs couches de vêtements.

L'impatience le gagna quand il s'avança sur le ponton. La structure en bois était dure et raide à cause des poteaux pris dans la glace. Il consulta sa montre et fronça les sourcils, irrité. Arrivé tout au bout, il s'appuya aux montants de l'échelle de baignade et regarda en bas. Les fanatiques des bains d'hiver avaient dû faire trempette récemment, la glace ne s'était pas encore reformée à la surface du trou. Il frémit. La température de cette eau-là avoisinait probablement zéro degré !

En entendant des pas sur le ponton, il se retourna.

— Vous êtes en retard, dit-il en tapotant sur sa montre. Donnez-moi l'argent tout de suite, qu'on puisse repartir. Je ne tiens pas à être vu et on se gèle ici.

Il tendit la main et sentit l'optimisme l'envahir. Dieu était bon, qui lui avait apporté cette solution. Le mépris qu'il éprouvait pour la personne devant lui était si profond qu'il empourpra ses joues.

Mais son mépris se mua rapidement en surprise. Puis en peur.

Son livre ne lui laissait aucun répit, elle y pensait sans arrêt. Quand Patrik avait expliqué qu'il était obligé d'aller travailler, Erica s'était d'abord agacée car elle avait prévu une autre visite à Laila. Puis le bon sens l'avait emporté. Évidemment qu'il était obligé d'aller au commissariat, même un samedi. L'enquête sur la disparition de Victoria était entrée dans une phase intense, et Patrik n'abandonnerait pas avant d'avoir bouclé l'affaire.

Grâce à Anna, qui était venue garder les enfants, Erica se trouvait de nouveau dans la salle des visites de l'établissement. Elle ne savait pas trop comment démarrer l'entretien, mais le silence ne semblait pas déranger Laila, qui regardait par la fenêtre, l'air pensif.

— J'ai visité la maison l'autre jour, finit par dire Erica.

Elle observa Laila pour voir comment elle réagirait à cette révélation, mais ses yeux bleus restèrent de glace.

— J'aurais peut-être dû le faire plus tôt, mais je crois qu'inconsciemment, j'hésitais à y aller.

— Ce n'est qu'une maison, répondit Laila avec un haussement d'épaules.

Toute sa personne exprimait l'indifférence et Erica eut envie de se pencher pour la secouer. Cette femme qui y avait vécu, qui avait accepté qu'on y enferme son enfant, qu'on l'enchaîne comme une bête dans une cave obscure, comment pouvait-elle se montrer si insensible devant une telle cruauté? Quelles que soient les horreurs que Vladek lui avait fait subir, oui, même s'il l'avait complètement brisée, comment avait-elle pu rester impassible?

— Il te frappait souvent? demanda Erica en essayant de conserver son calme.

Laila plissa le front.

— Qui ça?

— Vladek.

Faisait-elle semblant d'être bête? Erica avait vu son dossier médical de l'hôpital d'Uddevalla, elle connaissait la liste des blessures.

— C'est si facile de condamner, dit Laila en regardant la table. Vladek n'était pas un homme mauvais.

— Comment peux-tu dire ça après ce qu'il vous a fait, à Louise et à toi?

Malgré ses connaissances en victimologie, Erica ne comprenait pas pourquoi Laila continuait à protéger Vladek. Alors qu'elle avait fini par le tuer, pour se défendre ou pour se venger de la violence qu'il leur faisait subir, aux enfants et à elle.

— Tu l'aidais à enchaîner Louise ? Il te forçait ? C'est pour ça que tu te tais ? Parce que tu te sens coupable ?

Erica la harcela de questions comme jamais auparavant. C'était peut-être sa rencontre de la veille avec Nettan qui la faisait enrager, la détresse de cette femme face à la disparition de sa fille. Ce n'était pas normal d'être si indifférente devant l'inconcevable souffrance de son propre enfant.

Sans parvenir à se maîtriser, elle ouvrit le sac qu'elle emportait partout et en sortit le dossier avec les photographies.

— Regarde ça ! Tu as oublié comment c'était chez vous quand la police a débarqué ? Non, mais regarde !

Erica posa une photo sur la table et la poussa vers Laila qui finit par la regarder de mauvaise grâce. Erica lui en montra une autre.

— Et là. La cave telle qu'elle était ce jour-là. Tu vois la chaîne et les gamelles avec la nourriture et l'eau ? Comme pour un animal ! C'était une petite fille qui était enchaînée là, ta fille, que Vladek tenait prisonnière au sous-sol. Et tu le laissais faire. Je peux comprendre que tu l'aies tué, j'aurais fait pareil si quelqu'un avait traité mon enfant de la sorte. Mais pourquoi est-ce que tu le protèges ?

Elle s'arrêta et chercha son souffle. Le cœur battant, elle réalisa que la gardienne l'observait par la vitre de la porte. Elle baissa le ton.

— Pardon, Laila. Je... je ne voulais pas te blesser. C'est la visite à la maison qui a dû me perturber.

— J'ai entendu que les gens l'appellent la Maison de l'horreur, dit Laila en repoussant les clichés sur la table. C'est bien trouvé. C'était une maison de l'horreur. Mais pas comme vous l'imaginez.

Elle se leva et alla frapper à la porte pour qu'on la laisse sortir.

Restée seule à la table, Erica se maudit. Laila ne voudrait sûrement plus lui parler, et elle ne pourrait jamais terminer son livre.

Qu'est-ce que Laila insinuait avec cette dernière phrase ? Qu'est-ce qui n'était pas comme ils l'imaginaient ? En grommelant, elle ramassa les photos et les remit dans le dossier.

Une main sur son épaule vint interrompre ses réflexions contrariées, celle de la gardienne qui s'était tenue devant la porte.

— Venez, je vais vous montrer quelque chose.

— Quoi donc?

— Vous verrez. C'est dans la chambre de Laila.

— Elle n'y est pas retournée?

— Non, elle est sortie dans la cour. C'est là qu'elle va en général quand elle est troublée, pour marcher un peu. Elle y restera sûrement un bon moment, mais on va faire vite, on ne sait jamais.

Erica lut en catimini le badge épinglé sur la blouse de la gardienne. Betty. Elle la suivit, et comprit qu'elle allait voir pour la première fois la pièce où Laila passait le plus clair de son temps.

Au fond du couloir, Betty ouvrit une porte et Erica entra. Elle ignorait complètement à quoi ressemblaient les chambres des internées, et avait probablement regardé trop de séries télé américaines, car elle avait imaginé une sorte de cellule capitonnée. Elle trouva une pièce agréable et douillette à souhait. Un lit méticuleusement fait, une table de chevet avec un réveil et un petit éléphant en porcelaine rose qui faisait un gros dodo, une table où était posé un poste de télévision. Des rideaux jaunes encadraient la petite fenêtre certes placée haut sur le mur, mais qui laissait quand même entrer un peu de lumière.

— Laila ignore que nous sommes au courant.

Betty s'approcha du lit et se mit à genoux.

— Vous avez le droit de faire ça? demanda Erica en regardant la porte.

Elle ne savait pas si elle était nerveuse parce que Laila risquait d'arriver ou parce qu'un supérieur pourrait surgir et prétendre que les droits de Laila étaient bafoués.

— Nous avons des droits sur tout ce qu'il y a dans les chambres des internées, dit Betty en glissant un bras sous le lit.

— Oui, mais moi, je ne fais pas partie du personnel, protesta Erica, tout en s'efforçant de contenir sa curiosité.

Betty sortit une petite boîte, se leva et la lui tendit.

— Vous voulez voir ou pas?

— Bien sûr que je veux voir.

— Alors je vais faire le guet. Moi, je sais déjà ce qu'il y a dedans.

Elle alla entrouvrir la porte pour surveiller le couloir.

Après un regard inquiet sur la gardienne, Erica s'assit sur le lit, la boîte sur les genoux. Si Laila arrivait maintenant, le peu de confiance qu'elle pouvait encore lui accorder s'évanouirait. Mais comment résister à la tentation de découvrir ce que renfermait cette boîte? Betty semblait croire qu'elle trouverait cela intéressant.

En retenant sa respiration, elle ôta le couvercle. Elle ne s'attendait à rien de précis, mais le contenu la prit au dépourvu. Elle sortit, l'une après l'autre, les coupures de journaux, et des pensées désordonnées fusèrent dans sa tête. Pourquoi Laila conservait-elle des articles de presse sur les jeunes filles disparues? Pourquoi ces disparitions l'intéressaient-elles? Erica parcourut rapidement les textes et constata que Laila avait dû découper pratiquement tout ce que la presse locale et les tabloïdes avaient écrit sur le sujet.

— Elle peut revenir d'un moment à l'autre, lança Betty en guettant le couloir. Mais vous êtes d'accord avec moi, c'est étrange, non? Elle se jette sur les journaux dès qu'ils arrivent, puis elle demande qu'on les lui rende une fois que tout le monde les a lus. Je ne comprenais pas à quoi ils lui servaient avant de trouver la boîte.

— Je vous remercie, dit Erica en reposant précautionneusement les coupures dans la boîte. Elle était où?

— Tout au fond, dans le coin, collée au pied du lit.

Erica la remit à sa place. Avec ce nouvel élément, elle ne savait pas très bien comment poursuivre ses investigations. Ça ne signifiait pas forcément grand-chose. Laila s'intéressait peut-être à ces affaires par simple curiosité. Les gens pouvaient se passionner pour les sujets les plus farfelus. Mais elle ne croyait pas vraiment à cette hypothèse. Il devait y avoir un lien entre la vie de Laila et ces filles qu'elle n'avait jamais rencontrées. Et Erica avait bien l'intention de le trouver.

— Nous avons pas mal de questions à voir ensemble, déclara Patrik.

Tous opinèrent de la tête. Annika se tenait prête, munie d'un bloc-note et d'un stylo, et Ernst, couché sous la table, attendait les miettes qui tomberaient. Rien qui ne sorte de l'ordinaire, hormis l'ambiance tendue de la cuisine.

— Nous sommes allés à Göteborg hier, Martin et moi. Nous avons rencontré Anette Wahlberg, la mère de Minna, et aussi Gerhard Struwer qui nous a fait part de sa perception de l'affaire à partir du matériel qu'il avait reçu.

— De la couillonnade, oui, marmonna Mellberg comme sur commande. Gaspillage de ressources précieuses.

Patrik l'ignora et poursuivit :

— Martin a mis au propre ses notes, vous aurez chacun une copie.

Annika prit les documents posés sur la table et commença à les distribuer.

— Je vais vous exposer les points les plus importants, mais ensuite je voudrais que vous lisiez le rapport complet, au cas où j'aurais omis un détail.

Aussi brièvement que possible, Patrik rendit compte des deux entretiens.

— De ce qu'a dit Struwer, je retiens surtout deux éléments. Premièrement, il a souligné que le cas de Minna tranche avec les autres. Les divergences portent sur son histoire familiale, mais aussi sur la manière dont elle a disparu. La question est de savoir s'il existe une raison particulière. Suivre le conseil de Struwer et examiner sa disparition de plus près me semble pertinent. C'est pour ça que j'ai voulu rencontrer sa mère. Le ravisseur avait peut-être un lien personnel avec elle, ce qui, le cas échéant, pourrait nous aider à élucider l'affaire de Victoria. Ce travail doit bien entendu être mené en collaboration avec la police de Göteborg.

— Justement, glissa Mellberg. Je l'ai déjà dit, c'est une démarche sensible et…

— Nous n'allons marcher sur les pieds de personne, ajouta Patrik, épaté de constater qu'il fallait systématiquement que Mellberg répète les choses au moins deux fois. Nous aurons, je l'espère en tout cas, l'occasion de les rencontrer. Le deuxième conseil de Struwer était en effet de réunir les représentants des districts pour faire le point ensemble. Ce ne sera pas facile à organiser, mais il faut essayer.

— Ça va coûter bonbon. Le voyage de tout ce petit monde, le séjour, le temps de travail. La direction ne validera jamais, s'indigna Mellberg, et il glissa à Ernst un morceau de brioche sous la table.

Patrik se retint de pousser un gros soupir. Travailler avec Mellberg était comme se faire lentement arracher une dent. Ni simple ni indolore.

— Nous réglerons ce problème en temps et en heure. Il n'est pas impossible que la police nationale estime cette affaire prioritaire et nous alloue une enveloppe budgétaire.

— Ça devrait être faisable. On pourrait proposer de se retrouver à Göteborg? suggéra Martin.

— Oui, bonne idée, dit Patrik. Annika, tu peux gérer ça? Je sais que c'est le week-end, certains vont être difficiles à joindre, mais j'aimerais qu'on avance aussi vite que possible.

— Pas de problème.

Annika prit note dans son carnet, ajoutant un grand point d'exclamation.

— C'est vrai que tu es tombé sur ta tendre moitié à Göteborg? demanda Gösta.

Patrik leva les yeux au ciel.

— Les nouvelles vont vite!

— Quoi? Erica était à Göteborg? Qu'est-ce qu'elle foutait là? Encore en train de fourrer son nez partout? explosa Mellberg avec tant d'emportement que ses cheveux dégringolèrent sur son oreille. Il faut que tu apprennes à serrer la vis à ta légitime. C'est pas possible de toujours l'avoir dans les pattes comme ça. Nous, on a un boulot à faire!

— Je lui ai parlé, elle ne recommencera pas.

Patrik se montra calme, mais il sentit l'irritation de la veille revenir au galop. C'était un comble qu'Erica ne comprenne pas qu'avec ses lubies, elle risquait de gêner le travail de la police et de causer de gros dégâts.

Mellberg lui jeta un regard hargneux.

— Elle n'a pas vraiment l'habitude de t'écouter.

— Je sais, mais je te promets que ça ne se reproduira pas.

Patrik comprit qu'il n'était pas crédible pour deux sous et se hâta de changer de sujet.

— Gösta, tu m'as fait un rapport hier au téléphone, tu peux nous en parler? Surtout la deuxième partie, elle me paraît assez prometteuse.

Gösta hocha la tête. Lentement et méthodiquement, il relata sa visite chez Jonas, la kétamine volée peu de temps avant la disparition de Victoria. Il rendit compte du lien qu'il avait établi entre la jeune fille et la plainte de la voisine et pour finir évoqua le mégot trouvé dans le jardin de cette dernière.

— Bon boulot Gösta! dit Martin. On a donc une vue imprenable sur la chambre de Victoria depuis le jardin de cette femme?

Gösta bomba le torse. Ce n'était pas souvent qu'on le complimentait pour ses initiatives.

— Oui, on peut regarder droit dans la pièce. Je pense que notre homme s'est tenu là, et a fumé ses clopes pendant qu'il l'épiait. J'ai trouvé le mégot pile à l'endroit où Katarina avait aperçu sa silhouette.

— Et le mégot a été envoyé au labo, glissa Patrik.

— Absolument, confirma Gösta. Il est parti chez Torbjörn, et s'il contient un ADN, on pourra le comparer avec un suspect éventuel.

— Sans tirer de conclusions hâtives, je pense que c'est le ravisseur qui se trouvait là. Il voulait se faire une idée des habitudes de Victoria pour préparer son enlèvement, déclara Mellberg d'un air satisfait, en croisant les mains sur son ventre. On n'a qu'à faire comme ils ont fait en Angleterre, dans ce village, vous savez? Prélever l'ADN de tous les habitants de Fjällbacka puis comparer les résultats avec celui du mégot. Et hop, on tiendra notre homme. Simple, génial.

— Premièrement, nous ne savons pas s'il s'agit d'un homme, dit Patrik avec une patience forcée. Deuxièmement, nous ne savons pas si le ravisseur est domicilié ici, surtout si l'on considère les lieux où les autres filles ont disparu. Le cas de Minna Wahlberg devrait plutôt nous faire pencher pour Göteborg, il me semble.

— Toujours aussi négatif, grommela Mellberg, mécontent de le voir torpiller un plan que, pour sa part, il trouvait brillantissime.

— Réaliste, je dirais, riposta Patrik.

Il regretta immédiatement. Il était inutile de s'énerver contre Mellberg. S'il cédait à ce genre de sentiments, il n'aurait plus le temps pour rien d'autre. Il enchaîna donc rapidement :

— J'ai appris que Paula est venue hier ?

— Oui, je lui ai un peu parlé du cas. Cette histoire de langue tranchée lui rappelait quelque chose qu'elle avait lu dans un ancien rapport. Le problème, c'est qu'elle ne sait plus où, ni de quoi il s'agissait. Cerveau d'allaitement.

Mellberg fit tourner son index contre sa tempe, mais en entendant Annika souffler de mépris, il baissa promptement sa main. S'il y avait une personne que Mellberg ne voulait surtout pas provoquer, c'était bien la secrétaire du commissariat. Et peut-être Rita, quand elle était de mauvais poil.

— Elle a passé deux bonnes heures aux archives, dit Gösta. Mais je ne pense pas qu'elle ait trouvé cc qu'elle cherchait.

— Non, elle devait revenir aujourd'hui, annonça Mellberg avec un sourire contrit à Annika qui semblait toujours en rogne.

— Du moment qu'elle ne s'attend pas à une rémunération, dit Patrik.

— Non, pas de problème. À dire vrai, je crois qu'elle a besoin de prendre un peu le large, ajouta Mellberg dans un rarissime accès de perspicacité.

— Si elle préfère venir s'enterrer aux archives, c'est qu'elle doit vraiment tourner comme un lion en cage à la maison, sourit Martin.

Son visage s'illumina et Patrik réalisa qu'on ne le voyait pas souvent sourire. Il fallait impérativement qu'il garde un œil sur Martin. C'était sûrement difficile de faire son travail de deuil et d'assumer son rôle de père tout en prenant part à une enquête exigeante. Il lui rendit son sourire.

— Oui, espérons pour elle que la pêche sera fructueuse. Et pour nous aussi.

Gösta leva la main.

— Oui ? fit Patrik.

— Je n'arrive pas à lâcher cette histoire de cambriolage chez Jonas. Ça vaudrait quand même le coup de poser quelques questions aux filles de l'écurie. Vérifier ce qu'elles ont pu voir.

— Très juste. Tu pourras faire ça cet après-midi, juste après la cérémonie d'hommage. Mais il faut y aller avec des pincettes, elles seront sûrement bouleversées.

— Oui, et je peux emmener Martin. Ça se passera mieux si on est deux.

Patrik jeta un regard à Martin.

— Mouais, tu penses que c'est vraiment néces…

— C'est bon, je l'accompagne, l'interrompit Martin.

Patrik hésita un instant.

— D'accord, finit-il par dire, avant de se tourner vers Gösta : Et tu restes en contact avec Torbjörn pour les résultats du test ADN ?

Gösta opina du chef.

— Bien. Ensuite on devrait faire du porte-à-porte chez les voisins de Katarina, quelqu'un d'autre a pu remarquer un rôdeur dans le coin. Et il faut vérifier avec la famille Hallberg s'ils se sont rendu compte que quelqu'un les épiait.

Gösta passa sa main dans ses cheveux gris, qui se dressèrent immédiatement sur sa tête, comme des poils de chèvre drus.

— Je pense qu'ils l'auraient signalé. Je crois même qu'on le leur a déjà demandé, mais je peux vérifier dans les comptes rendus d'interrogatoire.

— Repose-leur quand même la question de vive voix. Je peux me charger de l'enquête de voisinage. Et Bertil, tu peux assurer la permanence ici et voir avec Annika pour l'organisation de la grande réunion ?

— Bien sûr. Je suis l'homme de la situation. Ils vont tous vouloir traiter avec le chef, le responsable de l'enquête.

— Parfait, c'est parti ! dit Patrik, et il vit une lueur amusée dans les yeux de Martin.

Il se sentit tout de suite un peu ridicule ; après tout, ils n'étaient pas dans un épisode de *Hill Street Blues*. Mais si ça pouvait rendre le sourire à Martin.

— Dans une semaine, il y a un nouveau concours. Tu devrais oublier l'autre et aller de l'avant.

Jonas caressa les cheveux de Molly. Il ne cessait de s'étonner de sa ressemblance avec sa mère.

— On dirait le docteur Phil à la télé, marmonna-t-elle, la tête enfouie dans son oreiller.

La joie qu'elle avait ressentie à l'idée d'avoir une voiture était vite retombée et elle boudait de nouveau à cause de la compétition manquée.

— Tu vas le regretter si tu ne t'entraînes pas à fond. D'ailleurs, ce n'est même pas la peine d'y aller dans ce cas-là. Tu t'en voudras à mort si tu ne gagnes pas, et maman et moi, on n'y pourra rien.

— Marta n'en a rien à faire, dit Molly en marmonnant.

Jonas stoppa net son mouvement et retira sa main.

— Tu veux dire que tous les kilomètres qu'on se tape, toutes les heures qu'on y consacre, ça ne compte pas ? Maman… Marta a investi de l'argent et du temps dans tes concours, et pas qu'un peu. C'est vraiment ingrat de ta part de dire ça.

Sa voix était tranchante, mais il fallait que sa fille devienne adulte un jour.

Molly se redressa lentement. Tout son être exprimait la surprise de l'avoir entendu lui parler sur ce ton, et elle ouvrit la bouche, prête à protester. Finalement, elle baissa les yeux.

— Pardon, dit-elle à voix basse.

— Excuse-moi, qu'est-ce que tu dis ??

— Pardon !

Les sanglots montèrent dans sa gorge, et Jonas passa son bras autour de ses épaules. Il savait qu'il l'avait trop gâtée, il comprenait qu'il avait contribué aussi bien à ses mauvais qu'à ses bons côtés. Mais elle venait d'adopter le bon comportement. La vie exigeait parfois qu'on s'incline, elle devait l'apprendre.

— Allons, ma puce, allons… Tu veux qu'on descende au manège ? Il faut que tu t'entraînes si tu veux battre Linda Bergvall. Ne la laisse pas croire qu'elle va garder son titre.

— Non… dit Molly en essuyant ses larmes dans sa manche.

— Allez, viens. Je ne travaille pas aujourd'hui, je pourrai assister à l'entraînement. Maman t'attend en bas avec Scirocco.

Molly bascula les jambes par-dessus le bord du lit, et Jonas vit l'instinct de compétition scintiller dans ses yeux. Ils se ressemblaient tant. Ni l'un ni l'autre n'aimait perdre.

Quand ils arrivèrent dans le manège, Marta tenait Scirocco sellé et prêt à être monté. Elle regarda ostensiblement sa montre.

— Mademoiselle daigne enfin venir. Tu aurais dû être là il y a une demi-heure.

Jonas lança un regard d'avertissement à sa femme. Un mot de trop et Molly retournerait tout droit dans sa chambre pour bouder sur son lit. Il vit que Marta négociait avec elle-même. Elle détestait devoir se caler sur Molly, et elle détestait la complicité entre père et fille, même si elle s'en était volontairement exclue. Mais elle aimait gagner aussi, fût-ce par l'intermédiaire d'une enfant qu'elle n'avait jamais désirée et jamais comprise.

— J'ai préparé la piste, dit-elle en laissant le cheval aux soins de Molly.

Avec agilité, celle-ci se hissa en selle et prit les rênes. À l'aide de ses cuisses et de ses talons, elle guida Scirocco qui, habitué à sa cavalière, obéit. Dès que Molly se retrouvait sur le dos d'un cheval, l'adolescente renfrognée disparaissait. Elle se métamorphosait en jeune femme forte, sûre d'elle, calme et apaisée. Jonas adorait être témoin de cette transformation.

Il monta s'asseoir dans les gradins pour observer le travail de Marta. Elle instruisait sa fille avec compétence. Elle savait exactement comment amener la cavalière et sa monture à se surpasser. Molly avait un don naturel pour les disciplines équestres, mais c'était Marta qui perfectionnait son talent. Elle était fantastique, debout au centre du manège, faisant voler le cheval et sa cavalière par-dessus les obstacles par ses brèves instructions. Ils formaient une équipe formidable, Marta, Molly et lui. Il sentit l'attente et l'excitation familières germer lentement dans son corps.

Installée dans son cabinet de travail, Erica passait en revue la longue liste de choses à faire. Anna avait dit qu'elle pouvait rester avec les enfants toute la journée s'il le fallait, et Erica avait sauté sur la proposition. Elle avait tant de gens à rencontrer, tant de matériel à analyser, et elle avait pris beaucoup de retard. Sinon, elle aurait peut-être déjà compris pourquoi

Laila avait conservé tous ces articles. Tout à l'heure, en quittant l'institution, elle avait envisagé de revenir sur ses pas et de lui poser la question, avant de comprendre que ça ne mènerait nulle part. Du coup, elle était rentrée directement à la maison pour essayer d'en apprendre davantage.

— Mamaaaaan! Les jumeaux se disputent!

La voix de Maja la fit sursauter. D'après Anna, les enfants avaient eu un comportement exemplaire en son absence, mais depuis son retour on aurait dit qu'ils s'entre-tuaient au rez-de-chaussée.

Elle dévala l'escalier en deux enjambées et se précipita dans le séjour. Maja observait d'un œil furibard ses petits frères qui se battaient sur le canapé.

— Ils gâchent tout quand je regarde la télé, maman. Ils me piquent la télécommande, ils appuient tout le temps sur stop.

— Très bien! rugit Erica un peu plus fort que voulu. Alors le mieux, c'est que personne ne regarde la télé.

Elle s'avança pour attraper la télécommande. Les garçons levèrent les yeux, tout étonnés, avant de se mettre à hurler en chœur. Erica compta lentement jusqu'à dix, mais sentit quand même l'irritation la gagner et la transpiration suinter sous ses bras. Elle n'aurait jamais cru qu'être mère mettrait sa patience à si rude épreuve. Et elle était désolée de punir encore une fois Maja, qui n'y était pour rien.

Anna, qui était dans la cuisine avec Emma et Adrian, arriva dans le séjour à son tour. En voyant l'expression d'Erica, elle eut un petit sourire en coin.

— Toi, ça te ferait du bien de sortir de chez toi un peu plus souvent. Tu n'as pas d'autres visites à faire? Profites-en, tant que je suis là!

Erica allait lui répondre qu'elle lui était déjà très reconnaissante de pouvoir travailler en paix, quand une pensée la frappa. Il y avait effectivement une chose qu'elle devait faire. Un point sur la liste avait particulièrement retenu son attention.

— Je dois partir travailler encore un peu, les enfants, mais Anna va rester avec vous. Si vous êtes gentils, elle vous donnera un goûter.

Les garçons se turent immédiatement. Le mot goûter avait un effet magique.

Erica embrassa chaleureusement sa sœur, puis alla téléphoner dans la cuisine. Il fallait d'abord qu'elle s'assure de ne pas se déplacer pour rien. Un quart d'heure plus tard elle roulait en direction d'Uddevalla. Les enfants étaient probablement attablés devant des brioches, des biscuits et un verre de sirop. Ils allaient se gaver de sucre, tant pis, c'était un problème qu'elle gérerait plus tard.

Elle n'eut aucun mal à trouver la petite maison mitoyenne où habitait Wilhelm Mosander. L'homme s'était montré curieux au téléphone, et il ouvrit la porte avant même qu'elle ait eu le temps de poser le doigt sur la sonnette.

— Entrez, dit-il, et, après s'être débarrassée de la neige sur ses bottes, elle pénétra dans le vestibule.

Elle n'avait jamais rencontré Wilhelm Mosander auparavant, mais son nom lui était familier. Avant de prendre sa retraite, il était un journaliste légendaire à *Bohusläningen*, et son reportage le plus connu portait sur le meurtre de Vladek Kowalski.

— Alors vous êtes en train d'écrire un nouveau livre ?

Il la précéda dans la cuisine. Erica regarda autour d'elle et constata que si la maison était petite, elle était aussi propre et bien tenue. Elle ne voyait aucune trace de présence féminine, et devina que Wilhelm était célibataire. Comme s'il lisait dans ses pensées, il dit :

— Il y a dix ans, quand ma femme est morte, notre maison est devenue trop grande pour moi et je l'ai vendue pour m'installer ici. Celle-ci est plus facile à entretenir, mais ça fait tout de suite un peu spartiate quand on ne sait pas y faire pour les rideaux et ces trucs-là.

— Je trouve que c'est très agréable chez vous, répondit Erica en s'asseyant à la table pour le rituel du café. Et pour répondre à votre question : mon nouveau livre va parler de la Maison de l'horreur.

— Et en quoi pensez-vous que je pourrais vous être utile ? Je suppose que vous avez déjà lu la plupart de mes articles là-dessus.

— Oui, Kjell Ringholm à *Bohusläningen* m'a aidée à avoir accès aux archives du journal. Je dispose de pas mal de données concernant le déroulement des événements et le jugement. Ce que j'aimerais maintenant, c'est entendre les impressions de quelqu'un qui était sur place. J'imagine que vous avez fait des observations et en avez tiré des conclusions impossibles à mentionner dans vos articles. Vous avez peut-être même une théorie sur l'affaire? Si j'ai bien compris, vous ne l'avez jamais vraiment lâchée.

Erica sirota son café tout en observant le vieux journaliste.

— C'est vrai, il y avait de quoi en pondre, des articles, confirma Wilhelm en soutenant son regard, et une lueur brilla dans ses yeux. Je n'ai jamais suivi un cas aussi fascinant, ni avant ni après. Personne n'aurait pu rester impassible.

— Oui, c'est l'une des histoires les plus épouvantables que j'aie jamais entendues. J'aimerais vraiment savoir ce qui s'est réellement passé ce jour-là.

— Nous sommes deux alors, dit Wilhelm. Même si Laila a avoué le meurtre, je n'ai jamais pu me débarrasser de la sensation que quelque chose clochait. Je n'ai pas de théorie, mais je pense que la vérité est plus complexe.

— J'en suis convaincue moi aussi, dit Erica, tout excitée. Le problème, c'est que Laila refuse de parler.

— Mais elle a accepté de vous rencontrer? Je ne l'aurais jamais cru.

— Oui, on s'est vues quelques fois. Ça faisait un moment que j'insistais, je lui envoyais des lettres, je la contactais par téléphone, et j'avais presque abandonné quand tout à coup elle a dit oui.

— C'est sidérant. Pendant toutes ces années, elle s'est tue, puis soudain elle accepte de vous voir... J'ai moi-même essayé d'innombrables fois d'obtenir une interview, en vain.

Wilhelm secoua la tête comme s'il avait du mal à en croire ses oreilles.

— Mais elle ne me confie rien. Je n'ai pas réussi à lui faire dire quoi que ce soit d'exploitable.

Erica put entendre la résignation dans sa propre voix.

— Racontez-moi! Elle est comment? Comment va-t-elle?

L'entretien était en train de dévier. C'est Erica qui était censée poser des questions à Wilhelm et pas le contraire, mais elle décida de se montrer prévenante. Ce serait donnant donnant.

— Elle a l'air calme. Maîtrisée. Mais quelque chose la tracasse, c'est évident.

— Elle ressent de la culpabilité à votre avis ? Pour le meurtre ? Pour ce qu'ils ont fait à leur fille ?

Erica réfléchit.

— Oui et non. Elle ne paraît pas vraiment avoir de regrets, et en même temps elle endosse la responsabilité de ce qui s'est passé. C'est difficile à expliquer. Comme elle n'en parle pas, je me contente de lire entre les lignes, et il est possible que j'interprète de travers, que je me laisse influencer par mes propres sentiments face à son acte.

— Oui, c'était tellement atroce. Vous avez visité la maison ?

— J'y suis allée l'autre jour. Elle est assez délabrée, elle est restée vide tout ce temps. Mais c'était comme si les murs avaient conservé des souvenirs… Je suis descendue à la cave aussi.

Erica frémit en s'en rappelant.

— Je comprends ce que vous voulez dire. Ça me dépasse, qu'on puisse maltraiter un enfant comme l'a fait Vladek. Et que Laila ait laissé faire. Personnellement, j'estime qu'elle est aussi coupable que lui, même si elle vivait dans la terreur de ce qu'il pouvait entreprendre. Il y a toujours des issues, et l'instinct maternel devrait être plus fort que tout.

— Ils n'ont pas traité leur fils de cette manière. Pourquoi Peter s'en est-il mieux tiré, à votre avis ?

— Je n'ai jamais réussi à comprendre. Vous avez sans doute lu l'article où j'interviewais quelques psychologues à ce sujet.

— Oui, ils soutenaient que c'est par misogynie que Vladek tournait sa violence uniquement contre sa femme et sa fille. Mais ça ne colle pas vraiment non plus. D'après le dossier médical, Peter avait des blessures. Une luxation de l'épaule, une profonde entaille au couteau.

— C'est vrai, mais ce n'est pas comparable avec ce que Louise a enduré.

192

— Savez-vous ce qu'est devenu Peter ? Je n'ai pas réussi à le localiser. Enfin, pas encore.

— Moi non plus. Si vous y parvenez, est-ce que vous pouvez m'en tenir informé ?

— Vous n'êtes pas à la retraite ?

Erica réalisa aussitôt que c'était une question stupide. Cela faisait belle lurette que le cas Kowalski avait cessé d'être uniquement une mission journalistique pour Wilhelm, si toutefois il s'était jamais réduit à ça. Elle pouvait lire dans ses yeux qu'au fil des ans, cette affaire avait tourné à l'obsession. Et en effet il ne répondit pas à la question, et continua à parler de Peter.

— C'est un petit mystère. Comme vous le savez sans doute, il a vécu chez sa grand-mère après le meurtre, et apparemment il s'y plaisait. Mais sa grand-mère a été tuée lors d'un cambriolage qui a mal tourné. Il avait quinze ans à l'époque, il participait à un stage de football à Göteborg au moment du drame, et après cela, il a disparu, comme évaporé.

— Aurait-il pu se suicider ? demanda Erica en exprimant ses pensées à voix haute. En s'arrangeant pour qu'on ne retrouve jamais son corps ?

— Allez savoir. Ce serait une énième tragédie familiale.

— Vous pensez à la mort de Louise ?

— Tout juste. Elle s'est noyée pendant son séjour en famille d'accueil. Elle n'a pas été placée chez la grand-mère, mais dans une famille agréée. Chez des gens dont on estimait qu'ils sauraient mieux la soutenir après le traumatisme qu'elle avait vécu.

— Un accident de baignade inexpliqué, c'est ça ? demanda Erica en essayant de se remémorer les détails de ce qu'elle avait lu là-dessus.

— Oui, Louise et l'autre fille que ce couple avait accueillie – elles avaient le même âge – ont probablement été emportées au large par les courants. On ne les a jamais retrouvées. La fin tragique d'une vie tragique.

— Le seul membre de la famille encore en vie serait donc la sœur de Laila qui est installée en Espagne ?

— Sans doute. Cela dit, elles n'avaient pas beaucoup de contacts, même avant le meurtre. J'ai essayé de m'entretenir avec elle à quelques reprises, mais elle ne veut plus entendre parler de Laila. Vladek, lui, avait quitté sa famille et le monde du cirque en choisissant de rester en Suède avec Laila.

— Quel étrange mélange d'amour et de… mal, dit Erica, faute d'un mot plus adapté.

Wilhelm eut tout à coup l'air très fatigué.

— Ce que j'ai vu dans ce salon et dans cette cave, c'est l'incarnation du mal.

— Vous étiez présent sur la scène du crime?

Il hocha la tête.

— À l'époque, c'était plus facile de s'introduire sur des lieux où on n'avait pas vraiment le droit d'être. J'avais mes contacts dans la police et ils m'ont laissé jeter un coup d'œil. Il y avait du sang partout dans le salon. Apparemment, ils avaient trouvé Laila assise là, en plein milieu. Elle n'a pas bronché, elle les a suivis, très calmement.

— Et Louise était enchaînée quand ils l'ont découverte, constata Erica.

— Oui, dans la cave, maigre et misérable.

Erica déglutit en visualisant la scène.

— Vous avez eu l'occasion de rencontrer les enfants?

— Non. Peter était tout petit quand ça s'est passé. Les journalistes ont eu le bon sens de les laisser tranquilles, et la grand-mère et la famille d'accueil les ont tout le temps protégés des médias.

— Laila a tout de suite avoué. Vous savez pourquoi?

— Elle ne pouvait pas faire autrement. À l'arrivée de la police, elle se tenait près du corps de Vladek, le couteau à la main. C'est elle-même qui a appelé les secours. Au téléphone, elle a dit : "J'ai tué mon mari." C'est d'ailleurs la seule phrase qu'ils ont réussi à lui faire prononcer au sujet du meurtre. Elle l'a répétée pendant le procès, et depuis personne ne semble avoir pu briser son silence.

— Pour quelle raison a-t-elle accepté de me parler alors, à votre avis? demanda Erica.

Wilhelm réfléchit un instant avant de répondre.

— Eh bien, on peut se le demander. Elle était obligée de rencontrer les policiers, ainsi que les psychologues, mais elle se prête de son plein gré à vos rendez-vous.

— Elle a peut-être envie de compagnie, elle en a marre de toujours voir les mêmes têtes, suggéra Erica, sans vraiment croire à cette explication.

— Ça m'étonnerait de Laila. Il doit y avoir autre chose. Elle n'a rien dit qui détonne, rien qui vous ait fait réagir, aucun indice autour d'un changement ou d'un événement nouveau?

Il se pencha en avant, il était désormais assis tout au bord de sa chaise.

— Il y a une chose...

Erica hésita. Puis elle respira profondément et évoqua les articles que Laila dissimulait dans sa chambre. Que cela puisse avoir un lien avec leurs rencontres était un peu tiré par les cheveux, elle le comprenait parfaitement. Mais Wilhelm était tout ouïe et son esprit bouillonnait.

— Vous n'avez pas pensé à vérifier la date?

— Quelle date?

— La date à laquelle Laila a finalement accepté de vous voir?

Erica fouilla fébrilement dans sa mémoire. C'était à peu près quatre mois auparavant, mais elle ne se souvenait pas du jour exact. Puis elle se rappela brusquement: c'était le lendemain de l'anniversaire de Kristina. Elle donna la date à Wilhelm qui, avec un sourire de travers, se pencha et ramassa par terre une grosse pile d'anciens numéros de *Bohusläningen*. Il chercha celui qui correspondait à la date fournie par Erica, proféra quelques "hum hum" de satisfaction quand il l'eut trouvé et présenta une page ouverte à Erica. Elle maudit sa bêtise. Évidemment. C'était forcément ça. La question maintenant était juste de savoir ce que cela signifiait.

L'air dans la grange était opaque et de la fumée sortait de sa bouche quand elle respirait. Helga serra plus fort son manteau sur elle. Elle savait que, pour Jonas et Marta, les dîners du vendredi étaient une corvée. La lassitude qu'elle lisait sur leur visage l'indiquait clairement. Mais ces dîners étaient le point d'équilibre de son existence, le seul moment où elle avait l'impression qu'ils formaient une véritable famille.

Hier, il avait été plus difficile que jamais d'entretenir l'illusion. Car oui, ce n'était que ça : une illusion, un rêve. Elle en avait eu, des rêves. Quand elle avait rencontré Einar, il avait pris le relais, remplissant sa vie tout entière avec ses épaules larges, ses cheveux blonds et un sourire qu'elle avait trouvé chaleureux, mais qui – elle l'avait appris à ses dépens – signifiait bien autre chose.

Elle s'arrêta devant la voiture dont Molly avait parlé, sachant pertinemment que c'était celle-là. Si elle avait eu l'âge de sa petite-fille, elle aurait choisi la même. Helga laissa son regard balayer les véhicules dans la grange. Vides et tristes, ils n'en finissaient pas de rouiller.

Elle se rappelait exactement la provenance de chacun d'eux, chaque voyage qu'avait fait Einar pour acquérir de vieilles guimbardes à retaper. Il fallait de nombreuses heures de travail avant que les épaves soient en état d'être vendues. En réalité, cette activité n'avait pas été si lucrative, juste assez pour leur permettre de vivre décemment, et Helga n'avait jamais eu à se faire de souci pour l'argent. Einar avait au moins su accomplir ça : il les avait fait vivre, Jonas et elle.

Lentement elle s'éloigna de la voiture de Molly, comme elle l'appelait mentalement, et s'approcha d'une vieille Volvo noire constellée de grosses taches de rouille, au pare-brise éclaté. Elle aurait été belle si Einar avait eu le temps de la remettre à neuf. En fermant les yeux, elle revoyait le visage de son mari quand il rentrait en remorquant une nouvelle voiture. Elle devinait tout de suite si le voyage s'était bien passé. Parfois il partait juste pour la journée, parfois ses tournées le menaient à l'autre bout de la Suède et il restait absent toute la semaine. Quand il pénétrait dans la cour, les joues en feu et un éclat fiévreux dans le regard, elle savait qu'il avait trouvé ce qu'il voulait. Ensuite, pendant des jours, voire des semaines, il se laissait absorber par son travail. Elle pouvait alors se consacrer à Jonas, à la maison. Elle était débarrassée des crises, de la haine froide dans ses yeux, de la douleur. C'étaient ses heures les plus heureuses.

Elle toucha la voiture et frémit en sentant la tôle froide sous sa main. La lumière dans la grange s'était lentement déplacée pendant sa déambulation parmi les véhicules, et les rayons du soleil qui entraient par les interstices du mur se réfléchirent soudain dans la laque noire. Elle retira sa main. Cette voiture ne vivrait plus. Elle était un objet mort, qui appartenait au passé. Et Helga allait veiller à ce qu'il en soit toujours ainsi.

Erica se pencha en arrière sur sa chaise dans la salle des visites. En partant de chez Wilhelm, elle s'était rendue directement au centre de détention. Il fallait absolument qu'elle parle avec Laila. Heureusement celle-ci paraissait s'être calmée depuis le matin et avait accepté de la recevoir. Elle n'avait peut-être pas été aussi affectée qu'Erica l'avait craint.

Elles étaient toutes les deux silencieuses depuis un moment. Laila l'observait, non sans une certaine inquiétude.

— Comment ça se fait que tu aies voulu me revoir aujourd'hui ?

Erica pesa le pour et le contre. Elle ne savait pas trop quelle réponse donner, mais elle sentait instinctivement que Laila se fermerait comme une huître si elle mentionnait les coupures de journaux et si elle évoquait la possibilité d'un lien.

— Je n'ai pas cessé de penser à ce que tu m'as dit, finit-elle par lâcher. Que c'était effectivement une maison de l'horreur, mais pas de la manière dont tout le monde l'imaginait. Qu'est-ce que tu entendais par là ?

Laila regarda par la fenêtre.

— Pourquoi parler de ça ? Ce ne sont pas des choses qu'on a envie de ressasser.

— Ça, je peux le comprendre. Mais vu que tu acceptes de me voir, je pense qu'au fond c'est de ça dont tu as besoin. Ce serait peut-être bien de le partager avec quelqu'un, de pouvoir travailler dessus.

— Les gens exagèrent l'importance de la parole. Ils voient des thérapeutes et des psychologues, ils ruminent l'histoire avec leurs amis, le moindre événement doit être analysé. Il vaut mieux passer certaines choses sous silence.

— Tu parles de toi-même, là, ou de ce qui s'est passé ? demanda Erica doucement.

Laila se détourna de la fenêtre et la fixa avec ses étranges yeux bleu de glace.

— Des deux peut-être, répondit-elle.

Ses cheveux semblaient encore plus courts que d'habitude. Elle venait sans doute de les faire couper.

Erica décida de changer de tactique.

— Nous n'avons pas beaucoup évoqué le reste de ta famille. Tu veux bien qu'on en parle? demanda-t-elle, guettant une fissure dans le mur de silence dont Laila s'était entourée.

Laila haussa les épaules.

— Je suppose que oui.

— Ton père est mort quand tu étais petite, mais tu étais proche de ta mère.

— Oui, maman était ma meilleure amie.

Un sourire éclaira son visage, la rajeunissant immédiatement de plusieurs années.

— Et ta sœur aînée?

— Elle vit en Espagne depuis de nombreuses années, finit-elle par dire. Nous n'avons jamais été proches, et elle a pris ses distances quand… c'est arrivé.

— Elle a une famille?

— Oui, elle est mariée à un Espagnol, ils ont un fils et une fille.

— Ta mère s'est donc occupée de Peter. Pourquoi Peter et pas Louise?

Laila lâcha un rire dur.

— Maman n'aurait jamais pu s'occuper de Fille. Avec Peter, c'était différent. Lui et ma mère se sont toujours très bien entendus.

— Fille? Vous appeliez Louise *Fille*?

— Oui, dit Laila à voix basse. C'est Vladek qui a commencé et ensuite c'est resté, comme un prénom.

Pauvre enfant, songea Erica. Elle s'efforça de contenir sa colère et de se concentrer sur les questions qu'elle devait poser.

— Et pourquoi Louise, ou Fille si tu préfères, ne pouvait-elle pas habiter avec ta mère?

Laila croisa son regard, presque avec insolence.

— C'était tout simplement une enfant très difficile. C'est tout ce que j'ai à dire là-dessus.

Erica dut accepter de ne pas aller plus loin, et changea de voie.

— À ton avis, qu'est-ce qui est arrivé à Peter quand ta mère… est décédée ?

Une vague de douleur parcourut le visage de Laila.

— Je ne sais pas. Il a disparu, comme ça. Je crois… Je crois qu'il n'en pouvait plus. Il n'a jamais été très fort. C'était un garçon sensible.

— Tu penses qu'il s'est suicidé ?

Erica essaya de poser la question avec tout le tact possible. D'abord il n'y eut aucune réaction chez Laila, puis elle hocha lentement la tête, les yeux baissés.

— Mais il n'a jamais été retrouvé ? demanda Erica.

— Non.

— Il faut une force intérieure incroyable pour supporter autant de pertes.

— On supporte plus qu'on ne l'imagine. Quand on n'a pas le choix. Je ne suis pas spécialement croyante, mais on dit que Dieu ne met pas plus de fardeaux sur vos épaules que ce qu'Il vous sait capable de porter. Et Il doit savoir que je peux en porter beaucoup.

— Il va y avoir une cérémonie d'hommage à l'église de Fjällbacka aujourd'hui, dit Erica en observant Laila attentivement.

Elle prenait des risques en orientant l'entretien sur la piste de Victoria.

— Ah bon ?

Laila l'interrogea du regard, mais Erica vit qu'elle savait très bien de quoi elle parlait.

— Pour la jeune fille enlevée qui est morte juste après avoir été retrouvée. Tu as sûrement entendu parler d'elle. Elle s'appelait Victoria Hallberg. Ses parents vivent un moment très difficile. Comme les parents de celles qui sont toujours disparues.

— Oui. J'imagine que oui.

Laila parut lutter pour garder son calme.

— Leurs filles ont disparu et ils savent maintenant ce que Victoria a subi, ils doivent souffrir le martyre en imaginant que leur propre enfant a peut-être été exposée à la même horreur.

— Je sais seulement ce que j'ai lu dans le journal, dit Laila en déglutissant. Mais ça doit être affreux.

— Tu as suivi l'affaire de près ?

La mine de Laila était équivoque :

— Mouais, on lit les journaux tous les jours ici. Alors, oui, on peut dire que j'ai suivi l'affaire, comme tout le monde.

— Je vois, dit Erica en pensant à la boîte remplie de coupures soigneusement pliées dissimulée sous le lit.

— Tu sais, je suis assez fatiguée. Je ne peux plus parler maintenant. Il faudra que tu reviennes un autre jour, déclara Laila en se levant brusquement.

Un instant, Erica envisagea de la mettre au pied du mur. De lui dire qu'elle était au courant pour les coupures, qu'elle devinait que Laila avait un lien personnel avec les disparitions, mais sans comprendre lequel. Puis elle se ravisa. Le visage de Laila s'était fermé et ses mains serraient tellement fort le dossier de la chaise que les jointures en étaient toutes blanches. Si elle avait quelque chose à raconter, elle n'était pas en état de le faire.

Spontanément, Erica se leva, fit un pas en avant et caressa sa joue. C'était la première fois qu'elle la touchait, et elle trouva sa peau étonnamment lisse.

— À bientôt, on parlera une autre fois, dit-elle doucement.

En se dirigeant vers la porte, elle sentit le regard de Laila dans son dos.

Tyra entendit Terese fredonner dans la cuisine et alla la rejoindre. Elle la trouvait tellement plus joyeuse quand Lasse n'était pas à la maison. Et puis sa mère n'était pas fâchée pour l'incident de la veille, elle avait accepté son explication comme quoi elle avait oublié et était allée voir une copine. Il valait mieux ne rien lui dire, ce serait compliqué à gérer si elle apprenait la vérité.

— Qu'est-ce que tu prépares ?

Sa mère se tenait devant la table, les mains pleines de farine. Elle en avait même sur le visage. L'ordre et la propreté n'avaient jamais été son fort, et quand elle préparait à manger, Lasse se plaignait toujours que la cuisine ressemblait à un champ de bataille.

— Des *kanelbullar*. Je me suis dit que ça ferait un bon petit goûter après l'église cet après-midi. Je voudrais en mettre au congélo aussi.

— Lasse est à Kville ?

— Oui, comme d'hab.

De sa main pleine de farine, Terese écarta une mèche de cheveux, et son visage blanchit encore davantage.

— Bientôt tu ressembleras au Joker, dit Tyra.

Elle sentit des papillons dans son ventre quand elle vit sa mère sourire. C'était si rare désormais, elle avait toujours l'air triste et fatigué. Mais la sensation de bien-être disparut aussi vite qu'elle était apparue. L'absence de Victoria revenait engloutir sa joie à chaque instant. Et l'idée de cette cérémonie d'hommage lui serrait la gorge. Elle ne voulait pas lui dire adieu.

Elle contempla sa mère en silence un moment.

— Au fait, il était comment, Jonas, comme petit ami ? dit-elle ensuite.

— Pourquoi tu veux savoir ça ?

— Je ne sais pas. Je me suis rappelé d'un coup que vous étiez sortis ensemble.

— Il était difficile à cerner. Assez fermé, en retrait. Un peu mou, en quelque sorte. Je me souviens que j'ai dû batailler pour qu'il ose ne serait-ce que glisser sa main sous mon pull.

— Maman !

Tyra se boucha les oreilles avec un regard de reproche à Terese. C'étaient là des choses qu'on ne voulait pas entendre à propos de sa mère. Elle préférait penser à elle comme à une poupée Barbie, complètement asexuée.

— Mais je t'assure, c'était un vrai trouillard. Son père était terriblement tyrannique. Parfois il semblait avoir peur de lui, et sa mère aussi d'ailleurs.

Terese étala la pâte sur la table et en tartina toute la surface d'une bonne couche de beurre.

— Tu crois qu'il les frappait ?

— Qui ? Einar ? Non, ça, je n'en ai jamais été témoin. Je l'entendais surtout gueuler et donner des ordres. Je pense qu'il fait partie de ces hommes qui aboient plus qu'ils ne mordent.

Mais je ne le croisais pas très souvent. Il partait régulièrement pour dénicher des épaves de voitures ou alors il était dans la grange à les retaper.

— Ils se sont rencontrés comment, Jonas et Marta?

Terese se figea et tarda quelques secondes à répondre, laissant l'occasion à Tyra de chiper un petit bout de pâte qu'elle fourra dans sa bouche.

— En fait, je ne l'ai jamais vraiment su. C'est allé très vite, comme si elle avait surgi de nulle part. J'étais jeune et naïve, je croyais qu'on resterait ensemble pour toujours, quand Jonas a subitement rompu. Faire des histoires, ça n'a jamais été mon truc, alors je suis partie, et puis c'est tout. J'ai été triste bien sûr, mais ça n'a pas duré.

Elle saupoudra la pâte beurrée de cannelle avant de la rouler sur elle-même.

— Et depuis, il n'y a pas eu des ragots sur Jonas et Marta? Des rumeurs?

— Tu sais ce que je pense des rumeurs, Tyra, dit Terese sévèrement tout en coupant le rouleau de pâte en tranches épaisses. Mais pour répondre à ta question : non, je n'ai jamais rien entendu de particulier, à part qu'ils sont bien ensemble. Et moi, j'ai rencontré ton père. Jonas et moi, on n'était pas faits l'un pour l'autre. On était tellement jeunes. Tu verras, tu connaîtras sûrement une passion de jeunesse, toi aussi.

— Arrête, dit Tyra, et elle se sentit rougir.

Elle détestait quand sa mère lui parlait de mecs et de trucs dans ce genre. Elle n'y comprenait rien.

Terese la scruta de plus près.

— Mais pourquoi tu poses toutes ces questions sur Jonas? Et sur Marta?

— Oh, pour rien. J'avais envie de savoir, c'est tout.

Tyra haussa les épaules et essaya de prendre un air détaché. Elle changea rapidement de sujet :

— Molly va pouvoir récupérer une des voitures dans la grange, une Coccinelle. Jonas a promis de la retaper pour elle.

Une pointe de jalousie se glissa dans sa voix malgré elle, et elle se rendit compte que cela n'avait pas échappé à sa mère.

— Je suis désolée de ne pas pouvoir te donner tout ce que je voudrais. Nous... Je... Tu comprends, la vie ne prend pas toujours la direction qu'on avait espérée.

Terese soupira et parsema de sucre perlé les viennoiseries qu'elle avait posées sur une plaque.

— Je sais, ce n'est pas grave, s'empressa de dire Tyra.

Elle n'avait pas voulu paraître ingrate. Elle savait que sa mère faisait de son mieux. Et elle eut honte de penser à une voiture en ce moment. Victoria, elle, n'aurait jamais de voiture.

— Comment ça se passe pour Lasse et sa recherche de travail ?

— Dieu ne semble pas avoir de boulot à lui proposer de sitôt, répondit Terese avec une moue de mépris.

— Nan, il a sûrement autre chose à faire, Dieu, que de s'occuper du chômage de Lasse.

Terese interrompit son mouvement et regarda sa fille.

— Tyra... commença-t-elle, en cherchant les mots justes. Tu penses qu'on s'en sortirait tout seuls ? Sans Lasse ?

Un instant le silence régna dans la cuisine. Dans l'appartement on n'entendait que le chahut dans la chambre des garçons. Puis Tyra répondit tranquillement :

— Oui. Je pense qu'on s'en sortirait très bien.

Elle embrassa sa mère sur sa joue enfarinée, puis alla dans sa chambre se changer. Toutes les filles du centre équestre iraient à la cérémonie d'hommage à Victoria. Elles semblaient presque grisées par l'événement. Tyra les avait entendues chuchoter fébrilement et même discuter des habits qu'elles allaient mettre. Les idiotes. Elles étaient si superficielles et stupides. Aucune n'avait connu Victoria autant qu'elle. Enfin, de la façon dont elle pensait l'avoir connue. Elle sortit lentement sa robe préférée du placard. L'heure était venue de dire adieu.

Garder les jumeaux et Maja lui avait offert une parenthèse bienvenue dans sa routine. Anna n'avait pas menti à Erica, ils s'étaient réellement comportés de manière exemplaire toute la journée, comme le font souvent les enfants. Ce n'est qu'auprès des parents qu'ils donnent libre cours à leur turbulence.

La présence d'Emma et d'Adrian y avait sûrement été pour beaucoup aussi. Ils étaient les idoles de leurs cousins du simple fait si enviable d'être "des graaands".

Elle sourit pour elle-même en essuyant le plan de travail. Ça ne lui était plus arrivé depuis longtemps, elle avait perdu l'habitude. Hier, lorsque Dan et elle avaient parlé ici, dans la cuisine, un espoir s'était allumé. Elle savait qu'il pourrait s'éteindre à tout moment, car Dan s'était aussitôt muré dans le silence. Mais ils avaient quand même fait un petit pas l'un vers l'autre.

Elle n'avait pas menti en affirmant qu'elle était prête à déménager si c'était ce qu'il voulait. Elle était même allée sur le Net deux ou trois fois pour chercher un appartement qui pourrait leur convenir, à elle et aux enfants. Mais ce n'était pas ce qu'elle souhaitait. Elle aimait Dan d'un amour profond.

Ces derniers mois, ils avaient malgré tout fait quelques petites tentatives pour jeter un pont au-dessus du gouffre qui les séparait. Un soir chargé d'émotion et de vin, Dan avait même touché son corps, et elle s'était agrippée à lui comme une naufragée. Ils avaient fait l'amour, mais le lendemain, il avait semblé si tourmenté qu'elle avait eu envie de s'enfuir. Ils ne s'étaient plus touchés depuis. Jusqu'à leur étreinte maladroite hier dans la cuisine.

Anna regarda par la fenêtre de la cuisine. Les enfants jouaient dehors. Petits et grands adoraient les batailles de boules de neige et faire des bonshommes de neige. Elle s'essuya les mains sur un torchon et posa doucement une main sur son ventre. Elle avait porté l'enfant de Dan, et elle essaya d'en retrouver la sensation. Il aurait été malhonnête d'attribuer son faux pas au chagrin de l'avoir perdu, on ne pouvait pas charger un enfant innocent d'un tel fardeau. Mais à la douleur de l'absence se mêlait la culpabilité, et elle pensait parfois que tout aurait été différent si leur petit garçon avait vécu. Il aurait joué, là, dehors, avec ses grands frère et sœur, un petit Bibendum emmitouflé sous plusieurs épaisseurs de vêtements chauds.

Erica avait peur que les jumeaux ne rappellent à Anna le fils qu'elle avait perdu. Et au début, c'était effectivement le cas. Elle avait été jalouse, elle avait ruminé de sombres pensées d'injustice. Puis c'était passé. Il n'existait pas de balance pour veiller à ce que les choses soient équitablement réparties dans le monde. Aucun raisonnement logique ne pouvait expliquer pourquoi Dan et elle avaient perdu cet enfant tant désiré. Maintenant, tout ce qu'elle pouvait espérer, c'est qu'ils trouveraient un chemin pour revivre chaque jour l'un avec l'autre.

Une boule de neige vint frapper la vitre et Anna croisa le regard effrayé d'Adrian. Sa main recouverte d'une moufle se plaqua sur sa bouche. Elle eut le cœur serré de voir sa mine inquiète et se décida aussitôt. Allant tout droit dans le vestibule, elle enfila ses vêtements d'hiver et ouvrit grande la porte d'entrée, présenta sa meilleure imitation d'un monstre hideux et rugit :

— Ah, mes petits loups! Vous allez voir ce que c'est, une vraie bataille de boules de neige!

Les enfants n'en crurent pas leurs yeux. Puis une explosion de cris de joie monta vers le ciel d'hiver.

Gösta et Martin s'installèrent tout au fond de l'église. Gösta avait décidé d'assister à l'hommage rendu à Victoria dès qu'il avait appris qu'une telle cérémonie serait organisée. Le sort épouvantable de la jeune fille avait éveillé l'inquiétude et la peur à Fjällbacka. Dans l'attente de l'enterrement qui aurait lieu plus tard pour des raisons liées à l'enquête, les amis et la famille se retrouveraient pour parler de Victoria, se souvenir d'elle et extérioriser le sentiment d'horreur qui les avait envahis face aux supplices endurés par la jeune fille. Il était tout à fait légitime que Martin et lui soient présents en tant que représentants des forces de l'ordre.

Assis sur le dur banc d'église, il avait du mal à tenir à distance ses propres souvenirs. Il avait vécu deux enterrements en ces lieux : celui de son fils et, bien des années plus tard, celui de sa femme. Gösta fit tourner sur son doigt l'alliance qu'il portait encore. Il n'avait jamais trouvé l'occasion propice pour l'enlever. Maj-Britt avait été son grand amour, sa compagne, son âme sœur, et il n'avait jamais songé à la remplacer.

Les chemins que prend la vie sont vraiment insondables, songea-t-il. Parfois il se demandait si, après tout, il n'existait pas une puissance supérieure qui dirigeait l'humanité à sa guise. Il n'y avait jamais cru auparavant, il se serait plutôt dit athée, mais il sentait chaque jour un peu plus la présence de Maj-Britt. Comme si elle marchait à ses côtés. Et c'était un vrai miracle qu'Ebba, après tant d'années, ait trouvé une place si évidente dans sa vie et dans son cœur.

Il laissa son regard balayer l'intérieur de l'église. Un beau bâtiment en pierre locale, le célèbre granit du Bohuslän, percé de hautes fenêtres qui laissaient entrer des flots de lumière. À gauche, une chaire bleue. À l'avant, derrière la balustrade sculptée, l'autel. L'église était, une fois n'est pas coutume, pleine à craquer. Des membres de la famille et beaucoup de jeunes de l'âge de Victoria. Sûrement des camarades de classe, mais Gösta reconnaissait aussi plusieurs filles du club d'équitation. Elles étaient regroupées sur deux rangs intermédiaires d'où montaient des sanglots bruyants.

Gösta jeta un regard oblique à Martin et réalisa qu'il n'aurait peut-être pas dû lui proposer de l'accompagner. Récemment, c'était sa compagne Pia qui avait reposé dans un cercueil devant l'autel, et il put voir au visage blanc de son collègue que c'était exactement ce à quoi il pensait.

— Écoute, je peux très bien me charger de cette mission tout seul, si tu préfères. Tu n'es pas obligé de rester là.

— Ça ira, répondit Martin avec un sourire forcé.

Tout au long de l'hommage à Victoria, il maintint le regard dirigé droit devant lui.

Quand le dernier hymne se tut, Gösta espéra que cette cérémonie émouvante avait apporté un peu de consolation à la famille. Au premier rang, les parents de Victoria se relevèrent avec peine, Helena s'appuyant sur Markus. Ils sortirent par l'allée centrale et l'assemblée les suivit d'un pas lent.

La famille et les amis se réunirent par petits groupes sur le parvis de l'église. La journée était glaciale mais belle, la neige au sol reflétait le soleil étincelant. Frigorifiés, pudiques, les yeux rougis par les pleurs, ils parlaient tous du manque qu'ils ressentaient et du sort inimaginable qu'avait connu Victoria. Gösta nota la peur sur le visage des jeunes filles. Qui était la prochaine sur la liste ? L'individu qui avait enlevé leur amie se trouvait-il toujours dans la région ? Il décida d'attendre un instant avant de les aborder, jusqu'à ce qu'elles s'apprêtent à partir.

Hagards, Markus et Helena circulaient parmi les gens et échangeaient quelques mots avec chacun. Ricky en revanche se tenait à l'écart, tout seul. Il fixait ses chaussures et répondait à peine quand on s'adressait à lui. Quelques copines de Victoria s'agglutinèrent autour de lui, mais, ne parvenant à lui arracher que des monosyllabes et des raclements de gorge, elles finirent par jeter l'éponge.

Soudain Ricky leva les yeux et croisa le regard de Gösta. Il parut hésiter, avant de venir les rejoindre.

— J'aimerais te parler, dit-il à voix basse. À l'abri des oreilles indiscrètes.

— Bien sûr, répondit Gösta. Martin est mon collègue, il peut nous accompagner ?

Ricky opina du chef, puis les mena vers un coin isolé du cimetière.

— J'ai quelque chose à te raconter. Quelque chose que j'aurais probablement dû te dire il y a longtemps.

Il tapait le sol du bout de ses chaussures. La neige poudreuse et légère virevolta autour d'eux, avant de lentement retomber en paillettes scintillantes.

Gösta et Martin s'interrogèrent du regard.

— Victoria et moi, nous n'avons jamais eu de secrets l'un pour l'autre. Jamais, jamais. C'est difficile à expliquer, mais on était solidaires. Et puis, un jour, j'ai senti qu'elle me cachait quelque chose. Elle est devenue fuyante, et je me suis inquiété. J'ai essayé de lui parler, mais elle m'évitait de plus en plus. Et… finalement, j'ai compris la raison de son attitude.

— C'était quoi ? demanda Gösta.

— Elle et Jonas.

Ricky avait les larmes aux yeux. Le simple fait de prononcer ces mots semblait lui causer une vive douleur.

— Eh bien ?

— Ils sortaient ensemble.

— Tu en es sûr ?

— Non, pas à cent pour cent, mais c'est plus que vraisemblable. Et hier, Tyra est venue me voir. C'était la meilleure copine de Victoria, et elle m'a dit qu'elle avait flairé quelque chose, elle aussi.

— D'accord, mais pourquoi Victoria ne t'en a rien dit ?

— Je ne sais pas. Ou plutôt, si : je crois qu'elle avait honte. Elle savait que je n'approuverais pas. Pourtant elle n'avait rien à craindre de moi. Rien de ce qu'elle faisait n'aurait changé l'image que j'avais d'elle.

— Depuis combien de temps ça durait, à ton avis ? demanda Martin.

Ricky secoua la tête. Sans bonnet, il avait les oreilles rougies par le froid.

— Aucune idée. Je me suis rendu compte qu'elle était un peu… différente juste avant l'été.

— En quoi était-elle différente ?

Gösta remua ses orteils gelés. Il ne les sentait presque plus. Ricky réfléchit.

— Elle avait quelque chose de mystérieux que je n'avais jamais remarqué avant. Elle s'absentait parfois pendant deux, trois heures et si je demandais où elle était allée, elle répondait que ce n'était pas mes oignons. Elle ne s'était jamais comportée comme ça. Et puis elle était à la fois joyeuse et… je ne sais pas comment le décrire, je dirais joyeuse et déprimée. Elle oscillait entre bonne humeur et vague à l'âme. Je me suis dit que c'était peut-être l'adolescence, mais il y avait autre chose.

Ses réflexions semblaient tellement adultes que Gösta dut faire un effort pour se rappeler que Ricky n'avait que dix-huit ans.

— Et il ne t'est jamais venu à l'esprit qu'elle avait un petit ami ? demanda Martin.

— Si, bien sûr. Mais jamais je n'aurais imaginé que c'était Jonas. Je veux dire, il est… c'est un vieux ! Il est marié !

Gösta ne put s'empêcher d'esquisser un sourire. Si Jonas, qui avait une quarantaine d'années, était considéré comme vieux, lui-même devait tenir de la momie aux yeux du jeune homme.

Ricky essuya une larme égarée sur sa joue.

— J'ai failli péter les plombs quand je l'ai appris, ça m'a mis hors de moi. Ça frise la pédophilie, je trouve !

— Je suis d'accord avec toi sur le principe, dit Gösta en secouant la tête, mais la loi a fixé la limite d'âge à quinze ans. Ensuite, savoir comment juger ça d'un point de vue moral, c'est une autre histoire. – Il fit une pause pour créer une sorte de cohérence dans le récit de Ricky. – Raconte-moi comment tu as découvert leur idylle.

— J'ai deviné que Victoria avait une aventure que ni moi ni nos parents n'approuverions. Je ne savais pas avec qui, et elle refusait de répondre à mes questions. Ça ne lui ressemblait pas. Enfin quoi, on partageait tout! Un jour, j'étais allé la chercher au centre équestre après sa reprise, et je l'ai vue se disputer avec Jonas. Je n'ai pas entendu ce qu'ils se disaient, mais j'ai tout de suite pigé. Je me suis précipité sur eux, j'ai crié que j'avais compris et que je trouvais ça dégoûtant, mais elle m'a hurlé que je n'avais rien compris du tout et que j'étais un imbécile. Et elle s'est sauvée. Jonas est resté là, comme un crétin, et moi, j'ai pété un plomb et je lui ai dit ses quatre vérités.

— Quelqu'un vous a entendus?

— Non, je ne crois pas. Les filles les plus âgées étaient de sortie avec les petites, et Marta entraînait Molly dans le paddock.

— Et Jonas n'a rien voulu admettre?

Gösta sentit la colère monter en lui.

— Non, rien du tout. Il a essayé de me calmer et a soutenu que ce n'était pas vrai, qu'il n'avait jamais touché Victoria, que je me faisais des idées. Un tas de conneries, quoi. Puis son téléphone a sonné et il a été obligé de partir. Je suis sûr que ce n'était qu'un prétexte pour s'esquiver.

— Tu ne l'as pas cru, c'est ça?

À ce stade, Gösta ne sentait plus du tout ses orteils. Du coin de l'œil, il vit que Markus les observait, se demandant certainement de quoi ils parlaient.

— Non, je ne l'ai pas cru! s'exclama Ricky en crachant ses mots. Il était là, tout calme, mais j'avais bien vu à leur façon de se disputer que c'était d'ordre personnel. Et la réponse de Victoria me l'avait bel et bien confirmé.

— Mais pourquoi tu ne nous as pas raconté tout ça plus tôt? demanda Martin.

— Je ne sais pas, c'était le chaos total. Ce soir-là, Victoria n'est pas rentrée, et quand on a compris qu'elle avait disparu en rentrant de l'écurie, on a appelé la police. Le pire, c'est que je savais que c'était ma faute ! Si je ne lui avais pas crié dessus, si je ne m'étais pas engueulé avec Jonas, si je l'avais ramenée à la maison comme convenu, elle ne serait pas montée dans la voiture d'un putain de psychopathe. Et puis, je ne voulais pas que papa et maman apprennent son histoire avec Jonas. Ils vivaient dans l'angoisse, c'était déjà bien assez dur, sans y ajouter tout ce qu'écriraient les journaux. Surtout que je me disais que Victoria allait finir par rentrer. Et comme je ne l'ai pas raconté tout de suite, c'est devenu pratiquement impossible de le faire plus tard. J'étais rongé par la mauvaise conscience et…

Ses larmes jaillirent enfin, l'empêchant de parler, et Gösta fit spontanément un pas en avant pour le prendre dans ses bras.

— Chut… allons, ce n'est pas ta faute, il ne faut pas raisonner comme ça. Personne ne t'accuse. Tu voulais protéger ta famille, on le comprend. Ce n'est pas ta faute, répéta-t-il.

Il sentit finalement le corps tendu de Ricky se décontracter et ses pleurs se calmer, avant qu'il lève la tête et le regarde.

— Quelqu'un d'autre était au courant, dit-il à mi-voix.

— Qui ça ?

— Je ne sais pas. Mais j'ai trouvé des lettres bizarres dans la chambre de Victoria. Des trucs délirants sur Dieu et les pécheurs et les feux de l'enfer.

— Tu les as gardées, ces lettres ? demanda Gösta en redoutant la réponse.

Ricky secoua la tête.

— Non, je les ai jetées. Je les ai trouvées trop… immondes. J'avais peur que papa et maman les trouvent, et qu'ils soient encore plus malheureux. Du coup, je m'en suis débarrassé. J'ai fait une bêtise ?

Gösta lui tapota l'épaule.

— Ce qui est fait est fait. Mais tu les as trouvées où ? Et surtout, j'ai besoin que tu me décrives plus précisément leur contenu.

— J'ai fouillé dans sa chambre quand elle a disparu. Avant vous. Je pensais peut-être trouver quelque chose qui les démasquerait, Jonas et elle. Les lettres étaient enfouies au fond d'un tiroir de son bureau. Je ne me rappelle pas exactement ce qu'il y avait écrit. Juste que ça ressemblait à des citations de la Bible. Des mots comme "coulpe" et "pécheresse", des trucs comme ça.

— Et tu as supposé qu'il était question de la relation entre Victoria et Jonas ?

— Oui, ça m'a paru le plus probable. Que quelqu'un était au courant et… voulait leur faire peur.

— Et tu n'as aucune idée de l'identité de cette personne ?

— Non, je suis désolé.

— Très bien. Merci en tout cas de nous l'avoir dit. C'était courageux de ta part, dit Gösta. Va donc rejoindre tes parents, ils se demandent sûrement de quoi on est en train de parler.

Ricky ne répondit pas. Il baissa simplement la tête et retourna d'un pas lourd vers l'église.

Quand Patrik rentra, la nuit était tombée depuis plusieurs heures. Dès la porte franchie, il sentit les effluves émanant de la cuisine. Apparemment, Erica avait préparé un bon petit dîner du samedi, il pariait sur son sauté de porc au roquefort, avec des *potatoes*, un de ses plats préférés. Il alla la rejoindre.

— J'espère que tu as faim, dit-elle en l'enlaçant.

Ils restèrent ainsi un long moment, puis Patrik s'approcha de la cuisinière et souleva le couvercle de la cocotte Le Creuset turquoise qu'elle n'utilisait que pour des occasions particulières. Il ne s'était pas trompé. Des tranches de filet mignon mijotaient dans une sublime sauce onctueuse, et au four, les quartiers de pommes de terre dorés et croustillants terminaient leur cuisson. Une salade était prête, la variante de luxe, avec des jeunes pousses d'épinard, des tomates cerises, du parmesan et des pignons, accompagnés de la vinaigrette aux herbes qu'il adorait.

— Je suis affamé ! répondit-il, et c'était vrai, son estomac était torturé par les crampes, et il réalisa qu'il n'avait rien avalé de la journée. Et les enfants, ils ne mangent pas ?

Il leva le menton vers la table mise pour deux, avec le service du dimanche et des bougies allumées. Une bouteille d'amarone était débouchée pour que le vin soit aéré, et il comprit qu'après quelques affreuses journées de travail, il allait connaître un samedi soir de rêve.

— Ils ont déjà mangé, ils regardent *Cars* à la télé. Je me suis dit qu'on allait dîner tranquillement tous les deux pour une fois. À moins que tu ne tiennes absolument à ce qu'ils viennent à table avec nous, le taquina Erica avec un clin d'œil.

— Non, non, tenons-les éloignés le plus longtemps possible. Aucune menace, aucun chantage ne m'empêchera de dîner en tête à tête avec ma jolie femme.

Il se pencha pour l'embrasser.

— Je vais juste leur faire un petit coucou, je reviens tout de suite. Après, je te filerai un coup de main, tes désirs seront des ordres.

— Tout est sous contrôle, dit Erica en remuant le contenu de la cocotte. Va donc leur faire des bisous, on mangera après.

Un sourire aux lèvres, il pénétra dans le séjour. La lumière était éteinte et les enfants suivaient comme hypnotisés la performance de Flash McQueen sur la piste de course.

— Regarde Flash, comme il est rapide, dit Noel.

Il serrait dans sa main un coin de la couverture doudou qui l'accompagnait toujours sur le canapé.

— Mais pas aussi rapide que papa! s'écria Patrik, et il se précipita sur les enfants pour les chatouiller jusqu'à ce qu'ils poussent des hurlements.

— Arrêêête, arrêêête! crièrent-ils à tue-tête, quand tout leur petit corps et leur visage disaient plutôt "Encore, encore!"

Il continua de chahuter un peu pour profiter de leur énergie débordante qui semblait inépuisable et sentir leur chaude haleine contre sa joue. Les rires et les cris montèrent jusqu'au plafond et vint le moment où il put enfin lâcher prise. Une seule chose existait alors : les enfants, leur présent et son propre présent. Puis il entendit un discret raclement de gorge.

— Chéri, le repas…

Patrik s'arrêta.

— Désolé, les mômes. Papa doit s'occuper aussi un peu de maman. Remettez-vous bien dans le canapé avec vos doudous, on viendra vous coucher plus tard.

Après les avoir bordés, il suivit Erica dans la cuisine où les plats étaient sur la table et le vin servi.

— Tu t'es vraiment surpassée ce soir, dit-il en levant son verre pour trinquer. Santé, ma chérie.

— Santé, répondit-elle, et ils dégustèrent le vin en silence, les yeux fermés.

Puis ils bavardèrent un moment en mangeant. Patrik parla des progrès de l'enquête : les voisins n'avaient pas remarqué que la maison des Hallberg faisait l'objet d'une surveillance. Gösta et Martin n'avaient rien pu tirer des filles du centre équestre à propos du cambriolage du cabinet de Jonas. Mais on leur avait fait une déclaration bien plus intéressante.

— Tu dois me promettre de ne le dire à personne, dit-il. Même pas à Anna.

— Bien sûr, je le promets.

— Voilà, d'après Ricky, le frère de Victoria, la jeune fille avait une relation avec Jonas Persson.

— C'est une blague… ?

— Je sais, ça paraît bizarre. Lui et Marta ont toujours donné l'image du couple parfait. Apparemment, il nie, mais si les faits se confirment, il faudra envisager que cette liaison ait un lien avec sa disparition.

— Ricky a pu mal interpréter la situation. Et si l'amoureux était quelqu'un d'autre, quelqu'un chez qui elle se rendait quand elle a disparu ? Et si l'amoureux en question était le ravisseur ?

Patrik réfléchit à ce que venait de dire Erica. Se pouvait-il qu'elle ait raison ?

Au bout d'un moment, il comprit qu'elle voulait lui parler d'autre chose.

— Je voudrais ton avis. C'est un peu tiré par les cheveux, très vague encore, mais il faut que tu m'écoutes.

— Je t'écoute.

Il reposa ses couverts. Le ton suppliant d'Erica avait éveillé sa curiosité.

Elle commença par rendre compte de l'avancée de son livre, de ses entretiens avec Laila, de sa visite à l'ancienne maison de celle-ci et de ses recherches. Pendant qu'elle parlait, Patrik réalisa qu'il n'avait jusqu'alors pas montré un grand intérêt pour le nouveau projet de sa femme. Sa seule excuse était la disparition de Victoria qui avait accaparé son esprit.

Quand elle mentionna la boîte contenant les coupures de journaux, il dressa l'oreille, même si la portée de cet élément lui échappait. Les gens se passionnaient parfois pour une affaire en particulier et collectionnaient la moindre information s'y rattachant. Mais ensuite Erica évoqua sa deuxième visite de la journée, à Wilhelm Mosander de *Bohusläningen*.

— Wilhelm suivait l'affaire à l'époque. Plusieurs fois au fil des ans, il a tenté d'entrer en contact avec Laila. D'autres encore ont essayé en vain, et quand du jour au lendemain elle a consenti à me voir j'ai compris que c'était un petit événement. Mais je pense que ce n'est pas un hasard.

Elle fit une pause et but une gorgée de vin.

— Comment ça, ce n'est pas un hasard?

Erica fixa Patrik droit dans les yeux.

— Laila a accepté de me rencontrer le jour où le journal a signalé pour la première fois la disparition de Victoria.

Au même moment, le portable de Patrik sonna, et son instinct de policier l'avertit que cet appel n'apportait rien de bon.

Einar était seul dans le noir. Quelques rares lampes dehors éclairaient la cour et les bâtiments. Des hennissements dans l'écurie parvenaient jusqu'à lui. Les chevaux étaient agités ce soir. Einar sourit. Il avait toujours préféré la discordance à l'harmonie. Il tenait ça de son père.

Il lui arrivait de penser à son vieux avec nostalgie. Ce n'était pas un homme aimable, mais ils se comprenaient, tous les deux, de la même façon que Jonas et lui se comprenaient. Helga, elle, serait toujours exclue de leur connivence, bête et naïve comme elle l'était.

Les femmes étaient des créatures niaises, il en avait toujours été convaincu. Il devait toutefois reconnaître que Marta était différente. Avec les années, il en était même venu à l'admirer. Elle était d'une autre trempe que l'autre là, Terese, la souris terrorisée qui tremblait dès qu'il posait son regard sur elle. Il l'avait détestée, alors qu'à une époque, il avait été question de fiançailles. Bien entendu, Helga adorait Terese. C'était exactement le genre de belle-fille qu'elle aurait voulu prendre sous son aile. Elle s'était sans doute imaginé jacasser avec elle comme le font les bonnes femmes, lui donnant des conseils avisés de belle-mère et mouchant un tas de petits-enfants morveux.

Dieu soit loué, cela n'était pas arrivé. Un jour, Jonas leur avait présenté Marta, et il n'avait plus été question de Terese. Il avait annoncé qu'elle venait vivre avec eux, qu'ils étaient ensemble pour la vie, et Einar l'avait cru sur parole. Il avait échangé un regard avec cette Marta, et chacun avait su ce que l'autre valait. D'un bref hochement de la tête, il avait donné son accord. Helga avait passé plusieurs nuits à pleurer en silence, le visage enfoui dans son oreiller, tout en sachant qu'il était inutile de protester, la décision était prise.

Il n'avait jamais parlé avec Helga de leurs opinions divergentes sur Marta. Ils ne se parlaient pas de cette manière. Pendant une courte période, quand il lui faisait la cour avant leur mariage, il avait fait un effort pour papoter de tout et de rien, afin de lui être agréable. Mais il avait cessé ce bavardage dès la nuit de noces passée, dès qu'il l'eut prise de force comme il s'était tant réjoui de le faire. Il n'y avait aucune raison de poursuivre une telle mascarade.

Assis dans son fauteuil roulant, il sentit son entrejambe se mouiller. Il jeta un coup d'œil. Voilà, la poche de stomie qu'il avait défaite un instant plus tôt avait fui, comme prévu. Avec satisfaction, il inspira profondément et cria :

— Helgaaaaa !

UDDEVALLA, 1973

Si Laila n'avait jamais vraiment cru à l'existence du mal, elle n'en doutait plus désormais. Elle croisait son regard chaque jour, et il la fixait en retour. Elle avait peur, se sentait épuisée moralement et physiquement. Comment dort-on quand le mal habite votre maison? Comment trouver le repos ne serait-ce qu'une seconde? Quand il vit entre vos murs, occupe le moindre recoin, le moindre petit espace.

C'était elle qui l'avait fait entrer, oui, elle qui l'avait créé. Elle l'avait nourri, gavé, l'avait laissé grandir jusqu'à ce qu'il devienne incontrôlable.

Elle regarda ses mains. Les griffures y couraient comme des éclairs rouges, et le petit doigt de la main droite pointait dans un angle anormal. Elle serait obligée de se rendre aux urgences une fois de plus. D'affronter les regards méfiants, les questions auxquelles elle n'était pas en mesure de répondre. Comment pourrait-elle avouer la vérité? Comment pourrait-elle partager la terreur tapie en elle? Aucun mot n'y suffirait. Et elle n'y trouverait aucun réconfort.

Il fallait continuer de se taire et de mentir, même si personne ne la croirait.

Le doigt l'élançait. Elle avait du mal à s'occuper de Peter et à accomplir ses tâches ménagères, mais elle s'était aussi découvert une force inouïe. Qui l'aidait à supporter la peur et l'effroi, à évaluer la bonne distance par rapport au mal. D'une façon ou d'une autre, elle tiendrait.

Terese avait appelé tous ceux qui lui vinrent à l'esprit. Les quelques membres de la famille de Lasse, la plupart assez éloignés. Ses vieux copains de beuverie, des amis plus récents, d'anciens collègues, les membres de la congrégation dont elle connaissait le nom.

La mauvaise conscience lui donnait des nausées. Hier dans la cuisine, en préparant ses roulés à la cannelle, un sentiment proche de la joie l'avait étreinte quand elle s'était enfin décidée à le quitter. Elle n'avait commencé à s'inquiéter que vers dix-neuf heures trente, ne le voyant par rentrer pour le dîner et ne parvenant pas à le joindre sur son téléphone. Il était libre de ses mouvements, et en général, quand il n'était pas à la maison, il se trouvait à l'église avec ses nouveaux amis. Mais pas cette fois. Ils ne l'avaient pas vu de toute la journée, ce qui avait achevé de l'inquiéter. Car en réalité, il n'avait nulle part ailleurs où aller.

La voiture aussi avait disparu. Terese avait emprunté celle des voisins et roulé pendant une bonne partie de la nuit, le cherchant partout, bien que la police lui ait dit qu'ils s'en occuperaient le lendemain. Lasse était adulte, il était peut-être parti de son plein gré. Mais elle ne pouvait pas rester là, à se ronger les sangs. Pendant que Tyra gardait les garçons, elle avait cherché dans tout Fjällbacka, elle s'était même rendue à Kville, où était établie la communauté évangélique. Leur Volvo break rouge demeurait introuvable. Elle était reconnaissante envers la police de l'avoir prise au sérieux quand elle les avait contactés. Ils avaient dû percevoir la panique dans sa voix. Même à l'époque où il buvait comme un trou, il rentrait toujours le soir. Et là, il n'avait pas bu une goutte depuis fort longtemps.

Le policier qui était venu lui parler avait naturellement posé des questions à propos de l'alcool. Fjällbacka était une petite localité et il connaissait le passé de Lasse. Elle avait affirmé sans hésiter qu'il n'avait pas replongé, mais à la réflexion, son comportement avait changé ces derniers mois. Outre sa religiosité maniaque, un autre ingrédient était venu s'ajouter. De temps en temps, elle avait surpris un sourire de satisfaction sur ses lèvres, comme s'il couvait un fabuleux secret, qu'il ne voulait pas qu'elle découvre.

Mais comment expliquer une sensation aussi vague à la police ? Ça paraîtrait sûrement insensé. Pourtant, soudain, elle en fut certaine : Lasse avait un secret. Et ce que Terese craignait plus que tout, assise dans sa cuisine alors que l'aube repoussait lentement l'obscurité, c'est que ce secret ne l'ait entraîné sur la mauvaise voie.

Marta guida Valiant sur le chemin forestier. Une nuée d'oiseaux s'envolèrent, effrayés, sur son passage, et le cheval réagit nerveusement en se mettant au trot. Il aurait voulu se lancer, mais elle le retint et ils continuèrent au pas dans le matin calme. Le temps était glacial, pourtant elle n'avait pas froid. Le corps de sa monture la réchauffait et elle savait comment s'habiller, en superposant les couches de vêtements. Ainsi équipée, elle pouvait chevaucher dans la nature pendant des heures, même en hiver.

L'entraînement de la veille s'était bien passé. Molly ne cessait de se perfectionner dans l'art équestre, Marta était même confusément fière d'elle. En général, c'était surtout Jonas qui vantait les qualités de Molly. Mais il était tellement évident qu'elle tenait son talent de sa mère que Marta avait l'impression de voir son propre reflet.

Elle talonna Valiant et savoura la sensation quand il augmenta l'allure. Jamais elle ne se sentait aussi libre que sur le dos d'un cheval. C'était comme si le reste du temps elle jouait un rôle, comme si elle ne retrouvait sa vraie nature que dans la connivence avec l'animal.

La mort de Victoria avait tout changé. Elle le remarquait à l'ambiance dans l'écurie, elle le sentait à la maison, et même chez Einar et Helga. Les filles se montraient moins turbulentes, elles avaient peur. Avec Jonas ils en avaient raccompagné deux chez elles l'autre jour. Elles étaient restées silencieuses à l'arrière de la voiture – pas un mot, pas un rire, pas de joie. Et, bizarrement, la rivalité entre elles s'était radicalisée. Elles se disputaient les chevaux, s'évertuaient à attirer son attention, jetaient des regards assassins et jaloux à Molly, qui jouissait d'une position privilégiée.

C'était un spectacle fascinant. À certains moments, elle ne pouvait s'empêcher de souffler sur les braises. Elle laissait une fille monter trop de fois d'affilée un des chevaux favoris, elle consacrait plus de temps à une autre pendant quelques cours en ignorant une troisième. Ça marchait à tous les coups. Immédiatement, les intrigues s'étoffaient et le mécontentement grondait. Elle voyait les regards, les groupes qui se formaient, et cela l'amusait. C'était tellement facile de jouer sur leur manque d'assurance, d'anticiper leur comportement.

Elle avait toujours eu le don de manipuler ainsi les émotions, sauf quand Molly était petite. Les enfants en bas âge étaient capricieux, et elle avait beaucoup souffert de constater que sa stratégie ne lui était d'aucune utilité pour se faire obéir. Au contraire, c'est elle qui avait dû se conformer aux besoins du bébé, à ses horaires de sommeil et de repas, à ses colères soudaines et inexplicables. À mesure que Molly avait grandi, elle était devenue plus gérable, ses réactions et sa conduite plus prévisibles. En toute honnêteté, à présent Marta ne trouvait plus son rôle de mère si difficile à tenir. Et à partir du moment où elle avait découvert le talent de cavalière de Molly, elle s'était sentie plus proche d'elle. Elle avait presque l'impression qu'elles étaient réellement liées, que sa fille n'était plus uniquement cette créature mystérieuse qui avait squatté son corps.

Valiant allait bon train à présent, son galop était rapide et triomphant. Elle connaissait si bien le chemin qu'elle lui permettait d'allonger le pas à sa guise. Elle devait se baisser pour éviter une branche de temps en temps, et parfois des pans entiers de neige leur dégringolaient dessus et virevoltaient autour des sabots. C'était comme de cheminer sur des nuages. Elle respirait fort et sentait tout son corps travailler. Les gens qui ne montent pas à cheval croient qu'il suffit de rester paresseusement en selle et de suivre les mouvements de l'animal. Ils ne comprennent pas que tous les muscles du cavalier entrent en action. Après une bonne chevauchée, elle avait les membres délicieusement meurtris.

Jonas était parti précipitamment aux aurores pour une urgence. Son téléphone était branché vingt-quatre heures sur vingt-quatre, et peu avant cinq heures, un fermier des environs avait appelé. Une de ses vaches était mal en point. En quelques minutes, Jonas était prêt et installé au volant. La sonnerie du portable avait réveillé Marta et elle était restée en silence dans l'obscurité, l'observant s'habiller. Après toutes ces années passées ensemble, sa silhouette était si familière, et pourtant étrangère. La vie en couple n'était pas toujours facile. Ils se prenaient la tête comme tout le monde. Il y avait des moments où elle avait envie de crier et de le taper, tellement elle était en colère. Mais la certitude qu'ils étaient faits l'un pour l'autre était là, invariablement.

À un moment, elle avait eu peur. Elle ne le reconnaissait pas volontiers, ne voulait même pas y penser, mais sur le dos du cheval, quand la liberté détendait le corps et l'esprit, les pensées les plus enfouies affleuraient. Ils avaient failli tout perdre : l'un l'autre, leur existence, la solidarité et l'entente qu'ils avaient ressenties dès leur première rencontre.

Leur passion contenait une dose de folie. Elle avait les bords noircis par le feu qui brûlait en permanence, et ils savaient comment la maintenir en vie. Ils avaient exploré leur amour en long et en large, testé ses limites pour vérifier qu'il soit assez solide. Et il l'était. Une seule fois, il avait failli s'éteindre, mais au dernier moment tout s'était arrangé et était rentré dans l'ordre. Le danger était passé et elle avait choisi d'y penser le moins possible. C'était mieux ainsi.

Marta éperonna Valiant et, presque sans un bruit, ils traversèrent la forêt. Vers rien, vers tout.

Patrik prit place à la table de la cuisine et remercia silencieusement Erica qui lui tendait une tasse de café. Leur dîner romantique de la veille s'était terminé en eau de boudin avec l'appel de Terese Hansson qui s'inquiétait pour son mari. Patrik s'était rendu chez elle, et à son retour, Erica avait tout rangé, il ne restait plus aucune trace du repas. La cuisine était rutilante après qu'elle l'eut briquée, sûrement par défi puisque Kristina et Gunnar viendraient prendre le café dans l'après-midi.

Il lorgna vers le tableau posé contre le mur. Ça faisait un an qu'il attendait d'être accroché, et si Patrik n'y remédiait pas maintenant, Bob le Bricoleur serait bientôt là avec son marteau et ses clous. C'était puéril, mais il ne se sentait pas entièrement à l'aise avec l'idée que quelqu'un d'autre fasse des travaux dans sa maison. C'était à lui de s'y coller, ou de payer un professionnel, car il était malgré tout conscient de ses limites en bricolage.

— Ne t'inquiète pas pour le tableau, dit Erica avec un sourire, après avoir suivi son regard. Si tu veux, je peux le ranger avant qu'ils arrivent, comme ça pas de risque que Gunnar ne l'accroche à ta place.

Un instant Patrik soupesa la proposition, avant de se sentir très bête.

— Non, laisse-le. J'ai eu largement le temps de le faire, sans y parvenir, comme plein d'autres trucs d'ailleurs. J'imagine que c'est tant pis pour moi, je ferais mieux de le remercier et d'accepter son aide.

— Tu n'es pas le seul qui aurait pu l'accrocher et réparer ce qui est cassé. Moi aussi je sais me servir d'un marteau. Mais nous avons eu d'autres priorités. Du boulot, du temps pour les enfants, du temps l'un pour l'autre, et je l'assume entièrement. Un tableau pas encore accroché au mur, quelle importance ?

Erica s'assit sur les genoux de Patrik et l'enlaça. Il ferma les yeux et huma son odeur dont il ne se lassait jamais. Le quotidien avait naturellement contribué à engourdir la passion amoureuse, mais elle avait été remplacée par un sentiment bien supérieur : un amour calme, profond et solide. Et puis, il y avait encore des moments où sa femme l'excitait autant qu'au tout début de l'amour fou. Simplement, aujourd'hui cela se passait à intervalles plus espacés. C'était sans doute ce que la nature avait trouvé de mieux pour empêcher l'humanité de batifoler au lit toute la journée.

— Hier, je me suis dit qu'on pourrait… dit Erica en lui mordillant la lèvre inférieure.

Bien que Patrik soit mort de fatigue après la tension de ces derniers jours et une nuit agitée, il sentit une partie de son corps s'éveiller.

— Mmm, moi aussi.

— Qu'est-ce que vous faites ?

Une petite voix se fit entendre dans l'embrasure de la porte. Ils sursautèrent, comme pris en flagrant délit. Avec des enfants dans la maison, on ne pouvait même plus se câliner en paix.

— On se fait des bisous, dit Erica en se levant.

— Beurk, c'est dégoûtant, s'écria Maja, puis elle retourna dans le séjour en courant.

Erica se servit un café.

— Dans dix ans, elle aura changé d'avis.

— Mon Dieu, ne m'en parle pas.

Patrik frémit. S'il avait pu, il aurait arrêté le temps et veillé à ce que Maja ne devienne jamais adolescente.

— Alors, comment vous allez vous y prendre maintenant ? demanda Erica.

Elle s'appuya contre le plan de travail et but une petite gorgée de café. Patrik, lui, l'avala à grands traits avant de répondre. La caféine avait très peu d'effet sur sa fatigue.

— Je viens d'avoir Terese au téléphone. Lasse n'est toujours pas réapparu. Elle l'a cherché en vain pendant la moitié de la nuit, il faudra qu'on intervienne bientôt.

— Aucune théorie sur ce qui a pu se passer ?

— Non, pas vraiment. Elle nous a juste dit que Lasse était bizarre ces derniers mois, qu'il avait un comportement inhabituel difficile à définir.

— Et elle ne soupçonne rien de particulier ? Une maîtresse, le jeu ? La plupart du temps, les gens sentent quand même si leur partenaire va voir ailleurs.

Patrik secoua la tête.

— Non, mais on va interroger son entourage aujourd'hui, et j'ai demandé à la banque de nous fournir ses relevés de compte. On verra vite s'il a fait des retraits inhabituels ou des achats qui pourraient expliquer sa disparition. Malte doit faire un saut à la banque aujourd'hui pour vérifier.

Il consulta sa montre. Bientôt neuf heures, et la lumière du jour commençait enfin à poindre. Il détestait l'hiver et ses nuits longues comme l'éternité.

— C'est un des avantages d'une petite ville. Le directeur de la banque peut y "faire un saut" un dimanche.

— Oui, ça facilite indéniablement le processus. J'espère que ça nous fournira des indices. Terese nous a dit que c'est Lasse qui gère leur budget.

— J'imagine que vous allez aussi vérifier s'il a utilisé sa carte bancaire *après* sa disparition ? Il est peut-être simplement parti parce qu'il en avait marre. Il a pu sauter dans le premier avion pour Ibiza. C'est ça, vous devriez vérifier les vols. Ce ne serait pas la première fois qu'un chômeur père d'enfants en bas âge prend la poudre d'escampette.

— Oui, j'avoue que moi aussi l'idée m'a traversé l'esprit plus d'une fois, même si je ne suis pas au chômage, rigola Patrik, et il fut récompensé par une petite tape sur l'épaule.

— Essaie, et tu verras ! Non mais, c'est ça ton rêve ? Des *shots* sur la plage de Magaluf avec des petites minettes ?

— Je pense que je m'endormirais dès le premier verre. Et que j'appellerais les parents des demoiselles pour qu'ils viennent les récupérer.

— Ah, là, je te reconnais ! Mais vérifie les vols quand même, on ne sait jamais. Tout le monde n'est pas aussi crevé et intègre que toi.

— J'ai déjà demandé à Gösta de le faire. Malte va nous passer tous les relevés bancaires de Lasse, et les opérations faites avec sa carte. Et on va bien sûr analyser le trafic de son portable. Donc, j'ai la situation en main, merci, dit-il avec un clin d'œil. C'est quoi toi, tes projets pour la journée ?

— Kristina et Gunnar viennent cet après-midi. Si ça te va, j'avais l'intention de les laisser s'occuper des enfants un moment, pour travailler un peu. J'ai besoin d'avancer, de comprendre pourquoi Laila s'intéresse à ces disparitions. Si j'arrive à établir un lien, elle lâchera peut-être enfin ce qui s'est passé quand Vladek a été tué. Je sens qu'elle veut raconter quelque chose, mais elle ne sait pas comment, ou n'ose pas se lancer.

Toute la cuisine était maintenant éclairée par la lumière du matin qui se déversait par la fenêtre. Les cheveux blonds d'Erica brillaient de mille éclats, et Patrik se rendit compte encore une fois combien il était amoureux de sa femme. Surtout dans ces moments où elle rayonnait d'enthousiasme et de passion pour son travail.

— Tu dis que la voiture a disparu. Ça indique que Lasse a quitté la région, non ? dit Erica en revenant soudain au sujet précédent.

— Peut-être. Terese a cherché un peu partout, mais ce ne sont pas les endroits qui manquent pour planquer une bagnole. Sur un petit chemin forestier par exemple, ou dans un garage. Cela dit, on compte sur la population. Avec son aide on a plus de chances de localiser la voiture, à condition qu'elle soit toujours dans le coin.

— C'est quelle marque ?

Patrik se leva après avoir avalé la dernière gorgée de café.

— Une Volvo break rouge.

— Comme celle-là, tu veux dire ?

Erica montra de l'index le grand parking au bord de l'eau devant leur maison. Patrik suivit son doigt. Il en resta bouche bée. La voiture de Lasse. Elle était là.

Gösta raccrocha. Malte venait d'appeler pour annoncer l'arrivée par fax des documents bancaires, et il se leva pour les réceptionner. Il était toujours épaté qu'on puisse glisser un papier dans une machine et que ce qui semblait être le même papier sorte comme par magie d'une autre machine à un autre endroit.

Il étouffa un bâillement. Il aurait volontiers fait la grasse matinée ou, même, passé le dimanche à traîner, mais vu la situation, ce genre de luxe leur était interdit. Les documents sortaient lentement de l'appareil, et quand l'envoi fut complet, il ramassa les feuillets et alla dans la cuisine, plus accueillante que son bureau.

— Tu veux de l'aide ? demanda Annika, qui s'y trouvait déjà.

— Oui, ce serait sympa.

Il divisa le paquet en deux et lui tendit une moitié.

— Qu'est-ce qu'il a dit, Malte ? Lasse a utilisé sa carte ou non ?

— Il ne l'a pas utilisée depuis deux jours, pas même un retrait dans un distributeur.

— Bien. J'ai fait une demande aux compagnies aériennes, comme tu me l'as demandé. Mais il paraît assez invraisemblable qu'il soit parti à l'étranger sans payer par carte, à moins qu'il n'ait retiré de l'argent petit à petit et réglé en liquide.

Gösta chercha parmi les documents devant lui.

— On va vite voir s'il a retiré de grosses sommes dernièrement.

— Cela dit, je n'ai pas l'impression qu'ils avaient une grande marge de manœuvre, fit remarquer Annika.

— C'est vrai. Lasse est au chômage et je ne pense pas que Terese gagne des mille et des cents. Ils doivent plutôt tirer le diable par la queue. Ou pas… ! s'exclama Gösta, stupéfait.

— Quoi ?

Annika se pencha pour voir ce qui motivait un tel étonnement. Il tourna le papier vers elle et montra le solde en bas de la page.

— Fichtre !

— Il y a cinquante mille couronnes sur ce compte. Comment peuvent-ils avoir autant d'argent ? – Les yeux de Gösta balayèrent le relevé bancaire. – Il y a pas mal de versements. En liquide, semble-t-il. Cinq mille couronnes chaque fois, tous les mois.

— C'est probablement Lasse qui a fait ces versements, puisqu'il s'occupait des finances.

— Oui. On vérifiera ça avec Terese.

— D'où il sort tout ce fric ? Du jeu ?

Les doigts de Gösta tambourinaient sur la table.

— Je ne crois pas, ce n'est pas un joueur, d'après ce que j'ai compris. On va analyser son ordinateur. Il a pu jouer en ligne, mais dans ce cas les versements devraient provenir d'une société de jeux. Ça peut aussi être des rémunérations pour des petits boulots, des trucs pas très catholiques qu'il ne pouvait pas raconter à Terese.

— Un peu tiré par les cheveux, comme hypothèse, non? répliqua Annika en plissant le front.

— Pas tant que ça, puisqu'il a disparu. Et Terese dit avoir eu le sentiment qu'il lui cachait quelque chose ces derniers mois.

— Alors ça ne va pas être simple de trouver la nature de ces petits boulots. Non, cet argent est impossible à tracer.

— Tu as raison. À moins de dénicher celui qui l'aurait employé. Dans ce cas-là, on pourrait vérifier avec la banque si cette personne a fait des retraits correspondants.

Méticuleusement, Gösta examina toutes les opérations les unes après les autres, ses lunettes de lecture au bout du nez. Mais il ne trouva rien d'autre de notable. Mis à part les versements en liquide, la famille bouclait effectivement tout juste les fins de mois, et il nota qu'ils semblaient très stricts sur les dépenses.

— C'est quand même inquiétant. Posséder tout cet argent sur son compte, et disparaître sans retirer un centime, dit Annika.

— Oui, c'est ce que je me dis aussi. Ça n'augure rien de bon.

Une sonnerie de portable retentit dans la cuisine et Gösta sortit son téléphone de sa poche. Le nom de Patrik s'afficha sur l'écran et il se dépêcha de répondre.

— Salut. Quoi? Où ça? D'accord, on arrive.

Il raccrocha, se leva et rangea son téléphone.

— La voiture de Lasse est à Sälvik. Et il y a plein de sang sur le ponton de baignade.

Annika hocha lentement la tête, sans manifester la moindre surprise.

Tyra s'arrêta dans l'encadrement de la porte et regarda sa mère. Ça lui fendait le cœur de voir son visage inquiet. Elle était restée prostrée à la table de la cuisine depuis qu'elle était rentrée, après avoir cherché son mari une bonne partie de la nuit.

— Maman… dit Tyra, sans obtenir de réaction. Maman !

Terese leva les yeux.

— Oui, ma puce ?

Tyra vint près d'elle, s'assit et saisit sa main. Elle était toute froide.

— Les garçons, ça va ? demanda Terese.

— Ils vont bien. Ils sont chez Arvid. Écoute, maman…

— Oui, pardon, tu voulais me dire quelque chose.

Terese était épuisée. Ses paupières se fermaient toutes seules.

— J'ai quelque chose à te montrer. Viens.

— C'est quoi ?

Terese se leva et suivit Tyra dans le salon.

— Ça fait un petit moment déjà que je le sais. Et je n'étais pas sûre de… je n'étais pas sûre de vouloir t'en parler.

— Me parler de quoi ? Ça a à voir avec Lasse ? Dans ce cas, il vaut mieux que tu me le dises tout de suite.

Tyra hocha la tête, elle hésita. Puis se lança.

— Tu sais que Lasse a deux bibles, mais qu'il n'en utilise qu'une ? Je me suis toujours demandé pourquoi l'autre restait rangée là, sur l'étagère. Alors je l'ai prise et je l'ai ouverte. Regarde !

Elle retira la bible de la bibliothèque et l'ouvrit. Le volume contenait une cachette. Les pages avaient été évidées pour former un creux.

— Non mais, qu'est-ce que… ?

— Je l'ai découvert il y a quelques mois, et depuis je vérifie de temps en temps. Parfois il y a de l'argent, toujours le même montant. Cinq mille couronnes.

— Je ne comprends pas. D'où est-ce qu'il peut tenir une telle somme ? Et pourquoi la cacher ?

Tyra secoua la tête. Elle sentit son ventre se nouer.

— Je ne sais pas. J'aurais dû t'en parler avant. Il lui est peut-être arrivé quelque chose qui a à voir avec l'argent. Dans ce cas, c'est ma faute, parce que si je te l'avais dit, alors…

Elle ne put retenir ses larmes. Terese la prit dans ses bras et la berça.

— Ce n'est pas ta faute, et je comprends pourquoi tu n'as rien dit. J'avais le sentiment très net que Lasse me cachait quelque chose, et ça a sûrement un rapport avec ces billets, mais personne n'aurait pu prévoir ce qui allait se produire. Et on ignore encore ce qui s'est réellement passé. Si ça se trouve, il a juste fait une rechute, et il cuve son vin quelque part. Dans ce cas, la police ne tardera pas à le trouver.

— Tu n'y crois pas toi-même, sanglota Tyra contre l'épaule de sa mère.

— Chut, on ne sait pas, et ça ne sert à rien d'anticiper. J'appelle la police tout de suite pour leur parler de l'argent, on verra bien si ça peut aboutir à quelque chose. Personne ne va te blâmer pour ça. Tu as été loyale envers Lasse, tu n'as pas voulu lui causer de problèmes pour rien. Moi, je trouve ça très honorable. D'accord?

Elle écarta sa fille et prit son visage entre ses mains. Tyra avait les joues en feu, et les mains fraîches de sa mère lui firent du bien.

Après avoir déposé une bise sur son front, Terese alla téléphoner. Restée seule, Tyra essuya ses larmes puis alla rejoindre sa mère dans la cuisine. Mais elle n'eut pas le temps d'y arriver avant de l'entendre hurler.

Tout au bout du ponton de baignade, Mellberg fixa le trou dans la glace.

— Parfait, alors on l'a trouvé.

— On ne peut pas encore en être certains, souligna Patrik.

Il se tenait à l'écart sur la plage, en attendant l'arrivée des techniciens. Rien, cependant, n'avait pu retenir Mellberg.

— Sa voiture est garée là-bas. Et c'est plein de sang. Purée, c'est une évidence qu'il a été tué et balancé à la flotte. Il restera introuvable jusqu'au printemps, quand il remontera à la surface, c'est moi qui te le dis.

Mellberg fit encore quelques grandes enjambées sur le ponton, et Patrik serra les mâchoires.

— Torbjörn ne va pas tarder. Ce serait bien si on pouvait laisser les choses en l'état, autant que possible, supplia-t-il.

— Inutile de me le rappeler. Je sais comment on se déplace sur une scène de crime, merci! aboya Mellberg. Tu n'étais pas encore né quand j'ai mené ma première enquête, alors un peu de respect envers…

Il fit un pas en arrière, et au moment où il réalisa qu'il marchait dans le vide, son expression arrogante se transforma en stupeur. Il atterrit avec fracas dans l'eau, entraînant avec lui tout un pan de glace.

— Merde, merde! s'écria Patrik, qui se précipita sur le ponton.

La panique n'était pas loin quand il réalisa qu'il n'y avait pas de bouée de sauvetage, ni aucun objet utilisable à portée de main. Il envisagea très sérieusement de s'allonger sur la glace pour essayer de tirer Mellberg hors de l'eau. Mais celui-ci le devança, réussit à attraper l'échelle et à se hisser sur le ponton.

— Putain, ce que c'est froid!

Il s'étendit de tout son long sur les planches recouvertes de neige. La mine sombre, Patrik contempla les dégâts. Après la performance de Mellberg, Torbjörn serait un véritable prodige s'il parvenait à tirer la moindre info exploitable sur cette scène de crime.

— Allez Bertil, il faut te réchauffer maintenant. On va monter à la maison.

Patrik l'aida à se relever, puis le poussa dans le dos pour le faire avancer. Du coin de l'œil, il vit Gösta et Martin arriver et s'approcher du ponton. Stupéfait, Gösta dévisagea un Mellberg trempé de la tête aux pieds qui passa sans les regarder puis se dirigea vers le parking et la maison de Patrik et Erica.

— Ne dites rien, soupira Patrik. Contentez-vous d'accueillir Torbjörn et son équipe. Et prévenez-les que le lieu du crime n'est pas nickel. Ils auront de la chance s'ils réussissent à prélever quoi que ce soit.

Jonas posa un doigt léger sur la sonnette. Il n'était jamais venu chez Terese et avait dû chercher son adresse sur le Net.

— Jonas! Salut!

Surprise, Tyra le fixa en ouvrant la porte, avant de s'écarter pour le laisser entrer.

— Elle est là, ta maman?

Elle hocha la tête et fit un signe vers l'intérieur. Jonas jeta un regard autour de lui. L'appartement était propre et rangé, sans fioritures, exactement comme il l'avait imaginé. Il entra dans la cuisine.

— Bonjour Terese, dit-il, constatant qu'elle aussi était surprise. Je tenais à venir moi-même prendre de vos nouvelles. Je sais que ça fait un moment qu'on ne s'est pas vus, mais les filles du centre m'ont dit pour Lasse. Qu'il a disparu.

— Plus maintenant.

Les yeux de Terese étaient gonflés de larmes et elle s'exprimait d'une voix éraillée et monotone.

— Ils l'ont retrouvé ?

— Non, seulement la voiture. Mais il est probablement mort.

— Mort ? Tu devrais faire venir des proches pour te soutenir. Je peux appeler quelqu'un, si tu veux. Un pasteur, une amie ?

Jonas avait entendu dire que ses parents étaient décédés depuis longtemps, et il savait qu'elle n'avait ni frère ni sœur.

— Merci, mais j'ai Tyra. Les garçons sont chez des amis. Ils ne sont pas encore au courant.

— Bon, dit Jonas sans trop savoir quoi faire maintenant. Tu préfères que je parte ? Vous avez peut-être envie d'être tranquilles ?

— Non, non, reste. Il y a du café, et du lait au frigo. Tu prends du lait, toi, non ?

— Quelle mémoire ! sourit Jonas.

Il se servit une tasse et rajouta du café chaud dans celle de Terese, avant de s'asseoir en face d'elle.

— La police sait ce qui s'est passé ?

— Non. Mais ils ont des raisons de croire que Lasse est mort.

— D'habitude, ils ne font pas ce genre d'annonce au téléphone, il me semble ?

— C'est moi qui ai appelé Patrik Hedström pour... pour une autre affaire. J'ai entendu à sa voix qu'il s'était passé quelque chose, et il s'est probablement senti obligé de me le dire. Quelqu'un de chez eux ne va pas tarder à arriver.

— Tyra, comment elle l'a pris ?

Terese tarda à répondre.

— Lasse et elle n'étaient pas très proches, finit-elle par dire. Pendant les années où il buvait, il était complètement absent, et après, eh bien, il a plongé corps et âme dans une autre dépendance, qui parfois nous paraissait encore plus incompréhensible.

— Tu crois que ce qui lui est arrivé peut être lié à ce nouvel engouement ? Ou à son ancien dada ?

— Comment ça ?

— Je ne sais pas, une dispute à l'église qui aurait dégénéré. Ou alors il a retrouvé ses anciens copains de beuverie et s'est retrouvé mêlé à quelque chose d'illégal ? Est-ce que quelqu'un aurait pu avoir une dent contre lui ?

— Non, j'ai du mal à croire qu'il ait replongé. On peut dire ce qu'on veut de la communauté, mais elle le tenait éloigné de l'alcool. Et il n'a jamais dit un mot de travers sur aucun des membres. Ils lui offraient amour et pardon, comme il disait. Mais moi, je ne lui avais pas pardonné. J'avais décidé de le quitter. Et maintenant qu'il n'est plus là, il me manque.

Ses larmes commencèrent à couler et Jonas lui tendit un mouchoir en papier d'une boîte sur la table. Elle se tamponna les joues.

— Ça va aller, maman ? demanda Tyra depuis la porte de la cuisine.

Terese afficha un sourire crispé à travers ses larmes.

— Mais oui, ne t'en fais pas.

— Je ne sais pas si j'ai bien fait de venir, déclara Jonas. Je me disais que je pourrais peut-être me rendre utile.

— L'intention est bonne, c'est vraiment gentil.

On sonna à la porte, un signal strident, et tous deux sursautèrent. Il retentit encore une fois avant que Terese ait le temps d'ouvrir. En entendant le visiteur arriver dans la cuisine, Jonas se retourna et croisa pour la troisième fois un regard surpris.

— Tiens, Gösta. J'allais partir, dit-il rapidement, et il se leva et regarda Terese. Si je peux t'aider d'une manière ou d'une autre, tu n'as qu'à me faire signe.

— Merci, j'apprécie.

En se dirigeant vers la porte, il sentit une main sur son bras. À mi-voix pour que Terese ne l'entende pas, Gösta souffla :

— Il y a une chose dont je voudrais vous parler. Je passerai chez vous dès que j'ai terminé ici.

Jonas opina d'un signe de tête. Il sentit sa gorge se serrer. Il n'aimait pas le ton de Gösta.

Erica n'arrivait pas à chasser de son esprit Peter, le fils de Laila que sa grand-mère avait recueilli et qui avait disparu. Pourquoi s'était-elle occupée uniquement de lui et pas de sa sœur? Était-il parti de son plein gré après la mort de sa grand-mère?

Il y avait beaucoup trop de points obscurs le concernant, et le temps était venu d'essayer d'en tirer au clair au moins quelques-uns. Elle feuilleta son calepin jusqu'aux pages où elle avait noté les coordonnées de tous les protagonistes. Par souci de méthode, elle les regroupait toujours au même endroit. Seul problème : elle avait parfois dû mal à déchiffrer sa propre écriture.

Au rez-de-chaussée elle entendit les rires joyeux des enfants qui chahutaient avec Gunnar. Il ne leur avait pas fallu long-temps pour adopter le copain de mamie, comme l'appelait Maja. Ils ne manquaient de rien et Erica pouvait travailler la conscience tranquille.

Son regard fut attiré vers la fenêtre. Elle avait vu la voiture de Mellberg arriver. Il avait freiné brutalement en faisant déraper les pneus, puis s'était précipité sur le ponton. Mais elle eut beau s'étirer, elle ne pouvait pas voir aussi loin, et les ordres de Patrik avaient été très clairs : elle devait rester à l'écart. Du coup, elle était obligée d'attendre qu'il rentre et qu'il lui raconte ce qu'ils avaient trouvé.

Elle retourna à son calepin. À côté du nom de la sœur de Laila, un numéro espagnol était griffonné, et Erica saisit le téléphone tout en essayant de décrypter ses propres pattes de mouche. Le dernier chiffre, était-ce un 7 ou un 1? Elle soupira et se dit qu'au pire, elle essaierait plusieurs fois. Elle décida de commencer par le 7 et composa le numéro.

Un signal sourd retentit dans le combiné. Les sonneries étaient différentes quand on appelait vers l'étranger, elle s'était toujours demandé pourquoi.

— ¡Hola! répondit une voix d'homme.

— Hello. I would like to speak to Agneta. Is she home?

Au lycée, Erica avait choisi le français comme deuxième langue étrangère après l'anglais, si bien que ses connaissances en espagnol étaient quasi nulles.

— *May I ask who is calling?* dit l'homme dans un anglais irréprochable.

— *My name is Erica Falck. I'm calling about her sister*, ajouta-t-elle après une petite hésitation.

Il y eut un long silence. Puis la voix dit en suédois, avec un léger accent :

— Je m'appelle Stefan, je suis le fils d'Agneta. Je ne pense pas que maman ait envie de parler de Laila. Elles ont coupé les ponts il y a très longtemps.

— Je sais, Laila me l'a dit. Mais j'aurais quand même besoin de m'entretenir avec votre mère. Vous pouvez lui dire que c'est au sujet de Peter.

Nouveau silence. Erica put sentir l'hostilité à l'autre bout de la ligne.

— Vous ne vous demandez jamais comment va votre famille en Suède ? laissa-t-elle échapper.

— Quelle famille ? rétorqua Stefan. Il n'y a plus que Laila, que je n'ai jamais rencontrée. Maman était déjà installée en Espagne quand je suis né, et nous n'avons aucun contact avec cette branche-là. Je pense que maman aimerait qu'il en reste ainsi.

— Vous ne pouvez pas lui demander quand même, s'il vous plaît ?

Erica entendit le ton suppliant de sa voix.

— D'accord, mais ne vous attendez à rien.

Stefan posa le combiné et elle l'entendit murmurer avec quelqu'un. Erica trouvait qu'il parlait assez bien suédois. Son accent était infime et charmant, on y devinait à peine les zézaiements caractéristiques de l'espagnol.

— Vous pouvez lui parler quelques minutes. Je vous la passe.

La voix de Stefan dans le combiné la fit sursauter. Elle s'était égarée dans ses réflexions linguistiques.

— Allô ? dit une voix de femme.

Erica se reprit et se présenta tout de suite, elle raconta qu'elle écrivait un livre sur l'histoire de Laila et qu'elle serait très reconnaissante de pouvoir lui poser quelques questions.

— Je ne sais pas ce que je pourrais vous apporter. Laila et moi avons rompu tout contact il y a de nombreuses années et je ne sais plus rien d'elle ni de sa famille. Je ne serais pas en mesure de vous aider, même si je le voulais.

— C'est exactement ce que dit Laila, mais j'ai quelques questions au sujet de Peter auxquelles j'espère malgré tout que vous pourrez répondre.

— Bon, qu'est-ce que vous voulez savoir ? demanda Agneta, et sa voix parut résignée.

— Je me suis demandé pourquoi votre mère s'était chargée uniquement de Peter et pas de Louise ? La chose la plus naturelle pour une grand-mère aurait quand même été de recueillir les deux enfants sans les séparer, non ? Louise s'est retrouvée dans une famille d'accueil.

— Louise avait besoin… de soins particuliers. Notre mère ne pouvait pas les lui fournir.

— Mais qu'avait-elle donc de si spécial ? C'est parce qu'elle était traumatisée ? Vous n'avez jamais soupçonné Vladek de maltraiter sa famille ? Votre mère habitait à Fjällbacka, elle aurait dû se rendre compte de ce qui se passait, non ?

Les questions se pressaient dans la bouche d'Erica, et il n'y eut d'abord qu'un long silence à l'autre bout du fil.

— Je préférerais ne pas parler de tout ça. C'était il y a si longtemps. Une époque sombre que j'aimerais oublier, dit Agneta, et sa voix semblait étouffée et brisée dans le combiné. Notre mère a fait son possible pour protéger Peter, c'est tout ce que je peux dire.

— Et Louise ? Pourquoi ne l'a-t-elle pas protégée ?

— Vladek s'occupait de Louise.

— C'est parce qu'elle était une fille qu'elle était la plus malmenée ? C'est pour ça qu'on l'appelait juste *Fille*, plutôt que par son prénom ? Est-ce que Vladek haïssait les femmes, et traitait mieux son fils ? Parce que Laila aussi présentait des blessures.

Erica déversait ses questions de peur qu'Agneta ne mette brusquement fin à la conversation.

— C'était… compliqué. Je ne peux pas vous répondre. Et je n'ai rien de plus à vous dire.

Agneta semblait décidée à raccrocher, et Erica aiguilla rapidement l'entretien sur une autre voie.

— Je comprends que ce soit un sujet douloureux, mais d'après vous, que s'est-il passé quand votre mère est morte ? Selon le rapport de police, il s'agit d'un cambriolage qui aurait dérapé. Je l'ai lu, et j'ai parlé avec le policier responsable de l'enquête. Mais j'ai quand même des doutes. Deux meurtres dans une seule famille, même s'ils sont espacés, ça me paraît une drôle de coïncidence.

— Ça peut arriver. C'était un cambriolage, comme la police l'a constaté. Le ou les malfaiteurs, ils étaient probablement plusieurs, se sont introduits dans la maison la nuit. Maman s'est réveillée et, dans la panique, les voleurs l'ont tuée.

— Avec un tisonnier ?

— Oui, je suppose que c'est la seule arme qu'ils ont trouvée.

— Ils n'ont pas laissé d'empreintes digitales, aucune trace. C'étaient des voleurs très prudents, visiblement. Étant si bien organisés, c'est un peu étrange qu'ils aient été pris de panique quand votre mère s'est réveillée, vous ne trouvez pas ?

— La police n'a pas trouvé ça étrange. Il y a eu une enquête approfondie. Ils ont même envisagé que Peter y soit mêlé, mais il a été entièrement innocenté.

— Puis il a disparu. Qu'est-ce qui s'est passé, selon vous ?

— Allez savoir. Il se trouve peut-être sur une île quelque part aux Antilles. Je le lui souhaite en tout cas. Mais ça m'étonnerait. Je crois que le traumatisme de son enfance plus la mort de sa grand-mère, qu'il aimait beaucoup, ça a été trop pour lui.

— Vous pensez… qu'il s'est suicidé ?

— Oui, répondit Agneta. Je le pense, malheureusement, tout en espérant me tromper. Je dois raccrocher maintenant. Stefan et sa femme s'en vont, je vais garder leurs fils.

— Juste une autre question, supplia Erica. Quelle était votre relation avec votre sœur ? Étiez-vous proches pendant votre enfance ?

Elle tenait à arrondir l'entretien avec une question plus neutre pour qu'Agneta ne refuse pas de lui parler si elle devait l'appeler encore une fois.

— Non, répondit Agneta après une longue pause. Nous étions très différentes, nous avions peu en commun. J'ai choisi de ne pas être associée à la vie de Laila et aux choix qu'elle a faits. Aucun des Suédois que nous fréquentons ici ne sait que j'ai une sœur ni qui elle est, et je souhaite qu'il en reste ainsi. Je ne veux donc pas que vous me citiez dans votre livre, et je ne veux pas non plus que vous disiez à qui que ce soit que nous nous sommes parlé. Surtout pas à Laila.

— Je vous le promets. Une dernière petite question : Laila collectionne des articles de journaux sur des jeunes filles qui ont disparu ces deux dernières années en Suède. Dont l'une ici, à Fjällbacka. On l'a retrouvée cette semaine, mais elle s'est fait renverser par une voiture juste après et elle est décédée. Elle avait de graves blessures provenant de sa captivité. Savez-vous pourquoi ces affaires intéressent Laila ?

Elle se tut et perçut la respiration d'Agneta.

— Non, dit celle-ci brièvement, puis elle lança quelques mots en espagnol à quelqu'un dans la pièce. Je dois m'occuper de mes petits-enfants maintenant. Et je le répète : je ne veux en aucune manière être associée à tout ça.

Erica lui assura encore une fois qu'elle ne la mentionnerait pas, puis raccrocha.

Elle s'apprêtait à mettre ses notes au propre quand elle entendit un grand tumulte au rez-de-chaussée. Elle se leva aussitôt pour se pencher par-dessus la balustrade et regarder ce qui se passait en bas.

— C'est quoi ce… ? s'exclama-t-elle, avant de se précipiter dans l'escalier.

Dans le vestibule, Patrik était en train de dépouiller de ses vêtements trempés un Bertil Mellberg aux lèvres bleues, grelottant de froid.

Martin entra au commissariat et tapa des pieds pour se débarrasser de la neige. Quand il passa devant l'accueil, Annika leva les yeux et le regarda par-dessus ses lunettes anti-lumière bleue.

— Comment ça s'est passé ?

— Bof, comme d'habitude quand Mellberg est là.

Il vit la perplexité d'Annika et, aussi calmement que possible, lui fit le récit des exploits de leur chef.

236

— Mon Dieu! Cet homme-là n'a pas fini de nous étonner. Et Torbjörn, qu'est-ce qu'il a dit?

— Qu'il serait malheureusement difficile de relever des empreintes, puisque Mellberg a tout piétiné. Mais il a prélevé le sang. Il devrait pouvoir le comparer avec le groupe sanguin de Lasse, et même avec l'ADN de ses fils, pour confirmer que c'est bien le sien.

— C'est déjà ça. Vous croyez qu'il est mort?

— Il y avait beaucoup de sang sur le ponton et sur la glace autour du trou, mais aucune trace qui s'en éloignait. Alors, si c'est celui de Lasse, la conclusion s'impose.

— Ça me chagrine.

Les yeux d'Annika se remplirent de larmes. Elle avait toujours été très émotive, et depuis qu'elle et son mari avaient adopté une petite fille chinoise, elle était encore plus sensible aux injustices de la vie.

— On n'avait pas imaginé que ça se terminerait si mal. On pensait plutôt le retrouver ivre mort dans un fossé.

— Quel triste destin. Je plains sa famille, dit Annika, et elle se tut un instant avant de se reprendre. Au fait, j'ai réussi à contacter tous les enquêteurs concernés, il y aura une réunion à Göteborg demain à dix heures. J'ai informé Patrik, et Mellberg bien entendu. Comment vous allez faire, Gösta et toi? Vous irez?

Le commissariat était bien chauffé et Martin commençait à transpirer. Il retira sa veste et, en passant les doigts dans ses cheveux roux, sa main devint humide.

— J'aurais bien aimé, et Gösta aussi, je pense. Mais on ne peut pas laisser le commissariat sans effectifs. Surtout pas maintenant, avec un meurtre à élucider.

— Ça me paraît sensé. Et à propos de sensé : Paula est revenue, elle est descendue aux archives. Tu pourrais aller vérifier que tout va bien, s'il te plaît?

— Bien sûr, j'y vais de ce pas, dit Martin, mais il passa d'abord par son bureau pour suspendre sa veste.

Dans la cave, la porte des archives était grande ouverte. Il frappa quand même un coup discret car, assise par terre, Paula semblait plongée dans le contenu des cartons.

— Tu n'as pas encore abandonné? dit-il en entrant.

Elle leva les yeux et rangea le dossier qu'elle venait d'examiner.

— Je ne vais probablement pas y arriver, mais ça me permet d'avoir un petit moment tranquille. Qui pourrait croire que c'est un tel boulot d'avoir un bébé? Ce n'était pas du tout comme ça avec Leo.

Elle voulut se lever et Martin lui tendit la main.

— Oui, j'ai cru comprendre que Lisa a son petit caractère. C'est Johanna qui la garde?

— Non, elle a emmené Leo faire de la luge, Lisa est restée à la maison avec sa grand-mère, dit Paula, puis elle respira profondément et s'étira le dos. Et vous, comment ça s'est passé? J'ai compris que vous avez trouvé la voiture de Lasse, et qu'il y avait du sang sur place.

Martin répéta ce qu'il venait de raconter à Annika, le sang, le trou dans la glace et la trempette involontaire de Mellberg.

— Sans blague! Comment peut-on être aussi balourd? rit Paula, puis elle ajouta aussitôt : Mais il n'a rien?

Martin eut chaud au cœur d'entendre que Paula s'inquiétait pour Mellberg. Il savait que Bertil adorait le fils de Paula et Johanna, et le bougre avait quelque chose qui forçait malgré tout l'affection, même s'il était extrêmement fatigant.

— Non, il va bien. Il est en train de dégeler chez Patrik.

— En tout cas, on ne s'ennuie jamais quand Bertil est dans les parages, répliqua-t-elle en s'étirant encore un peu. Ça fait super mal au dos de rester accroupi comme ça. J'ai besoin de faire une pause. Tu m'accompagnes pour un café?

Ils remontèrent l'escalier et se dirigèrent vers la cuisine lorsque Martin s'arrêta.

— Faut juste que je voie un truc vite fait dans mon bureau.

— Pas de problème, je te suis, dit Paula joyeusement.

Il commença à farfouiller dans ses papiers, et Paula fit mine d'examiner les livres dans sa bibliothèque, tout en essayant de voir ce qu'il faisait. Comme d'habitude, son bureau était un vaste foutoir.

— Le boulot te manque, hein?

— C'est le moins qu'on puisse dire, répondit-elle en inclinant la tête sur le côté pour lire les titres au dos des ouvrages.

Tu as lu tout ça? De la psychologie, de la criminalistique, dis donc, tu as même…

Elle s'interrompit au milieu de sa phrase et fixa la série de livres soigneusement rangés dans la bibliothèque de Martin.

— Quelle idiote! Ce n'est pas dans les archives que j'ai lu cette histoire de la langue. C'est là-dedans!

Elle montra les livres, et Martin se tourna d'un air étonné. Est-ce que ça pouvait réellement être aussi simple?

Gösta se gara dans la cour devant le centre équestre. Il était venu directement après sa visite à Terese. C'était toujours difficile de transmettre de mauvaises nouvelles. Dans le cas présent, il n'avait même pas pu annoncer un décès formel à la famille, seulement des signes probants qu'un malheur était arrivé et que selon toute vraisemblance Lasse n'était plus en vie. Terese ne serait pas fixée avant un bon moment.

Croiser Jonas l'avait surpris. Qu'est-ce qu'il faisait chez elle? Il avait eu l'air inquiet d'entendre que Gösta voulait lui parler. Tant mieux. S'il se sentait bousculé, il serait plus facile de le faire craquer. C'était en tout cas ce que l'expérience lui avait appris.

— Toc toc.

Il frappa à la porte de chez Jonas et Marta, en prononçant les mots à voix haute. Il espérait voir Jonas en tête à tête. Si Marta ou leur fille étaient présentes, il proposerait d'aller au cabinet vétérinaire.

Jonas vint ouvrir. Son visage semblait recouvert d'une pellicule grise que Gösta n'avait jamais remarquée auparavant.

— Vous êtes seul? Il y a une chose dont j'aimerais discuter avec vous.

Il y eut quelques secondes de silence pendant lesquelles Gösta resta à attendre sur le perron. Puis, résigné, Jonas fit un pas de côté, comme s'il savait déjà ce dont Gösta voulait parler. Il avait dû comprendre que ce n'était qu'une question de temps avant que l'information n'arrive aux oreilles de la police.

— Entrez, dit-il. Je suis seul.

Gösta regarda autour de lui. L'intérieur semblait meublé sans âme et sans soin, et n'avait rien de chaleureux. C'était la première fois qu'il entrait chez les Persson, et sans doute s'attendait-il à ce que les gens beaux habitent de belles maisons.

— C'est terrible, ce qui est arrivé à Lasse.

Jonas indiqua d'un geste un canapé dans le salon. Gösta s'y installa.

— Oui, ce n'est jamais évident d'avoir à annoncer ce genre de nouvelles. Qu'est-ce que vous faisiez chez Terese, d'ailleurs ?

— Il y a longtemps, nous étions ensemble. Depuis, on s'est un peu perdus de vue, mais quand j'ai appris pour Lasse, j'ai voulu passer voir si je pouvais l'aider. Sa fille fréquente le club d'équitation, elle a été très affectée par ce qui est arrivé à Victoria. Je voulais lui montrer que je me souciais d'elle et de ses enfants en ce moment difficile.

— Je vois.

Ce fut le seul commentaire de Gösta et il sentit que Jonas attendait impatiemment sa prochaine réplique.

— J'aimerais vous poser quelques questions au sujet de Victoria. Quelle était votre relation ? finit-il par demander.

— Eh bien… Il n'y a pas grand-chose à en dire. Elle faisait partie des élèves de Marta. Une de celles qui traînent tout le temps dans l'écurie.

Il balaya une poussière invisible sur son jean.

— D'après ce que j'ai compris, ce n'est pas toute la vérité, déclara Gösta, les yeux plantés sur Jonas.

— Comment ça ?

— Vous fumez ?

Jonas le dévisagea, le front plissé.

— Pourquoi vous me demandez ça ? Non, je ne fume pas.

— D'accord. Revenons à Victoria. J'ai entendu dire que vous auriez eu une… enfin, une relation plutôt intime.

— Qui vous a raconté ça ? Je lui adressais à peine la parole. J'échangeais quelques mots avec elle en passant dans l'écurie, comme avec tout le monde, mais c'est tout.

— Son frère Ricky soutient mordicus que vous aviez une aventure, vous et Victoria. Le jour où elle a disparu, il vous a entendus vous disputer au centre équestre. C'était à quel sujet ?

— Je ne me rappelle même pas qu'on ait parlé ce jour-là. En tout cas, ce n'était sûrement pas une dispute. Il m'arrive d'élever la voix si les filles se comportent mal dans l'écurie, c'est certain. Elles n'aiment pas trop être réprimandées, après tout ce sont des ados.

— Vous venez de dire que vous n'avez pratiquement aucun contact avec les filles au centre, constata Gösta calmement en s'enfonçant dans le canapé.

— Bien sûr que j'ai un contact avec elles. Je suis copropriétaire de l'école d'équitation, même si c'est Marta la gérante. Il m'arrive de donner un coup de main avec les chevaux, et si je vois quelque chose qui n'est pas fait dans les règles, je le dis.

Gösta réfléchit. Est-ce que Ricky avait pu exagérer ce qu'il avait vu ? Même s'il ne s'agissait pas d'une dispute, Jonas aurait dû se souvenir de l'incident.

— Dispute ou pas, d'après Ricky, il vous a traité de tous les noms. Il vous a vus, vous et Victoria, il vous a rejoints, vous a crié dessus et il a continué à vous injurier une fois que Victoria s'est sauvée. Vous ne vous souvenez vraiment pas de tout ça ?

— Non, il se trompe, c'est tout ce que je peux dire…

Gösta comprit que ça ne mènerait nulle part, et il décida d'aborder un autre sujet, même si la réponse de Jonas n'était pas convaincante. Pourquoi Ricky aurait-il menti sur une confrontation avec Jonas ?

— Victoria avait reçu des lettres de menace qui évoquaient la même chose : le fait qu'elle ait une liaison avec quelqu'un.

— Des lettres ? répéta Jonas, et les pensées semblèrent fuser dans sa tête.

— Oui, des lettres anonymes, envoyées à son domicile.

Jonas eut l'air sincèrement surpris. Mais ça ne signifiait rien en soi. Gösta s'était déjà laissé abuser par une mine sincère.

— Je n'en savais absolument rien. Et je n'ai pas eu de relation avec Victoria. Premièrement, je suis marié et heureux en ménage. Et deuxièmement, c'était pratiquement une enfant. Ricky se trompe.

— Alors je vous remercie de m'avoir consacré du temps, dit Gösta en se levant. Vous comprenez bien que nous sommes obligés de prendre ce genre d'information au sérieux, nous allons devoir l'examiner de plus près et vérifier ce que d'autres personnes auront à en dire.

— Mais vous ne pouvez pas aller demander des choses pareilles à droite et à gauche! s'exclama Jonas en se levant aussi. Vous savez comment les gens fonctionnent. Il suffira de leur poser la question pour qu'ils croient que c'est vrai. La rumeur commencerait à circuler, et les conséquences pour notre école seraient catastrophiques, vous vous en rendez bien compte? C'est une méprise, un mensonge! Bon sang, Victoria avait l'âge de ma fille! Pour qui vous me prenez?

Son visage habituellement si ouvert et avenant était déformé par la colère.

— Nous serons discrets, je vous le promets.

— Discrets? Mais c'est de la folie! s'écria Jonas en passant la main dans ses cheveux.

Gösta s'approcha du vestibule pour partir et se trouva face à face avec Marta sur le perron. La surprise le fit sursauter.

— Bonjour, dit-elle. Qu'est-ce que vous faites là?

— Euh… j'avais des trucs à voir avec Jonas.

— Gösta avait quelques questions complémentaires au sujet du cambriolage, lança Jonas depuis le salon.

— Voilà, c'est ça, confirma Gösta, j'avais oublié quelques détails l'autre jour.

— J'ai entendu pour Lasse, c'est affreux, dit Marta. Comment va Terese? D'après Jonas, elle paraissait assez sereine.

— Oui… fit Gösta qui ne savait pas trop quoi répondre.

— Qu'est-ce qu'il s'est passé? Jonas m'a dit que vous avez retrouvé sa voiture?

— Je suis désolé, je ne peux pas parler d'une enquête en cours, répondit Gösta, et il quitta le perron en la bousculant un peu. Il faut que je retourne au commissariat maintenant.

Il serra la rampe en descendant les marches. À son âge, s'il glissait, il n'était pas sûr de pouvoir se relever.

— Faites-nous savoir si on peut vous être utiles! lança Marta derrière lui quand il se dirigea vers sa voiture.

Il lui répondit en agitant le bras. Avant de s'installer au volant, il observa la maison, où les silhouettes de Marta et Jonas se dessinaient derrière la fenêtre du salon. Au fond, il était persuadé que Jonas mentait à propos de la dispute, et peut-être même de la liaison. Ses mots sonnaient faux. Mais ce ne serait pas évident à prouver.

UDDEVALLA, 1973

Vladek devenait de plus en plus inquiétant. Son atelier avait fait faillite et il tournait en rond à la maison comme une bête en cage. Il évoquait très souvent sa vie antérieure, le cirque, les siens. Il pouvait en parler pendant des heures, et toute la famille l'écoutait.

Parfois Laila fermait les yeux et essayait de se représenter ce qu'il racontait. Les bruits, les odeurs, les couleurs, toutes les personnes qu'il décrivait avec amour et nostalgie. C'était douloureux de l'entendre formuler son manque, elle entendait le désespoir percer derrière les mots.

En même temps, ces instants lui offraient un répit momentané. Pour une raison ou une autre, tout se calmait et le chaos cessait quand ils écoutaient Vladek. Comme en transe, ils se laissaient ensorceler par sa voix et ses anecdotes.

Ce qu'il décrivait paraissait tout droit sorti d'un conte. Il parlait de gens qui marchaient sur un fil très haut au-dessus du sol, de princesses de cirque qui savaient faire le poirier sur le dos des chevaux, de clowns qui faisaient rire tout le monde quand ils s'aspergeaient d'eau, de zèbres et d'éléphants qui exécutaient des tours à vous couper le souffle.

Mais il parlait surtout des lions. Des lions dangereux, puissants, qui obéissaient au moindre de ses gestes, qu'il avait entraînés depuis qu'ils étaient petits, qui faisaient tout ce qu'il leur demandait tandis que le public retenait sa respiration, craignant que les fauves ne se jettent sur lui pour le déchiqueter.

Des heures durant, il décrivait les gens et les animaux du cirque, la passion et la magie transmises de génération en génération. Mais dès qu'il cessait de parler, Laila se retrouvait plongée dans la réalité qu'elle avait tant voulu oublier.

Le plus difficile à supporter, c'était l'imprévisibilité. Comme si un lion affamé allait et venait dans l'attente de sa prochaine proie. Les attaques et les agressions survenaient toujours de façon inopinée, là où elle ne les attendait pas. Et la fatigue l'empêchait d'être constamment sur ses gardes.

— Eh ben, il s'en passe de drôles chez vous !

Anna rit en entendant le récit des aventures de Mellberg, qui avait suffisamment dégelé pour retourner au commissariat avec Patrik. D'un œil curieux, elle examina Gunnar qu'Erica lui avait décrit au téléphone avec minutie. Il lui avait immédiatement plu quand il leur avait ouvert la porte, parce qu'il avait salué les enfants en premier. Rayonnant de bonheur, Adrian était maintenant en train de l'aider à planter un clou dans la cuisine pour accrocher un tableau.

— Et l'enquête ? Ils s'en sortent ? demanda-t-elle sur un ton plus sérieux. C'est vraiment horrible, la disparition de Lasse. Ils savent ce qui a pu lui arriver ?

— Ils viennent juste de le retrouver. Enfin, pas lui, mais sa voiture et ce qui ressemble fort à une scène de crime. Ils font intervenir des plongeurs, mais est-ce qu'ils vont retrouver le corps ? Il a très bien pu être emporté par les courants.

— J'ai croisé Tyra à l'écurie quand j'ai déposé les filles. Elle est mimi comme tout. Terese aussi a l'air sympa, mais je ne la connais pas vraiment. Je les plains…

Anna jeta un regard sur les *kanelbullar* que Kristina avait posés sur la table, mais elle ne se sentait pas d'appétit, même pour une petite sucrerie.

— Tu te nourris comme il faut ? demanda Erica avec un regard sévère.

Pendant toute leur enfance, elle avait été davantage une mère qu'une grande sœur pour Anna, et elle avait toujours du mal à sortir de son rôle. Anna avait cessé de lui tenir tête. Sans la sollicitude d'Erica, elle n'aurait jamais eu la force d'affronter toutes les épreuves de sa vie. Sa sœur adorée avait été là pour elle, contre vents et marées, et ces derniers temps il n'y avait que sous le toit d'Erica qu'Anna oubliait la culpabilité et retrouvait un peu de joie.

— Oui, ça va, j'ai juste eu pas mal de nausées ces temps-ci. Je sais que c'est psychosomatique, mais ça ne me rend pas l'appétit pour autant.

Kristina, qui s'affairait devant l'évier bien qu'Erica lui ait répété de venir s'asseoir, se retourna pour observer Anna.

— Erica a raison. Tu es pâlotte. Il faut que tu manges, que tu prennes soin de toi. Dans les moments de crise, c'est très important de bien s'alimenter et d'avoir un bon sommeil. Tu prends quelque chose pour dormir ? Je peux te donner des pilules, tu sais. Quand on ne dort pas, on n'arrive à rien, c'est sûr.

— Merci, c'est gentil, mais je n'ai aucun problème de sommeil.

C'était un mensonge. Elle passait la plupart de ses nuits à se tourner et se retourner dans le lit, à fixer le plafond et à essayer de repousser les mauvais souvenirs. Elle ne tenait pas, cependant, à plonger dans la spirale des psychotropes en essayant de calmer chimiquement l'angoisse dont elle était la seule responsable. Il y avait peut-être là un goût pour le martyre, un désir d'expier ses péchés.

— Je ne suis pas sûre de te croire, mais je n'insiste pas… dit Erica.

Anna savait pourtant que sa sœur ne pourrait pas faire autrement, et elle prit un roulé à la cannelle pour l'amadouer. Erica l'imita.

— Vas-y, fais-toi plaisir, on a besoin d'une couche de graisse supplémentaire en hiver.

— Dis donc, toi ! dit Erica, et elle feignit de vouloir lui lancer son petit pain à la tête.

— Ah, vous faites bien la paire, toutes les deux…

Kristina soupira et entreprit de nettoyer le réfrigérateur. La première réaction d'Erica fut de l'en empêcher, puis elle comprit que c'était un combat perdu d'avance.

— Comment avance ton livre ? demanda Anna en mastiquant une bouchée de viennoiserie qu'elle n'arrivait pas à avaler.

— Je ne sais pas. Il y a tant de choses bizarres que j'ignore par quel bout commencer.

— Raconte!

Anna but une gorgée de café pour faire passer la boule pâteuse qui s'était formée dans sa bouche. Elle ouvrit de grands yeux en écoutant Erica raconter les événements des derniers jours.

— C'est étrange, mais j'ai l'impression que l'histoire de Laila est liée aux filles disparues. Sinon, pourquoi aurait-elle conservé toutes ces coupures de presse? Et pourquoi a-t-elle finalement accepté de me rencontrer le jour où les journaux ont parlé pour la première fois de la disparition de Victoria?

— C'est peut-être un simple hasard? avança Anna, mais la mine de sa sœur annonçait sa réponse.

— Non, il y a un lien, j'en suis sûre. Laila sait quelque chose qu'elle ne veut pas raconter. Ou plutôt, elle veut le raconter, mais est incapable de le faire. C'est probablement pour ça qu'elle a consenti à un entretien avec moi, pour avoir quelqu'un à qui se confier. Mais je n'ai pas encore réussi à la mettre en confiance.

Frustrée, Erica passa la main dans ses cheveux.

— Beurk, c'est un vrai miracle si certains trucs là-dedans ne sont pas déjà partis par leurs propres moyens, s'exclama Kristina, la tête à moitié enfoncée dans le réfrigérateur.

Erica jeta un regard à Anna qui exprimait clairement qu'elle n'avait pas l'intention de se laisser provoquer et qu'elle comptait ignorer l'entreprise de sauvetage.

— Il faut peut-être d'abord que tu en apprennes un peu plus, suggéra Anna.

Elle avait abandonné ses tentatives d'ingurgiter son *kanelbulle* et se contentait de siroter son café.

— Je sais, mais tant que Laila se tait, c'est quasi impossible. Tous les protagonistes ont disparu. Louise est morte, la mère de Laila est morte, Peter s'est volatilisé, probablement mort, lui aussi. La sœur de Laila semble ne rien savoir. Il ne reste plus personne à qui poser des questions, vu que tout s'est déroulé entre les quatre murs de leur maison.

— Louise est morte comment?

— Noyée. Elle était allée se baigner avec une autre fille qui vivait dans la même famille d'accueil, et elles ne sont jamais rentrées, ni l'une ni l'autre. Leurs vêtements étaient posés sur un rocher, mais leurs corps n'ont jamais été retrouvés.

— Tu as parlé avec la famille d'accueil? demanda Kristina derrière la porte du réfrigérateur, et Erica tressaillit.

— Non, ça ne m'est pas venu à l'esprit. Il n'y avait aucune connexion entre eux et ce qui se passait dans la famille Kowalski.

— Mais Louise a pu se confier à eux, ou à un des enfants accueillis comme elle.

— Oui…

Elle se sentit un peu stupide de ne pas y avoir pensé elle-même. Qu'une idée aussi évidente lui soit suggérée par sa belle-mère.

— Bien vu, Kristina, dit Anna rapidement. Ils habitent où?

— Pas loin, à Hamburgsund, je pourrais effectivement y faire un saut.

— On peut rester avec les enfants. Vas-y tout de suite, l'encouragea Kristina.

— Moi aussi, je reste encore un peu, déclara Anna. Les cousins adorent être ensemble, et je n'ai rien d'urgent qui m'attend à la maison.

— Vous êtes sûres? demanda Erica qui s'était déjà levée. Il faut peut-être que je les appelle d'abord pour vérifier qu'ils puissent me recevoir.

— Pars! trancha Anna en agitant la main. Avec tout ce bazar à ranger chez vous, je ne serai pas désœuvrée.

Elle fut récompensée par un doigt d'honneur.

Patrik avait rassemblé tout le monde dans la cuisine. Les éléments dont ils disposaient étaient beaucoup trop épars et il avait besoin de structurer ce qui devait être fait. Il tenait à arriver bien préparé à la réunion à Göteborg. Pendant son absence, l'enquête sur la mort présumée de Lasse se poursuivrait. Il était stressé, et dut se forcer à décontracter les épaules et respirer à fond. Il avait eu une grosse frayeur deux ans auparavant quand son corps s'était rebellé et qu'il s'était effondré.

Comme une sorte de signal d'alerte. Ses forces n'étaient pas inépuisables, même s'il adorait son métier.

— Nous faisons maintenant face à deux enquêtes. Je vais commencer par Lasse, dit-il, et il écrivit LASSE sur le tableau blanc et souligna le prénom.

— J'ai discuté avec Torbjörn, il fait au mieux, dit Martin.

— On attend de voir ce qu'il pourra en tirer…

Patrik eut du mal à garder son calme en se rappelant que son chef avait saccagé la scène du crime. Heureusement, il était rentré chez lui se mettre au lit et ne pourrait plus saboter l'enquête aujourd'hui.

— Nous avons l'autorisation de Terese pour un prélèvement sanguin sur leur fils aîné. Dès que ce sera fait, on pourra le comparer avec le sang du ponton, ajouta Martin.

— Bien. Nous ne sommes donc pas encore certains que ce soit le sang de Lasse. Je propose néanmoins que jusqu'à nouvel ordre nous partions de l'hypothèse qu'il a été tué là-bas.

— Tout à fait d'accord, dit Gösta.

Du regard, Patrik consulta les autres, qui hochèrent la tête.

— J'ai aussi demandé à Torbjörn d'examiner la voiture de Lasse, signala Martin. Au cas où il serait arrivé accompagné du meurtrier. Les techniciens ont également relevé des empreintes de pneus sur le parking. Ça pourra servir de comparaison pour prouver la présence d'un autre individu.

— Bien vu, approuva Patrik. Nous n'avons pas encore reçu l'historique des appels de son portable ; en revanche on a eu plus de chance avec la banque. N'est-ce pas, Gösta ?

— Oui, fit Gösta en se raclant la gorge. Avec Annika, on a examiné les relevés bancaires de Lasse. Il a fait des versements réguliers de cinq mille couronnes sur son compte. Et Terese m'a confié que sa fille a découvert une cachette où Lasse avait dissimulé cinq mille couronnes en espèces justement, à différentes occasions. Il devait les conserver là en attendant de les déposer à la banque.

— Terese n'a aucune idée de la provenance de l'argent ? demanda Martin.

— Non. Et, pour autant que j'ai pu en juger, elle dit la vérité.

— Elle avait l'impression depuis un moment qu'il lui cachait quelque chose, ça devait être cet argent, constata Patrik. Il faut qu'on trouve son origine, et ce à quoi il était destiné.

— Un chiffre aussi rond fait penser à du chantage, non? lança Paula.

Annika lui avait proposé de venir s'asseoir avec eux autour de la table, mais elle avait préféré rester près de la porte pour pouvoir répondre au téléphone si jamais Rita l'appelait à propos de Lisa.

— Qu'est-ce qui te fait dire ça? demanda Gösta.

— Eh bien, si c'était de l'argent gagné au jeu par exemple, le montant aurait varié d'une fois à l'autre. Pareil s'il avait travaillé au noir. Il aurait été payé à l'heure et le boulot n'aurait pas généré systématiquement le même montant. S'il faisait chanter quelqu'un, en revanche, il est logique qu'on lui ait donné chaque fois la même somme.

— Je crois que Paula a raison, dit Gösta. Peut-être que Lasse faisait chanter quelqu'un qui en a eu marre.

— Alors il faut trouver le motif de ce chantage. *A priori*, la famille n'est au courant de rien. On va être obligés d'agrandir le champ de recherche et d'interroger les amis de Lasse, voir s'ils ont eu vent de quelque chose, proposa Patrik, et après avoir réfléchi un instant, il ajouta : Il faudra interroger les gens qui habitent le long de la route de Sälvik, mes voisins donc. Ils ont peut-être remarqué une voiture qui se dirigeait vers la plage. La circulation est rare à cette période de l'année, et il y a un paquet de commères qui guettent derrière leurs rideaux.

Il nota les missions sur le tableau. Elles seraient attribuées aux uns et aux autres, mais pour le moment il voulait juste marquer noir sur blanc ce qui devait être fait.

— Très bien, passons à Victoria. Demain, il y aura une grande réunion à Göteborg avec tous les districts concernés par les disparitions. Merci Annika de l'avoir organisée, tu as fait du bon boulot.

— Il n'y a pas de quoi. Ce n'était pas très difficile. Tout le monde s'est montré très positif, ils se demandaient pourquoi personne n'y avait pensé plus tôt.

— Mieux vaut tard que jamais. Quoi de neuf depuis le dernier débriefing?

— Eh bien, dit Gösta, l'information la plus intéressante est sans doute celle émanant du frère de Victoria. D'après lui, elle avait une aventure avec Jonas Persson.

— Quelqu'un d'autre que Ricky a confirmé ? demanda Martin. Comment a réagi Jonas ?

— Personne ne l'a confirmé, et Jonas nie les faits, mais je ne pense pas qu'il dise la vérité. Je vais parler un peu avec les filles de l'écurie. C'est difficile de garder secret ce genre d'histoires.

— Tu as vu sa femme aussi ? demanda Patrik.

— Je préfère éviter d'interroger Marta avant d'en savoir plus. Ça pourrait avoir un effet délétère, et si en fin de compte l'information se révèle fausse…

— Je suis d'accord. Mais tôt ou tard, nous serons obligés de la questionner, elle aussi.

Paula s'éclaircit la gorge.

— Excusez-moi, mais je ne comprends pas vraiment l'intérêt que ça a pour notre enquête. Nous cherchons quelqu'un qui a enlevé des filles dans d'autres régions aussi, pas seulement chez nous.

— Si Jonas n'avait pas eu d'alibi pour la disparition de Victoria, ça aurait pu être lui tout aussi bien qu'un autre, objecta Patrik. Cela dit, on finira peut-être par découvrir que ce n'était pas avec Jonas qu'elle avait une aventure, mais avec un autre homme, qui l'a enlevée. Ce qu'il nous faut comprendre, c'est comment Victoria est entrée en contact avec son ravisseur, le point dans sa vie qui la rendait vulnérable. Ça peut être n'importe quoi. Nous savons que quelqu'un surveillait sa maison. Si c'était le ravisseur, ça veut dire qu'il a pu la surveiller pendant un certain temps, et qu'il a pu procéder de même avec les autres filles. Certains détails de la vie privée de Victoria peuvent aussi être entrés en ligne de compte dans le choix du ravisseur.

— Elle avait reçu des lettres, des messages pas très sympas, précisa Gösta en se tournant vers Paula. Ricky les avait trouvées, mais il les a jetées, malheureusement. Il avait peur que leurs parents les découvrent.

— Je comprends. C'est plausible.

— Et le mégot, vous avez eu des résultats ? demanda Martin.

— Pas encore, répondit Patrik. Et pour être exploitable, il nous faut un suspect avec qui comparer l'ADN. Quoi d'autre ?

Il regarda ses collègues autour de la table. Il avait l'impression que les points d'interrogation se multipliaient.

Son regard s'arrêta sur Paula. Il se souvint tout à coup qu'elle et Martin voulaient aborder un sujet pendant la réunion. Martin semblait brûler d'impatience, et d'un hochement de tête, Patrik lui donna le feu vert.

— Voilà, commença Martin. Ça fait un moment que Paula rumine les mutilations de Victoria, en particulier la langue coupée, qui lui rappelait quelque chose.

— D'où toutes les heures que tu as passées aux archives, dit Patrik, et il sentit sa curiosité s'éveiller en voyant les joues de Paula rougir.

— Oui, mais je ne cherchais pas au bon endroit. J'étais sûre d'avoir déjà vu ça, mais en fin de compte ça n'avait rien à voir avec les archives.

Elle alla se placer à côté de Patrik, afin qu'ils ne soient pas tous obligés de se retourner pour l'écouter.

— Tu pensais l'avoir vu dans une ancienne enquête, fit remarquer Patrik qui aurait aimé qu'elle aille droit au fait.

— Exactement. Et dans le bureau de Martin, pendant que je regardais ses livres, ça m'est revenu à l'esprit. C'est un cas que j'ai étudié dans la *Chronique annuelle judiciaire*.

Patrik sentit son pouls s'accélérer.

— Continue.

— Il y a vingt-sept ans, un samedi soir au mois de mai, la jeune Ingela Eriksson, récemment mariée, a disparu de son domicile à Hultsfred. Elle n'avait que dix-neuf ans, et son mari a immédiatement été soupçonné puisqu'il s'était déjà rendu coupable de maltraitance sur des ex-copines et sur Ingela elle-même. Il y a eu une énorme mobilisation policière, et les médias ont fait leurs choux gras de sa disparition parce qu'elle coïncidait avec une période où les tabloïdes s'intéressaient aux femmes victimes de violence conjugale. Quand Ingela a été retrouvée morte dans un bois derrière leur maison, ça a été le début de la fin pour son mari. Sa mort remontait à un certain temps, mais le corps était suffisamment conservé pour que la police puisse constater qu'elle avait subi les pires tortures. Le mari a été condamné pour meurtre, mais il a toujours clamé son innocence, jusqu'à ce qu'il décède en prison cinq ans plus tard. Il a été tué par un autre prisonnier pour une histoire de dettes de jeu.

— Et le lien, c'est quoi ? demanda Patrik, devinant déjà ce qu'il allait entendre.

Paula ouvrit le livre qu'elle tenait dans sa main et indiqua le passage où les blessures d'Ingela étaient décrites. Patrik baissa les yeux et lut. C'était au détail près les mêmes mutilations que celles infligées à Victoria.

— Quoi, quoi ? s'exclama Gösta, et il lui prit l'ouvrage des mains et lut rapidement le passage concerné. Oh putain de Dieu !

— Oui, on peut le dire. Il est donc probable que nous ayons affaire à un criminel qui sévit depuis très longtemps, constata Patrik.

— À moins que ce ne soit un *copycat*, ajouta Martin.

Subitement, on aurait pu entendre une mouche voler.

Helga jeta un regard oblique sur Jonas. Tous deux étaient installés dans la cuisine. À l'étage, ils entendirent Einar grogner et bouger dans son lit.

— La police, qu'est-ce qu'elle voulait ?

— C'était juste Gösta qui avait un truc à demander, répondit Jonas en passant la main sur son visage.

Elle sentit son ventre se nouer. Le sombre nuage d'inquiétude n'avait fait que grandir ces derniers mois, et l'angoisse manquait de l'étouffer à présent.

— Quel truc ? insista-t-elle.

— Rien. C'était à propos du cambriolage.

Elle se sentit blessée par son ton tranchant. Il n'avait pas pour habitude de la rembarrer ainsi. Par un accord tacite ils avaient décidé de ne pas évoquer certaines choses, mais il ne lui avait jamais parlé sur ce ton auparavant. Elle baissa les yeux sur ses mains. Ridées et gercées, avec des taches de vieillesse sur le dos. Les mains d'une vieille femme, les mains de sa propre mère. Quand s'étaient-elles transformées à ce point ? Elle n'y avait jamais songé jusqu'alors, assise là dans sa cuisine pendant que le monde qu'elle avait si soigneusement élaboré s'effritait lentement. Elle ne pouvait pas laisser cela arriver.

— Comment va Molly?

Elle avait du mal à dissimuler sa désapprobation. Jonas n'admettait pas la moindre critique envers sa fille, mais parfois Helga avait envie de secouer l'adolescente pourrie gâtée, de lui faire comprendre qu'elle avait de la chance, qu'elle était privilégiée.

— Ça va, elle s'est calmée, répondit Jonas, et son visage s'éclaira.

Elle sentit un coup au cœur. Elle savait qu'elle n'avait pas le droit d'être jalouse de Molly, mais elle aurait voulu voir le même amour dans les yeux de Jonas quand il la regardait, elle.

— Il y a un autre concours samedi prochain, on ira, ajouta-t-il en évitant de croiser son regard.

— Tu crois que c'est une bonne idée?

Il y avait de la supplication dans la voix de Helga.

— Nous sommes d'accord, Marta et moi.

— Marta par-ci, Marta par-là! J'aurais préféré que vous ne vous soyez jamais rencontrés! Tu aurais dû rester avec Terese. C'était une gentille fille. Tout aurait été différent!

Jonas la fixa, il sembla ne pas en croire ses oreilles. Jamais elle n'avait élevé la voix contre lui, en tout cas pas depuis qu'il était adulte. Elle savait qu'elle aurait mieux fait de se taire et de continuer à vivre comme elle l'avait fait pendant toutes ces années pour tenir le coup, mais on aurait dit qu'une force inconnue s'emparait d'elle.

— Elle a gâché ta vie! Elle s'est introduite dans notre famille, elle s'est nourrie de toi, de nous, comme un parasite, elle a…

Paf! La gifle lui cloua le bec. Stupéfaite, elle toucha sa joue. Ça brûlait, et ses yeux se remplirent de larmes. Pas seulement à cause de la douleur. Elle savait qu'elle avait dépassé les bornes, et qu'il n'y avait pas de retour possible.

Sans un regard, Jonas quitta la cuisine, et quand elle entendit la porte d'entrée claquer, elle comprit qu'elle ne pouvait plus se permettre de rester un témoin muet. Ce temps-là était révolu.

— Allez les filles, on se reprend !

L'irritation dans sa voix se propagea à travers le manège. Les jeunes cavalières étaient tendues à l'extrême, et Marta voulait qu'il en soit ainsi. Sans une certaine dose de crainte, elles n'apprenaient rien.

— Qu'est-ce que tu fabriques, Tindra ?

Elle darda ses yeux sur la cavalière blonde qui luttait pour franchir un obstacle.

— Fanta refuse. Elle n'arrête pas de prendre le mors aux dents.

— C'est toi qui décides, pas le cheval. Ne l'oublie pas.

Marta se demanda combien de fois elle avait répété cette phrase. Son regard se déplaça sur Molly, qui avait Scirocco sous contrôle. C'était bon signe pour le concours. Elles étaient bien préparées, après tout.

Fanta refusa l'obstacle pour la troisième fois, et la patience de Marta atteignit ses limites.

— Je ne comprends pas ce que vous avez aujourd'hui. Soit vous vous concentrez, soit on arrête le cours.

Elle eut la satisfaction de voir les filles pâlir. Elles ralentirent toutes, bifurquèrent vers le centre et stoppèrent les chevaux devant Marta. L'une d'elles s'éclaircit la gorge.

— On est vraiment désolées. Mais on a appris pour le père de Tyra… enfin son beau-père.

C'était donc ça, l'explication. Elle aurait dû y penser, mais dès qu'elle arrivait dans l'écurie, le monde extérieur cessait d'exister. Comme si toutes les pensées, tous les souvenirs étaient chassés. Il ne restait que l'odeur des chevaux, le bruit des chevaux, le respect qu'ils lui témoignaient, infiniment plus grand que celui des humains à son égard. Celui des filles ici présentes en particulier.

— Ce qui est arrivé est dramatique et je comprends tout à fait que vous ayez de la peine pour Tyra. Mais une fois dans le manège, si vous n'arrivez pas à chasser cet événement de vos pensées, si vous vous laissez influencer par autre chose que la reprise, autant descendre tout de suite de cheval et partir.

— Moi, je n'ai aucun problème pour me concentrer. Tu nous as vus sauter les barres ? lança Molly.

Toutes les filles levèrent les yeux au ciel. Molly manquait singulièrement de discernement quand il s'agissait de choisir ce qu'on peut dire et ce qu'on se contente de penser. Marta, à l'inverse, avait toujours maîtrisé cet art à la perfection. Rien n'effaçait les mots prononcés, rien ne réparait une mauvaise impression. Elle ne comprenait pas comment sa fille pouvait être aussi irréfléchie.

— Tu veux une médaille ? la rabroua-t-elle.

Molly se dégonfla, et Marta remarqua la joie mal dissimulée de ses camarades. C'était exactement l'effet qu'elle avait recherché. Molly ne deviendrait jamais une vraie gagnante si elle n'avait pas en elle une soif de revanche. C'est ce que Jonas ne comprenait pas. Il la caressait dans le sens du poil, il la gâtait et détruisait ainsi ses chances d'apprendre à vaincre l'adversité.

— Tu vas changer de cheval avec Tindra, Molly. On verra si ça se passe toujours aussi bien, ou si c'est le cheval qu'il faut féliciter.

Molly fit mine de protester, mais se retint. Le cuisant souvenir du concours annulé était encore bien présent dans son esprit, et elle ne voulait pas se priver de l'occasion de participer au prochain. Pour l'instant, ses parents avaient le pouvoir de décider, et ça, elle en était pleinement consciente.

— Marta ?

Elle se retourna en entendant la voix de Jonas dans les gradins. Il lui fit signe de s'approcher et son expression signalait une certaine urgence.

— Continuez, je reviens, lança-t-elle aux filles, et elle grimpa les marches pour le rejoindre.

— Il faut qu'on parle d'un truc, dit-il en se frottant la main.

— Je suis en plein cours là. Ça ne peut pas attendre ? demanda-t-elle, alors qu'elle connaissait déjà la réponse.

— Non, répondit-il effectivement. Il faut qu'on en parle tout de suite.

Ils quittèrent le manège, accompagnés par le bruit des chevaux.

À Hamburgsund, Erica se gara devant le café. La route pour venir de Fjällbacka était belle, et se retrouver seule dans la voiture le temps du trajet lui avait fait du bien. Quand elle avait appelé les Wallander pour leur exposer sa requête, ils s'étaient concertés en murmurant tandis qu'Erica patientait. Finalement, après un court moment d'hésitation, ils avaient accepté de la rencontrer, mais dans un café du centre-ville plutôt que chez eux.

Elle les aperçut dès son entrée dans l'établissement et alla droit sur eux. Un peu mal à l'aise, ils se levèrent pour la saluer. Tony, le mari, était un homme à la carrure imposante, avec de gros tatouages sur les avant-bras. Il portait une chemise de bûcheron et un bleu de travail. Sa femme, Berit, était plus menue, mais son corps mince paraissait fort et musclé, et son visage était hâlé.

— Oh, vous avez déjà pris vos cafés! J'avais l'intention de vous inviter, s'exclama Erica avec un hochement de tête vers leurs tasses et leurs tartelettes amandines déjà entamées.

— On était un peu en avance, expliqua Tony. De toute façon, ce n'est pas à vous de payer.

— Allez donc vous commander la même chose, je suis sûre que vous en avez envie, dit Berit gentiment.

Erica les trouva tout de suite très sympathiques. D'honnêtes gens, pensa-t-elle spontanément. Elle alla au comptoir commander un café et une viennoiserie danoise, puis retourna s'asseoir avec le couple Wallander.

— Au fait, pourquoi avez-vous préféré qu'on se voie ici? J'aurais très bien pu me rendre chez vous, comme ça vous n'auriez pas eu à vous déplacer, dit-elle, et elle croqua un bout de sa viennoiserie délicieusement tiède.

— Eh bien, le moment était mal choisi, je pense, répondit Berit en fixant la nappe. C'est un vrai capharnaüm à la maison. On ne pouvait tout de même pas y recevoir quelqu'un comme vous.

— Vous me connaissez mal, ça ne m'aurait absolument pas dérangée.

Ce fut au tour d'Erica de se sentir gênée. Elle détestait être traitée différemment, comme si elle était exceptionnelle, simplement parce que de temps en temps on la voyait à la télé ou dans les journaux.

— Qu'est-ce que vous vouliez savoir au sujet de Louise? demanda Tony, tirant ainsi Erica d'embarras.

Elle lui sourit avec reconnaissance et but une gorgée de café avant de répondre. Il était délicieux, fort et brûlant.

— D'abord je voudrais savoir comment vous en êtes venus à accueillir Louise, alors que son frère a été recueilli par sa grand-mère.

Berit et Tony se consultèrent du regard comme pour déterminer qui allait répondre. Ce fut Berit :

— On n'a jamais vraiment compris pourquoi la grand-mère ne pouvait pas prendre les deux enfants. Peut-être était-ce au-dessus de ses forces, tout simplement. Et puis Louise était encore plus mal en point que son frère. Quoi qu'il en soit, la commune nous a alertés sur une fillette de sept ans qui avait besoin d'une famille d'accueil de toute urgence, en nous précisant qu'elle avait vécu des événements traumatisants. On nous l'a amenée directement de l'hôpital, et plus tard, l'assistante sociale nous a donné des détails sur le contexte.

— Elle était comment quand elle est arrivée chez vous ?

Tony croisa les mains sur la table et se pencha en avant. Il fixa son regard sur un point derrière Erica et parut remonter le temps jusqu'à l'année où ils avaient accueilli Louise.

— Elle était maigre comme un clou et son corps était constellé de bleus et de plaies. Mais, à l'hôpital, ils l'avaient débarbouillée et lui avaient coupé les cheveux, elle n'avait pas l'air aussi sauvage que sur les photos prises quand ils l'ont trouvée.

— Elle était mignonne, très mignonne, dit Berit.

— Oui, c'est vrai. Elle avait quand même bien besoin de se remplumer, physiquement et mentalement.

— Elle se comportait comment ?

— Elle était taciturne. Pendant plusieurs mois, elle n'a presque pas dit un mot, malgré tous nos efforts. Elle se contentait de nous observer.

— Elle ne parlait pas du tout ?

Erica se demanda si elle devait prendre des notes ou pas, avant de décider de simplement écouter en ouvrant l'oreille et de tout écrire de mémoire plus tard. Il lui arrivait de louper des nuances dans les propos des gens quand elle essayait de noter simultanément.

— Si, elle disait quelques mots. Merci, soif, fatiguée. Ce genre de choses.

— Mais elle parlait avec Tess, ajouta Berit.

— Tess? C'est l'autre fille qui vivait avec vous?

— Oui, Tess et Louise sont tout de suite devenues amies, expliqua Tony. Le soir, on les entendait papoter de l'autre côté de la cloison. Alors je suppose que c'était juste qu'elle ne voulait pas nous parler, à nous. Elle ne faisait jamais rien dont elle n'avait pas envie.

— Qu'est-ce que vous entendez par là? Elle était turbulente?

— Je ne dirais pas ça. Au contraire, elle avait un côté très, disons, paisible, précisa Tony en grattant son crâne chauve. À vrai dire, je ne sais pas trop comment la décrire, ajouta-t-il avec un regard perplexe à Berit.

— Elle ne protestait jamais. Si on lui demandait de faire quelque chose qu'elle ne voulait pas faire, elle s'en allait, tout simplement. On avait beau la gronder, ça ne l'atteignait pas. D'un autre côté, c'est difficile d'être sévère avec un enfant qui a traversé ce que Louise avait traversé.

— Oui, on en était tout retournés, dit Tony, et ses yeux s'assombrirent. Tout de même, traiter une enfant de cette manière, c'est infâme.

— Elle est devenue plus bavarde avec le temps? Je veux dire, au point de parler de ses parents ou de ce qui était arrivé?

— Oui, elle s'est mise à parler progressivement, répondit Berit. Mais bavarde, non, elle ne l'est jamais devenue. Elle parlait peu d'elle-même. Elle répondait aux questions, mais elle évitait de nous regarder dans les yeux, et elle ne se confiait jamais à nous. Peut-être qu'elle racontait à Tess des choses qu'elle avait vécues. Ça ne m'étonnerait pas. On aurait dit qu'elles vivaient dans leur propre univers, ces deux-là.

— C'était quoi, l'histoire de Tess? Pourquoi vous a-t-elle été confiée? demanda Erica en engloutissant la dernière bouchée de sa viennoiserie.

— Elle était orpheline après une enfance désastreuse, dit Tony. Le père était inexistant, et la mère, toxicomane, est morte d'une overdose. Tess est arrivée chez nous avant Louise. Elles avaient le même âge, on les aurait prises pour des sœurs. On était contents qu'elles soient deux, c'était mieux pour elles. Et puis elles nous aidaient beaucoup avec les bêtes et tout le reste. On avait eu quelques mauvaises années avec des vaches malades, et beaucoup de revers à la ferme. Quatre mains supplémentaires et consentantes, ça vaut de l'or, et Berit et moi, on considère que le travail est un bon moyen de guérir l'âme.

Il prit la main de sa femme et la serra. Ils échangèrent un rapide sourire, et Erica eut chaud au cœur au spectacle d'un amour qui avait survécu aux années de labeur et de routine. C'est ce qu'elle voulait vivre avec Patrik, et elle était sûre d'y arriver aussi.

— Elles jouaient beaucoup ensemble, ajouta Berit.

— Oui, je me rappelle, le chapiteau… dit Tony, et le souvenir fit scintiller ses yeux. Jouer au cirque, c'était leur truc préféré. Le père de Louise avait été artiste de cirque, ça a sûrement contribué à enflammer l'imagination des filles. Elles s'étaient fabriqué une sorte de piste dans la grange où elles pratiquaient toutes sortes de tours. Un jour je les ai trouvées en train d'installer une corde entre les poutres, ces têtes de linotte avaient l'intention de se lancer dans le funambulisme. Certes avec de la paille en dessous, mais elles auraient pu se faire très mal, et on a mis le holà. Tu t'en souviens, quand elles voulaient devenir "danseuses de corde"?

— Oui, elles inventaient de ces choses! Elles adoraient les animaux. Je me rappelle, quand une de nos vaches a été malade, elles sont restées à la veiller toute la nuit jusqu'au petit matin, jusqu'à ce qu'elle meure.

— Elles ne vous causaient donc jamais de problèmes?

— Non, pas elles. On avait d'autres enfants qui arrivaient et repartaient, et qui nous causaient bien plus de soucis. Tess et Louise se géraient toutes seules en quelque sorte. Parfois j'avais l'impression qu'elles se coupaient de la réalité, et qu'on n'arrivait jamais vraiment à les atteindre. Mais elles avaient l'air en forme et elles étaient en sécurité. Elles dormaient toujours ensemble. Quand je me glissais dans leur chambre le soir pour vérifier que tout allait bien, je les trouvais enlacées, visage contre visage, sourit Berit.

— La grand-mère de Louise, est-ce qu'elle lui rendait visite?

— Une seule fois. Je pense que Louise devait avoir dans les dix ans…

Berit chercha la confirmation de son mari qui hocha la tête.

— Ça s'est passé comment?

— Ça s'est passé… répondit Berit en regardant de nouveau son mari qui haussa les épaules et reprit le récit.

— En fait, il n'y a rien eu de particulier. Elles se sont installées dans la cuisine et Louise n'a pas prononcé un mot. Sa grand-mère non plus n'a pas dit grand-chose. Elles se contentaient de s'observer. Tess était restée à bouder devant la porte. La grand-mère de Louise aurait voulu la voir en tête à tête, mais j'ai insisté pour être présente et elle a accepté, à contrecœur. Louise était chez nous depuis trois ans. On était responsables d'elle et je ne savais absolument pas quelle serait sa réaction en voyant sa grand-mère débarquer subitement. Ça aurait pu faire remonter de mauvais souvenirs, mais elle n'a rien laissé paraître. Elles sont restées assises, sans parler, sans bouger. Pour être tout à fait sincère, je n'ai pas compris pourquoi elle est venue ce jour-là.

— Peter n'était pas avec elle?

— Peter? demanda Tony. Le petit frère de Louise? Non, il n'y avait que la grand-mère.

— Et Laila? Elle donnait de ses nouvelles à Louise?

— Non, dit Berit. On n'a jamais eu le moindre signe de vie de sa part. J'avais beaucoup de mal à le concevoir. Comment pouvait-elle être aussi indifférente à sa propre fille?

— Est-ce que Louise la réclamait?

— Non, jamais. Elle ne mentionnait jamais sa vie d'avant et on ne la pressait pas de le faire non plus. On était en contact permanent avec un pédopsychologue qui nous recommandait de la laisser parler à son propre rythme. On lui posait évidemment certaines questions. Il fallait bien qu'on sache comment elle allait.

Erica hocha la tête et réchauffa ses mains autour de la tasse de café. Chaque fois que la porte s'ouvrait, un vent glacial s'engouffrait dans l'établissement et se faufilait jusqu'à elle.

— Vous avez froid? Prenez mon gilet, proposa Berit.

Erica comprit pourquoi ce couple avait ouvert son foyer à tant d'enfants au fil des ans. Tous deux semblaient être des personnes extrêmement soucieuses d'autrui.

— Merci, c'est gentil, ça va aller. Que s'est-il passé ensuite, le jour où elles ont disparu ? Vous vous sentez le courage d'en parler ?

— Pas de problème, c'est tellement loin maintenant, répondit Tony.

Erica vit pourtant un voile sombre passer sur son visage au souvenir de ce funeste jour d'été. Elle avait lu le rapport de police, mais rien ne valait un récit de vive voix par ceux qui avaient vécu l'événement.

— C'était un mercredi en juillet. Enfin, bon, peu importe le jour de la semaine...

La voix de Tony se brisa, et Berit posa doucement sa main sur son bras. Il s'éclaircit la gorge et poursuivit :

— Les filles nous avaient dit qu'elles allaient se baigner. On n'était pas du tout inquiets, elles allaient souvent à la plage toutes seules. Parfois elles restaient absentes pour la journée, mais elles rentraient le soir, quand la faim se faisait sentir. Sauf ce jour-là. On a attendu, attendu, et les filles ne revenaient pas. Vers huit heures du soir, on a réalisé qu'il avait dû arriver quelque chose. On est partis à leur recherche et comme on ne les a pas trouvées, on a alerté la police. Ce n'est que le lendemain matin que leurs vêtements ont été repérés sur les rochers.

— C'est vous qui les avez découverts, ou la police ?

— Un volontaire de la battue que la police avait organisée, chuchota Berit en étouffant un sanglot.

— Elles ont dû être entraînées par les courants, ils sont très forts à cet endroit. Leurs corps n'ont jamais été retrouvés... Ça a été une terrible tragédie.

Tony baissa les yeux. Il était évident que le drame les avait profondément affectés, tous les deux.

— Et après ?

Erica ressentit un grand désarroi en pensant à la lutte des deux filles contre les courants.

— La police a fait son enquête, elle a conclu à un accident. Nous... eh bien, on s'est fait des reproches pendant longtemps. Mais elles avaient quinze ans après tout, elles étaient capables de se prendre en charge. Avec les années, on a compris qu'on n'y était pour rien. Une telle catastrophe était impossible à prévoir.

Ces deux-là avaient suffisamment vécu en captivité, chez nous elles étaient libres de leurs mouvements depuis le début.

— Une sage décision, déclara Erica, en se demandant si les enfants accueillis chez Berit et Tony réalisaient la chance qu'ils avaient.

Elle se leva et leur tendit la main.

— Merci d'avoir pris le temps de me rencontrer. J'apprécie vraiment, et je suis désolée si notre entretien a réveillé des souvenirs douloureux.

— Il en a aussi éveillé d'agréables, dit Berit en serrant chaleureusement la main d'Erica. Nous avons eu le privilège d'accueillir beaucoup d'enfants au fil des ans, et tous ont laissé une empreinte. Tess et Louise étaient particulières et on ne les oublie pas.

Un silence pesant s'était installé dans la maison. Comme si le vide laissé par Victoria remplissait tout l'espace, comme s'il les remplissait, eux, menaçant de les faire imploser.

Ils faisaient des tentatives maladroites pour partager leur deuil. Ils commençaient à parler d'elle avant de s'interrompre au milieu d'un souvenir et de laisser les mots s'évanouir dans le néant. Comment la vie pourrait-elle jamais redevenir ce qu'elle avait été ?

Ricky savait que la police ne tarderait pas à revenir. Gösta avait déjà appelé pour vérifier une énième fois s'ils n'avaient vraiment rien vu de suspect dans les parages à l'époque de la disparition. Ils disposaient apparemment de renseignements confirmant que leur maison avait été surveillée. Ricky savait que la police allait vouloir interroger ses parents sur la relation de Victoria et Jonas, ou sur les lettres qu'il avait trouvées. Dans un certain sens, ce serait un soulagement. C'était lourd de porter un tel secret en plein deuil, lourd de savoir que ses parents n'étaient pas au courant de tout.

— Tu peux me passer les pommes de terre ?

Son père tendit la main sans le regarder dans les yeux, et Ricky lui donna la casserole. C'était ça, le genre de conversations qu'ils avaient désormais. Des sujets pratiques, de la vie quotidienne.

— Tu veux des carottes?

La main de sa mère frôla la sienne quand elle lui avança le légumier, et elle sursauta comme si elle s'était brûlée. Le deuil était si douloureux qu'ils supportaient à peine de se toucher.

Il regarda ses parents, assis en face de lui. Sa mère avait préparé le dîner, mais les plats étaient cuisinés à la va-vite, ils étaient aussi insipides qu'ils en avaient l'air. Ils mangeaient en silence, chacun perdu dans ses pensées. Bientôt la police allait venir et brouiller ce silence, et Ricky comprit qu'il devait les prévenir. Il prit son élan.

— Il y a une chose que je dois vous dire. Au sujet de Victoria...

Ils s'arrêtèrent net et le regardèrent, comme ils ne l'avaient pas fait depuis longtemps. Son cœur battait fort dans sa poitrine, sa bouche devint sèche, mais il se força à poursuivre. Il parla de Jonas, de la dispute à l'écurie, de Victoria qui était partie en courant, des lettres qu'il avait trouvées, des insultes et des invectives.

Ils écoutèrent attentivement, puis sa mère baissa les yeux. Il eut le temps d'y apercevoir un drôle d'éclat. Il lui fallut un instant avant d'en comprendre la signification.

Sa mère était déjà au courant.

— Alors, il l'avait tuée, sa femme, ou pas?

Rita plissa le front et écouta patiemment le récit de Paula.

— Il a été condamné pour le meurtre alors qu'il n'a cessé de clamer son innocence. Je n'ai trouvé personne qui ait travaillé sur l'affaire, mais on m'a faxé des extraits des dossiers de l'enquête et j'ai lu pas mal d'articles de journaux. Il n'y avait pas de preuves, que des indices.

Tout en parlant, Paula allait et venait dans la cuisine avec Lisa dans les bras. Sa fille était momentanément calme, ce qui cesserait dès qu'elle arrêterait de marcher. Elle se demanda depuis quand elle n'avait plus fait un repas entier à table.

Johanna lui jeta un regard et, au fond d'elle, Paula se demanda si ce n'était pas au tour de sa compagne de bercer leur fille. Le fait de l'avoir mis au monde ne signifiait pas forcément que c'était à elle de s'y coller.

— Reste assis, rugit Johanna à Leo qui se mettait debout sur sa chaise Stokke entre chaque bouchée.

— Eh ben dis donc, si je m'agitais comme ça en mangeant, je serais mince comme un fil, constata Mellberg avec un clin d'œil à Leo.

— Enfin Bertil, soupira Johanna, tu es vraiment obligé de le féliciter en plus ? C'est déjà assez difficile comme ça.

— Bah, quelle importance que le petit gars se trémousse un peu en mangeant. Ça fait de l'exercice. On devrait tous en faire. Tiens, regarde.

Mellberg enfourna une bouchée, se releva, s'assit puis répéta le tout. Leo était mort de rire.

— Tu ne peux pas le lui dire, toi ?

Johanna se tourna vers Rita d'un air suppliant.

Paula sentit le fou rire monter. Elle savait que Johanna serait furieuse, mais elle fut incapable de se retenir. Elle rit aux larmes et elle eut presque l'impression que Lisa souriait aussi. Rita non plus ne put se retenir et, encouragés par le public, Leo et Mellberg se levaient et se rasseyaient en cadence.

— Quel péché ai-je pu commettre dans une vie antérieure pour me retrouver chez des fous pareils ? soupira Johanna, mais l'esquisse d'un petit sourire se dessina sur ses lèvres. D'accord, vous avez gagné. De toute façon, j'ai abandonné l'espoir de faire de cet enfant un adulte autonome et responsable.

En riant elle se pencha et embrassa Leo sur la joue.

— Parle-moi encore de ce meurtre, Paula, dit Rita quand l'ambiance dans la cuisine fut un peu retombée. S'il n'y avait pas de preuves, comment ont-ils pu le condamner ? En Suède, on ne met quand même pas les gens en prison pour des crimes qu'ils n'ont pas commis.

Paula sourit. Depuis qu'elles étaient arrivées du Chili dans les années 1970, Rita vouait à la Suède une adoration dont le pays n'était pas toujours à la hauteur. Elle en avait adopté toutes les traditions et célébrait les fêtes suédoises avec une frénésie que même les militants de l'extrême droite auraient trouvée excessive. Les autres jours de l'année, elle cuisinait des spécialités de son pays natal, mais pour la Saint-Jean et les autres grandes fêtes, le hareng traditionnel était le seul aliment admis dans son réfrigérateur.

— Il y avait des indices, c'est-à-dire des éléments qui indiquaient qu'il était coupable, mais qui ne... Comment expliquer le concept?

Mellberg se racla la gorge.

— Indices, c'est un terme juridique pour certaines circonstances qui sont plus faibles qu'un fait avéré mais qui peuvent quand même mener soit à la condamnation, soit à l'acquittement d'un accusé.

Paula ouvrit de grands yeux. Elle ne s'était pas attendue à une réponse de la part de Mellberg, encore moins à une réponse sensée. Sa question avait été toute rhétorique, comme une sorte de pensée à voix haute.

— Exactement. Et dans le cas qui nous préoccupe, on pourrait dire que le mari d'Ingela avait un passé qui orientait le jugement. Ses ex-petites amies, et aussi des amies d'Ingela, ont témoigné qu'il était souvent agressif. À plusieurs reprises il avait frappé sa femme et menacé de la tuer. Il n'avait pas d'alibi au moment de sa disparition, le corps a été retrouvé dans le bois près de leur maison, et du coup l'affaire semblait réglée.

— Mais maintenant vous ne le croyez plus coupable? demanda Johanna en essuyant la bouche de Leo.

— Impossible de trancher. Même s'il s'agit de blessures très particulières. Et qu'il y a toujours eu des voix pour défendre le mari d'Ingela, des gens pour affirmer qu'il disait la vérité. Et pour soutenir qu'à cause de la réticence de la police à examiner d'autres pistes, un meurtrier se baladait en liberté.

— Est-ce qu'on peut imaginer que quelqu'un ait eu connaissance de ce meurtre et voulu le copier? demanda Rita.

— Oui, c'est exactement ce qu'a dit Martin tout à l'heure pendant le débriefing. Ingela a été tuée il y a presque trente ans, et il serait plus logique de penser que quelqu'un imite son meurtrier plutôt que le même meurtrier reprenne soudain du service.

Après un coup d'œil sur Lisa qui semblait profondément endormie, Paula se rassit. Elle n'aurait qu'à manger avec sa fille dans les bras.

— Ça vaut le coup d'examiner le dossier de plus près, en tout cas, dit Mellberg en se resservant. Je vais le bûcher ce soir pour savoir de quoi parler demain à Göteborg.

Paula étouffa un soupir. À tous les coups, Mellberg n'hésiterait pas à s'attribuer toute la gloire de sa découverte.

Patrik franchit la porte et regarda autour de lui, stupéfait.

— Tu as encore fait venir l'entreprise de nettoyage ? Mais non, suis-je bête, c'est maman et Bob le Bricoleur qui sont venus ! s'exclama-t-il, et il embrassa Erica sur la joue. N'aie pas peur, montre-moi le rapport d'intervention ! Alors, qu'est-ce qu'il a réparé, qu'est-ce qu'il a remis en état ?

— Mieux vaut que tu ne le saches pas, dit Erica, et elle le précéda dans la cuisine où elle était en train de préparer le dîner.

— À ce point ? soupira-t-il.

Il s'assit et accueillit les enfants qui arrivèrent en trombe dans ses bras pour un gros câlin. Mais repartirent aussi vite. Il y avait *Bolibompa* à la télé.

— À quel moment exactement est-ce que le dragon vert a réussi à me détrôner ? dit-il avec un sourire de travers.

— Oh, il y a fort longtemps, répliqua Erica, et elle se pencha pour l'embrasser. Mais pour moi, tu es toujours le numéro un.

— Avant ou après Brad Pitt ?

— Ah, désolée. Tu ne lui arriveras jamais à la cheville.

Elle lui fit un clin d'œil et ouvrit le placard pour sortir des verres. Patrik se leva pour l'aider à mettre la table.

— Vous en êtes où ? Vous avancez un peu ?

Il secoua la tête.

— Pas trop. Les résultats techniques se font attendre. Tout ce qu'on sait, c'est que quelqu'un semble avoir donné régulièrement cinq mille couronnes à Lasse.

— Du chantage ?

— Oui, c'est notre théorie. On essaie de ne pas s'arrêter là-dessus, il peut y avoir d'autres pistes, mais tout indique qu'il faisait chanter quelqu'un. Qui ? On n'en a aucune idée pour l'instant.

— Et la réunion de demain, ça va aller ?

Erica touilla le contenu de la casserole sur la cuisinière.

— On s'est pas mal préparés. Mais Paula nous a sorti un nouveau scénario aujourd'hui. Il pourrait y avoir un lien avec une affaire vieille de vingt-sept ans. Le meurtre d'Ingela Eriksson de Hultsfred.

— Cette femme qui avait été torturée et battue à mort par son mari ? Qu'est-ce que ça a à voir avec Victoria ? demanda Erica en se retournant, toute surprise.

— Ah oui, c'est vrai, j'avais oublié que tu connais l'histoire criminelle suédoise sur le bout des doigts. Alors tu devrais aussi te souvenir de ses blessures, non ?

— Non, je sais juste qu'il l'a martyrisée avant de la tuer et de la balancer dans le bois tout près de leur domicile. Mais toi, tu vas me dire quel est le lien.

Elle n'arriva pas à dissimuler l'excitation dans sa voix.

— Ingela Eriksson a été mutilée exactement de la même manière que Victoria.

Un instant, le silence pesa sur la cuisine.

— Tu plaisantes ?

— Non, malheureusement, confirma Patrik, et il huma l'air. Qu'est-ce que tu as préparé à manger ?

— Une soupe de poisson.

Elle servit la soupe dans les bols, mais Patrik vit qu'elle avait la tête ailleurs, et il ne se trompait pas, car elle poursuivit :

— Soit son mari était innocent et c'est son meurtrier qui enlève les filles aujourd'hui, soit c'est quelqu'un qui copie le mode opératoire du meurtrier. Ou alors, troisième hypothèse, c'est un pur hasard.

— Je ne crois pas au hasard.

— Moi non plus. Vous allez évoquer l'affaire demain à Göteborg ?

— Oui, j'ai rapporté des copies du dossier d'enquête, je dois les étudier ce soir. Mellberg aussi va se documenter, a-t-il dit.

— Tu y vas avec Mellberg ?

— Oui, on file assez tôt demain. La réunion est à dix heures.

— J'espère vraiment qu'elle donnera des résultats, soupira Erica en scrutant son mari. Tu as l'air fatigué. Vous devez résoudre cette affaire rapidement, c'est important, mais tu dois aussi faire attention à toi.

— Oui oui, j'y pense. Je connais mes limites. À propos de fatigue, comment allait Anna aujourd'hui?

Erica parut réfléchir à sa réponse.

— Très honnêtement, je ne sais pas. Je n'arrive pas à percer sa carapace. Elle s'est enfouie dans la culpabilité, et je ne sais pas comment l'aider à affronter la réalité.

— Ce n'est peut-être pas à toi de le faire, suggéra-t-il, mais il savait qu'il parlait à une sourde.

— Je vais voir avec Dan, trancha-t-elle, marquant ainsi que le sujet Anna était clos.

Patrik comprit et n'insista pas. L'inquiétude pour sa sœur pesait sur Erica, et quand elle aurait envie d'en parler, elle le ferait. En attendant, elle préférait y réfléchir toute seule.

— Au fait, je vais avoir besoin d'une cellule d'aide psychologique, annonça Erica en se resservant de soupe.

— Et pourquoi donc? Qu'est-ce qu'elle a encore fait, ma mère?

— Kristina est totalement innocente cette fois. D'ailleurs, je pense qu'une aide psychologique ne suffira pas. Il faudra sans doute carrément m'effacer la mémoire, maintenant que j'ai vu Mellberg quasi nu.

Patrik éclata d'un tel rire qu'il faillit avaler sa soupe de travers.

— Ça, c'est une vision qu'on n'est pas près d'oublier, ni toi ni moi. Et on est censés tout partager, pour le meilleur et pour le pire… Essaie juste de ne pas l'avoir en tête quand on fait l'amour!

Erica lui jeta un regard horrifié.

UDDEVALLA, 1974

Les limites du normal s'effaçaient peu à peu. Laila le voyait, le comprenait, mais elle ne résistait pas vraiment à la volonté de Vladek. C'était plus simple ainsi. Elle savait que ce n'était pas bien, mais elle avait envie parfois, l'espace d'un instant, de faire comme s'ils menaient une vie ordinaire.

Les histoires que leur racontait Vladek continuaient de les fasciner. Elles reliaient l'extraordinaire au banal, l'épouvantable au fantastique. Souvent ils restaient ensemble autour de la table, avec juste une petite lampe allumée. Dans la pénombre de la cuisine, ils se laissaient entraîner corps et âme par ses récits. Ils entendaient les applaudissements du public, voyaient les funambules danser haut sous le chapiteau, riaient des clowns et de leurs farces, ils étaient emportés par la gracieuse princesse de cirque en équilibre sur le dos de son cheval pailleté et empanaché. Mais avant tout, ils voyaient Vladek et ses lions dans le manège. Fort et fier, maître des fauves. Pas parce qu'il avait un fouet à la main, comme le croyait le public, mais parce que les lions le respectaient et l'aimaient. Ils avaient confiance en lui, et ils lui obéissaient.

Son meilleur tour, le clou du spectacle, c'était lorsque, au mépris de la mort, il passait sa tête dans la gueule d'un lion. Les spectateurs, muets, n'en croyaient pas leurs yeux. Le numéro du feu aussi faisait son effet. Quand la lumière s'éteignait dans le chapiteau, l'inquiétude se répandait dans le public. Les spectateurs s'agrippaient à la main de leurs voisins à l'idée qu'il y avait là des bêtes sauvages capables de voir dans le noir qui les considéraient peut-être comme des proies. Puis l'obscurité était soudain rompue par les anneaux enflammés d'un feu hypnotique. Les lions bravaient leur crainte et les traversaient d'un bond souple, se fiant au dompteur qui exigeait d'eux cet exploit.

Laila se disait alors qu'elle aurait aimé voir une telle lumière dissiper ses propres ténèbres. Avoir de nouveau confiance en quelqu'un.

Dans le petit matin glacé, Helga arpentait les rues désertes de Fjällbacka. En été, la petite ville vibrait d'animation. Les magasins étaient ouverts, les restaurants bondés, dans le port les voiliers s'amarraient à couple et le moindre recoin fourmillait d'estivants. En hiver, en revanche, le calme régnait. Tout était fermé, comme si Fjällbacka hibernait en attendant un nouvel été. Helga avait toujours préféré cette saison morne, qui lui offrait un peu de tranquillité à la maison. Aux beaux jours, Einar rentrait souvent ivre et d'humeur particulièrement méchante.

Depuis sa maladie, les choses avaient changé. Les mots étaient la seule arme qui lui restait, mais ils n'avaient plus le pouvoir de la blesser. Personne ne pouvait la blesser, hormis Jonas. Lui connaissait ses points faibles et savait détecter ses moments de fragilité. Elle avait pourtant envie de le protéger, ce qui était absurde. Il était un homme adulte, grand et fort, mais cela n'avait aucune importance. Il avait encore besoin d'elle et elle le défendrait envers et contre tout.

En dépassant la place Ingrid-Bergman, son regard se tourna vers la mer gelée. Elle adorait l'archipel. Son père était pêcheur et l'avait souvent amenée à bord de son bateau. Ces balades avaient cessé après son mariage avec Einar. Lui qui venait de l'intérieur du pays ne s'était jamais habitué aux caprices de la mer. Si les hommes devaient aller sur l'eau, ils seraient nés avec des ouïes, marmonnait-il. Jonas n'avait jamais apprécié la navigation non plus, si bien que Helga, qui vivait sur la côte, face au plus beau des archipels, n'avait plus mis le pied sur un bateau depuis ses dix-sept ans.

Pour la première fois depuis de nombreuses années, elle en ressentit une nostalgie douloureuse. Aujourd'hui, une glace épaisse recouvrait la mer, emprisonnant les bateaux qui n'avaient pas été sortis pour l'hiver. En ça, ils lui ressemblaient. Elle s'était sentie comme eux toute sa vie adulte : si près de son élément, et pourtant incapable de se libérer de sa captivité.

C'était grâce à Jonas qu'elle avait survécu. Son amour pour lui était si fort qu'il faisait pâlir tout le reste. Depuis qu'il était né, elle s'était préparée à faire obstacle au train fou qui se précipitait pour le broyer. Elle était absolument prête. Tout ce qu'elle faisait pour Jonas, elle le faisait avec joie.

Elle s'arrêta devant le buste d'Ingrid Bergman. Jonas et elle étaient venus le jour de la cérémonie de dévoilement. La rose créée en l'honneur de l'actrice avait également été présentée à cette occasion. Jonas s'était montré très impatient. Les enfants d'Ingrid devaient y assister, et même la petite amie de son fils : Caroline de Monaco. Jonas était à un âge où l'imaginaire est peuplé de chevaliers et de dragons, de princes et de princesses. Il aurait préféré rencontrer un chevalier, mais une princesse ferait l'affaire. C'était émouvant de le voir, tout excité, se préparer pour le grand événement. Il s'était peigné les cheveux avec de l'eau, et il avait cueilli un bouquet de fleurs du jardin, des cœurs-de-Marie et des campanules qui avaient largement eu le temps de faner dans sa main moite avant qu'ils n'arrivent sur la place. Cruel comme toujours, Einar s'était moqué de lui, mais pour une fois, Jonas avait ignoré son père. Il se préparait à voir une véritable princesse.

Helga se rappelait encore son expression de stupeur et de déception quand elle lui avait désigné Caroline. La lèvre inférieure tremblante, il l'avait regardée en disant :

— Mais maman, on dirait une dame ordinaire.

Dans l'après-midi, après la cérémonie, elle avait trouvé tous ses livres de contes abandonnés dans l'arrière-cour. Jetés aux oubliettes. Jonas n'avait jamais su gérer les déceptions.

Elle respira profondément, fit demi-tour, quitta la place et rentra à la maison. C'était à elle de lui épargner les déceptions. Les grandes comme les petites.

Le commissaire Palle Viking, qui avait été désigné président de séance, s'éclaircit la gorge.

— Soyez les bienvenus à l'hôtel de police de Göteborg. Je tiens à vous remercier pour la bonne collaboration entre les districts. Nous aurions sans doute dû nous réunir bien plus tôt, mais vous connaissez la lourdeur et l'inefficacité de la coopération interrégionale. Mais qui sait, l'avenir montrera peut-être que c'était justement le bon moment, dit-il, puis il baissa les yeux et ajouta : Le fait que Victoria Hallberg ait été retrouvée dans un tel état est bien entendu une tragédie. Mais cela nous donne aussi une indication sur ce qui a pu arriver aux autres filles, et, corollairement, des informations qui nous permettront de progresser dans nos enquêtes.

— Il parle toujours comme ça ? chuchota Mellberg.

— Mmm, fit Patrik. Il a fait l'école de police assez tard, mais sa carrière a été fulgurante. Il paraît qu'il est très doué. Avant, il était chercheur en philosophie.

— Rien que ça ! Et ce patronyme ? Il a changé de nom, je suppose.

— Non, mais il lui va comme un gant, tu ne trouves pas ?

— Tu l'as dit, bouffi ! Il ressemble à – comment il s'appelle déjà, le Suédois qui se battait contre Rocky ?

— Ce n'est pas faux... sourit Patrik, car Mellberg avait raison, Palle Viking était une copie conforme de Dolph Lundgren.

Mellberg se pencha vers Patrik pour chuchoter encore quelques mots, mais celui-ci le fit taire :

— Il vaut mieux qu'on écoute le Viking maintenant.

Entre-temps, le commissaire avait poursuivi son introduction.

— Je propose de faire un tour de table pour que chaque district explique où il en est de son enquête. Nous avons déjà partagé la plus grande partie de nos données, mais j'ai quand même veillé à ce que vous disposiez de dossiers avec des résumés actualisés de l'état des recherches. Vous aurez aussi des copies des entretiens filmés que nous avons menés avec les proches des victimes. Une initiative appréciable, dont je voudrais remercier Tage.

Il fit un signe de tête vers un homme trapu à la moustache fournie, responsable de l'enquête sur la disparition de Sandra Andersson.

Lorsque Jennifer Backlin avait disparu, six mois après Sandra, on avait commencé à suspecter un lien, et Tage avait recommandé à la police de Falsterbo de suivre son exemple et de filmer les entretiens avec la famille. L'idée était de laisser les proches communiquer leurs observations sur la disparition en toute tranquillité. En se rendant à leur domicile, les enquêteurs pouvaient aussi se faire une meilleure idée de la personnalité de la disparue. Les districts concernés avaient suivi le conseil, et les vidéos étaient maintenant à la disposition de tous.

Chaque disparition était matérialisée sur une grande carte de la Suède affichée au mur. Même s'il avait exactement la même dans son commissariat, Patrik plissa les yeux pour tenter de distinguer une sorte de schéma. Mais il ne voyait aucun lien entre les différentes localisations, à part qu'elles étaient situées au sud-ouest et au centre de la Suède. Il n'y avait pas d'épingles au-delà de Västerås, ni à l'est ni au nord.

— Tu veux bien commencer, Tage ? dit Palle en faisant un signe à l'enquêteur de Strömsholm, qui se leva et alla prendre sa place.

L'un après l'autre, ils s'avancèrent ensuite pour rendre compte de toutes les facettes de leur enquête. Très déçu, Patrik constata qu'ils ne lui apportaient rien de nouveau. Les mêmes informations incomplètes figuraient dans les dossiers qu'il avait déjà étudiés. Il comprit qu'il n'était pas le seul à avoir ce sentiment, car le climat de la salle s'assombrit.

Mellberg fut le dernier à prendre la parole, puisque Victoria était la dernière sur la liste des filles disparues. Du coin de l'œil, Patrik le vit se trémousser d'impatience à l'idée d'être sous les feux de la rampe. Il espérait du fond du cœur que Mellberg était prêt et qu'il avait révisé ses leçons, au moins un peu.

— Salut à tous ! démarra-t-il, comme d'habitude incapable de cerner l'ambiance et encore moins de s'y adapter.

Il obtint un vague murmure pour toute réponse. Mon Dieu, se dit Patrik, quelle catastrophe ! Mais à sa grande surprise, Mellberg fit un exposé pertinent de leur enquête et des théories sur le ravisseur qu'avait proposées Gerhard Struwer. Par moments, il parut même compétent. Patrik retint son souffle quand Mellberg aborda le point dont les autres enquêteurs n'avaient pas encore pris connaissance.

— Au commissariat de Tanumshede, nous avons la réputation d'accomplir un travail particulièrement efficace, vous le savez sans doute.

Patrik étouffa un reniflement. Les collègues autour de lui laissèrent spontanément échapper quelques petits rires étouffés.

— Un de nos policiers a trouvé un lien entre Victoria Hallberg et un homicide bien plus ancien.

Mellberg marqua une pause oratoire en guettant la réaction qui ne se fit pas attendre : le silence s'installa et les dos se redressèrent. Il poursuivit :

— Est-ce que quelqu'un se souvient du meurtre d'Ingela Eriksson ? À Hultsfred ?

Plusieurs policiers hochèrent la tête et un des hommes de Västerås répondit :

— On l'a retrouvée assassinée dans le bois derrière sa maison, elle avait subi les pires tortures. Son mari a été condamné pour meurtre, alors qu'il se disait innocent.

— Exact. Il est mort ensuite, en prison. Le cas reposait sur de simples indices, et il y a tout lieu de croire que le mari était effectivement innocent. Il soutenait qu'il se trouvait seul à la maison le soir où sa femme a disparu. Elle avait dit qu'elle allait chez une amie, mais d'après l'amie en question, ce n'était pas vrai. Toujours est-il qu'il n'avait pas d'alibi et aucun témoin pour étayer ses affirmations. D'après le mari, sa femme était à la maison dans la journée et ils avaient reçu la visite d'un individu ayant répondu à une petite annonce qu'ils avaient passée, mais la police n'a jamais retrouvé l'homme en question. Puisque l'époux était connu pour avoir maltraité des femmes, y compris son épouse, l'attention de la police s'est immédiatement focalisée sur lui. Les enquêteurs ne semblent pas s'être intéressés à d'autres pistes.

— Mais quel rapport avec nos disparitions ? demanda le policier de Västerås. Ça s'est passé il y a pas loin de trente ans ?

— Vingt-sept précisément. Eh bien, le fait est… dit Mellberg en marquant une autre pause oratoire pour donner du relief à ce qu'il était sur le point de lâcher… qu'Ingela Eriksson présentait exactement les mêmes mutilations que Victoria.

Il y eut un long silence.

— Peut-on avoir affaire à un *copycat*? demanda finalement Tage.

— Possible, oui.

— C'est le plus probable. Ça ne peut pas être le même tueur. Pourquoi laisserait-il s'écouler tant d'années?

Tage consulta les autres du regard. Certains émirent des marmonnements d'approbation.

— En effet, dit Palle en se tournant à moitié sur sa chaise pour que tout le monde l'entende. Ou alors il a été empêché de commettre d'autres crimes pendant toutes ces années. Parce qu'il était en prison ou à l'étranger. Nous avons aussi pu rater des victimes. Six mille personnes disparaissent chaque année en Suède, il y a peut-être parmi elles des filles qui ont échappé à tout rapprochement avec cette affaire. Nous devons donc envisager la possibilité que ce soit le même coupable. D'un autre côté, dit-il en levant l'index, nous ne devons pas prendre pour argent comptant que le lien existe. Ça peut aussi être un hasard.

— Les blessures sont identiques, protesta Mellberg. Dans le moindre détail. Vous n'avez qu'à regarder le rapport de l'enquête, nous avons apporté des copies.

— Prenons une pause de lecture, voulez-vous? dit Palle Viking.

Les enquêteurs se levèrent et prirent chacun une copie sur la table. Ils entourèrent Mellberg et lui posèrent des questions, et toute cette attention le fit rayonner comme un soleil.

Patrik leva un sourcil. Son chef ne s'était pas attribué la gloire de la découverte, ce qui l'étonnait. Mellberg avait donc ses instants de lucidité. Mais il serait bon qu'il garde en tête la raison de leur présence ici. Cinq filles disparues. Dont une était morte.

Comme d'habitude, Marta était matinale. Les tâches à l'écurie ne pouvaient pas attendre. Jonas, de son côté, s'était levé encore plus tôt, pour se rendre dans une ferme voisine soigner un cheval qui souffrait d'une colique sévère. Elle bâilla. Ils avaient discuté tard la veille, et n'avaient pas eu leur quota de sommeil.

Son portable vibra et elle le sortit de sa poche pour vérifier l'écran. Helga les invitait, Molly et elle, à venir prendre le café. Elle avait dû guetter par la fenêtre, voir que sa petite-fille n'était pas allée au collège, et voulait sans doute savoir pourquoi. Molly s'était en effet plainte d'avoir mal au ventre et, pour une fois, Marta avait fait semblant de croire son piètre mensonge.

— Molly, mamie veut qu'on passe prendre le café.

— On est obligées ? fit la voix de Molly dans un des box.

— Oui, on est obligées. Allez, viens.

— Mais j'ai mal au ventre, gémit-elle.

— Si tu peux venir à l'écurie, tu es sûrement capable d'aller chez mamie. Dépêche-toi, comme ça, ce sera fait. Ils se sont disputés hier, Jonas et elle, et je pense que ça arrangerait ton père qu'on enterre la hache de guerre.

— Mais moi, je voulais préparer Scirocco et faire une séance d'entraînement.

La tête basse, Molly surgit dans l'allée centrale de l'écurie.

— Alors que tu as mal au ventre ? s'étonna Marta, et elle reçut un regard furieux en retour. Tu auras tout l'après-midi pour ça. On boit son café vite fait, et après tu t'entraîneras tant que tu voudras. Ma première leçon n'est qu'à dix-sept heures.

— Bon, d'accord, marmonna-t-elle.

En traversant la cour, Marta serra les mains d'agacement. Sa fille avait tout eu sur un plateau d'argent. Elle ignorait ce que c'était d'être obligé de se débrouiller toute seule, d'avoir une enfance malheureuse. Parfois Marta bouillonnait d'envie de lui montrer à quoi pouvait ressembler la vie quand on n'était pas aussi gâté qu'elle.

— On est là, lança-t-elle en entrant sans frapper chez sa belle-mère.

— Venez vous installer. J'ai fait un quatre-quarts, et je vous ai préparé du thé.

Helga se retourna quand elles arrivèrent dans la cuisine. Elle était l'archétype de la grand-mère, avec un tablier taché de farine noué autour de la taille et les cheveux gris encadrant son visage tel un nuage.

Molly fronça le nez.

— Du thé ? Moi, je veux du café.

— Moi aussi, je préférerais du café, dit Marta en s'installant.

— Je viens de me rendre compte qu'il n'y en a plus. Je n'ai pas eu le temps de faire des courses. Avec une cuillérée de miel, ça devrait passer, trancha-t-elle en montrant un pot sur la table.

Marta le prit et fit couler une grosse cuillérée ambrée dans sa tasse.

— J'ai appris que tu as un concours ce week-end? lâcha Helga en poussant l'assiette avec le quatre-quarts vers elles.

Molly sirota la boisson brûlante.

— Ben oui, celui de samedi dernier m'est passé sous le nez, alors hors de question que je loupe le prochain.

— Ça va sûrement bien se passer. Et papa et maman vont t'accompagner, tous les deux?

— Oui, bien sûr.

— Vous en avez du courage, toujours par monts et par vaux, dit Helga à Marta avec un soupir. Mais c'est ce qu'il faut. Des parents qui se mobilisent par tous les temps.

Marta lui lança un regard suspicieux. D'habitude Helga n'était pas aussi positive.

— Eh oui. Les entraînements se sont bien passés. Je crois qu'on a nos chances.

Malgré elle, Molly se dérida. C'était tellement rare que sa mère la félicite.

— Tu as du talent, toi. Oui, vous avez du talent toutes les deux, sourit Helga. Quand j'étais jeune, je rêvais de faire du cheval, moi aussi, mais je n'en ai jamais eu l'occasion. Et puis j'ai rencontré Einar.

Son sourire s'éteignit et son visage se ferma. Marta l'étudia en silence, pendant qu'elle remuait son thé. Oui, Einar avait le don d'éteindre les sourires, elle en savait quelque chose.

— Vous vous êtes rencontrés comment, papi et toi? demanda Molly, et Marta fut surprise par l'intérêt soudain de sa fille pour quelqu'un d'autre qu'elle-même.

— À un bal à Fjällbacka. Ton grand-père était très beau à cette époque.

— Ah bon? s'étonna Molly, qui gardait très peu de souvenirs de son grand-père avant qu'il ne soit condamné à un fauteuil roulant.

— Oui, et ton papa lui ressemble beaucoup. Attends, je vais te chercher une photo.

Helga se leva, alla dans le salon et revint avec un album qu'elle feuilleta jusqu'à ce qu'elle trouve le cliché voulu.

— Regarde, ça c'est ton grand-père au temps de sa splendeur.

Le ton de Helga était étrangement amer.

— Waouh, carrément canon! C'est vrai qu'il ressemble à papa. C'est drôle parce que papa n'est pas spécialement beau, enfin je veux dire, on peut pas voir ces choses-là quand c'est votre père. Il a quel âge, là?

— Dans les trente-cinq ans.

— Et c'est quoi cette voiture? C'est la vôtre? demanda-t-elle en montrant le véhicule contre lequel Einar s'appuyait.

— Non, c'est une de celles qu'il achetait et rénovait. Une Amazon magnifiquement restaurée. On peut dire ce qu'on veut, pour les voitures, il savait faire.

De nouveau ce ton amer et, étonnée, Marta regarda sa belle-mère en buvant une autre gorgée de thé au miel.

— J'aurais aimé connaître papi à l'époque, avant qu'il soit malade, déclara Molly.

— Oui, je comprends. Ta maman le connaissait, tu n'as qu'à lui poser des questions, répliqua Helga.

— Je n'y avais jamais pensé. Je le voyais surtout comme le vieil acariâtre au premier étage, dit Molly avec le franc-parler des adolescents.

— Le vieil acariâtre au premier étage. Oui, c'est une bonne description, rit Helga.

Marta lui sourit en retour. Sa belle-mère était vraiment différente aujourd'hui. Pour un tas de raisons, plus ou moins évidentes, elles ne s'étaient jamais aimées. Aujourd'hui, cependant, Helga n'était pas aussi fade que d'habitude et Marta s'en réjouit. Mais ça n'allait sûrement pas durer. Elle croqua un bout de gâteau. Bientôt elles en auraient fini, avec cette visite de politesse.

Un silence indescriptible régnait à la maison. Les petits étaient au jardin d'enfants, Patrik à Göteborg, et cela signifiait qu'elle allait pouvoir travailler en paix. Elle avait descendu ses dossiers dans le séjour dont le sol se trouvait maintenant jonché de documents. Elle venait de minutieusement lire et relire le dossier de l'enquête sur le meurtre d'Ingela Eriksson. Il lui avait fallu déployer des trésors de persuasion pour obtenir une des copies que Patrik devait apporter à sa réunion. Les ressemblances avec les mutilations de Victoria étaient hallucinantes.

Elle avait aussi relu toutes ses notes, celles de ses rencontres avec Laila, de la conversation avec sa sœur, avec les parents d'accueil de Louise, et celles des déclarations du personnel de l'établissement. Plusieurs heures d'entretiens qu'elle avait menés pour tenter de comprendre ce qui s'était passé le jour où Vladek Kowalski avait été tué, et pour établir un lien entre son meurtre et la disparition de cinq jeunes filles.

Elle se mit debout et essaya d'avoir une vue d'ensemble du matériel devant elle. Qu'est-ce que Laila voulait lui dire que pour une raison ou une autre elle n'arrivait pas à verbaliser ? D'après le personnel, elle n'avait eu de contact avec personne d'extérieur à l'établissement pendant toutes ces années. Elle n'avait pas reçu de visites, pas de coups de fil, pas de…

Erica s'arrêta net. Elle avait oublié de vérifier si Laila recevait ou envoyait du courrier ! Quelle impardonnable étourderie ! Elle prit son téléphone et composa le numéro du centre de détention qu'elle connaissait par cœur.

— Bonjour, Erica Falck à l'appareil.

La gardienne qui prit l'appel sembla l'identifier.

— Bonjour Erica. C'est Betty. Vous voulez faire une visite ?

— Non, pas de visite aujourd'hui. Je voudrais juste vérifier un truc. Est-ce que Laila a reçu du courrier pendant son internement ? Est-ce qu'elle en a envoyé ?

— Oui, elle a reçu des cartes postales. Et quelques lettres aussi, il me semble.

— Ah bon ? Vous savez de qui ? demanda Erica, qui ne s'attendait pas à cette réponse.

— Non, mais il y a peut-être quelqu'un d'autre ici qui le sait. Quoi qu'il en soit, il n'y avait rien d'écrit sur les cartes postales. Et elle ne les a jamais acceptées.

— Comment ça ?

— À ma connaissance, elle voulait à peine les toucher. Elle nous a demandé de les jeter. Mais on les a conservées, au cas où elle changerait d'avis.

— Ah, elles existent donc encore ? Je pourrais les voir ?

Erica eut du mal à cacher son excitation.

Après avoir reçu la promesse de pouvoir les examiner, Erica raccrocha, assez perplexe. Cela avait forcément une signification. Mais elle n'arrivait pas à voir laquelle.

Gösta se gratta les cheveux. Il se sentait seul au commissariat. À part lui, il n'y avait qu'Annika. Patrik et Mellberg étaient à Göteborg, et Martin était parti à Sälvik pour faire du porte-à-porte près de la baignade. Les plongeurs n'avaient toujours pas trouvé de corps, mais c'était peut-être normal vu les conditions météorologiques difficiles. De son côté, il avait interrogé plusieurs amis de Lasse, aucun n'était au courant pour l'argent. Il envisageait maintenant de se rendre à Kville afin de questionner les dirigeants de la congrégation.

Il s'apprêtait à se lever quand le téléphone sonna. Il se jeta sur le combiné. Pedersen.

— Déjà ! C'était rapide ! Qu'avez-vous trouvé ?

Il écouta attentivement.

— C'est vrai ? Quoi ?

Après avoir posé quelques questions, il raccrocha et resta figé un instant. Les pensées fusaient, il ne savait pas comment interpréter ce qu'il venait d'apprendre.

Il enfila sa veste et passa presque en courant devant Annika à l'accueil.

— Je file à Fjällbacka.

— Qu'est-ce que tu vas y faire ? lança-t-elle derrière lui, mais il avait déjà franchi la porte.

Alors qu'il ne fallait que vingt minutes pour aller de Tanumshede à Fjällbacka, le trajet lui parut interminable. Il se demanda s'il n'aurait pas dû tenir Patrik au courant des résultats de Pedersen, mais conclut qu'il était inutile de le déranger. Autant se mettre tout de suite au boulot, et avoir ainsi du nouveau à lui présenter à son retour. Prendre des initiatives, telle était la consigne. Et il était parfaitement capable de se débrouiller seul pour ce qu'il avait à faire.

Arrivé à la ferme des Persson, il sonna et dut attendre un moment qu'un Jonas tout juste sorti du lit vienne lui ouvrir.

— Je vous ai réveillé? demanda Gösta en consultant sa montre qui indiquait treize heures.

— J'ai eu une urgence tôt ce matin, et j'ai voulu rattraper les heures de sommeil perdues. Entrez, ce n'est pas grave. De toute façon, je suis levé maintenant.

Il fit une tentative pour arranger ses cheveux ébouriffés. Gösta le suivit dans la cuisine où il prit place bien que Jonas ne l'ait pas invité à le faire. Il décida d'aller droit au but.

— Vous connaissiez Lasse? Bien? Très bien?

— Je dirais que je ne le connaissais pas du tout. Je lui disais bonjour de temps en temps quand il venait chercher Tyra à l'écurie, c'est tout.

— J'ai des raisons de croire que ce n'est pas vrai.

Jonas était toujours debout et les coins de sa bouche se mirent à tressaillir d'irritation.

— Vous commencez à me fatiguer. Qu'est-ce que vous cherchez, là?

— Je pense que Lasse était au courant de votre relation avec Victoria. Et qu'il vous faisait chanter.

Jonas écarquilla les yeux.

— Vous n'êtes pas sérieux?!

Sa stupeur paraissait authentique et un instant Gösta eut des doutes sur la théorie qu'il avait développée après sa conversation avec Pedersen. Puis il se reprit. Il ne pouvait pas en être autrement, et il n'aurait aucun mal à le prouver.

— Autant admettre les faits tout de suite. Nous allons analyser vos appels téléphoniques et votre compte bancaire, et nous verrons immédiatement que vous avez été en contact et que vous avez retiré des espèces pour le payer. Vous pouvez nous épargner ce travail en disant tout de suite ce qu'il en est.

— Sortez d'ici! cria Jonas en montrant la porte. Ça suffit comme ça!

— On le trouvera écrit noir sur blanc, poursuivit Gösta. Qu'est-ce qu'il s'est passé ensuite? Il en voulait davantage? Vous en avez eu marre de ses exigences et vous l'avez tué?

— Je veux que vous partiez, maintenant.

La voix de Jonas était glaciale. Il raccompagna Gösta dans le vestibule et le poussa presque dehors.

— Je sais que j'ai raison, dit Gösta, un pied sur la première marche d'escalier.

— Vous vous trompez. Premièrement, je n'avais pas d'aventure avec Victoria, et deuxièmement, Terese affirme que Lasse a disparu entre samedi matin et dimanche dans la matinée ; or, j'ai un alibi pour tout ce temps-là. La prochaine fois que je vous verrai, j'attends vos excuses. Et je rendrai compte de mon alibi à un de vos collègues si on me le demande. Pas à vous.

Jonas referma la porte et Gösta sentit le doute s'immiscer. Se pouvait-il qu'il se trompe, alors que tous les morceaux semblaient si bien s'imbriquer ? Il en aurait bientôt le cœur net. Une autre visite à faire, puis il s'attaquerait aux relevés bancaires de Jonas et à l'historique de ses appels. Ils seraient éloquents. Et il pourrait toujours parler d'alibi, ce serait du pipeau.

Ça ne devrait plus tarder. Laila avait le pressentiment qu'elle recevrait une carte postale d'un jour à l'autre. La première était arrivée par la poste deux ans plus tôt. Depuis il y en avait eu quatre au total. Quelques jours après arrivait la lettre contenant les coupures de journaux. Les cartes étaient vierges, mais peu à peu elle avait deviné le message.

Elle avait demandé au personnel de les jeter parce qu'elle en avait peur. En revanche, elle avait conservé les coupures de presse. Chaque fois qu'elle les sortait de leur cachette, elle espérait en comprendre davantage sur la menace qui n'était plus dirigée uniquement contre elle.

Elle était fatiguée, et s'allongea sur le lit. Dans un instant, elle aurait encore un de ces entretiens thérapeutiques stériles. Elle avait mal dormi cette nuit, assaillie de cauchemars sur Vladek et sur Fille. Elle ne comprenait pas comment l'anormal était peu à peu devenu la norme. Ils avaient lentement été transformés, jusqu'à ne plus se reconnaître eux-mêmes.

— C'est l'heure, Laila !

Ulla frappa à sa porte ouverte et Laila se releva péniblement. Sa fatigue empirait de jour en jour. Les cauchemars, l'attente, les souvenirs du déraillement lent et inexorable. Elle l'avait tant aimé. Son passé était si différent du sien… jamais elle n'aurait imaginé qu'elle rencontrerait un homme comme lui, et pourtant, ils avaient formé un couple. Cela lui avait paru la chose la plus naturelle au monde, jusqu'à ce que le mal prenne le dessus et anéantisse tout.

— Tu viens, Laila ?

Elle obligea ses jambes à bouger. C'était comme marcher dans l'eau. La peur l'avait si longtemps empêchée de parler, empêchée d'entreprendre quoi que ce soit. Et elle avait toujours peur. Elle était terrorisée. Mais le sort des filles disparues l'avait profondément touchée et elle ne pouvait plus se taire. Elle avait honte de sa lâcheté, honte d'avoir laissé le mal faucher des vies innocentes. Rencontrer Erica était un début, elle finirait peut-être par trouver le courage de lui révéler la vérité. Elle pensait à ce qu'on disait : les battements d'ailes d'un papillon d'un côté de la planète pouvaient provoquer une tempête à l'autre bout. C'était peut-être ce qui allait bientôt se passer.

— Laila ?

— J'arrive, soupira-t-elle.

La terreur labourait son corps. Où qu'elle regarde, elle ne rencontrait que des abominations. Par terre des serpents aux yeux luisants, aux murs un fourmillement d'araignées et de cafards. Elle hurla, et l'écho se propagea en un chœur d'épouvante. Elle se démenait pour s'éloigner des bêtes, mais quelque chose la tenait prisonnière, et plus elle tentait de se dégager, plus ça lui faisait mal. Au loin, elle entendit quelqu'un l'appeler, énergiquement, et elle voulut avancer vers la voix autoritaire. De nouveau elle fut retenue, et la douleur exacerba la panique.

— Molly !

La voix perça à travers ses propres cris et tout sembla s'interrompre un instant. Son prénom était répété, sur un ton plus calme maintenant, plus bas, et elle vit les bestioles se dissoudre lentement et disparaître comme si elles n'avaient jamais existé.

— Ce sont des hallucinations.

Les paroles de Marta résonnèrent, claires et nettes.

Molly plissa les yeux et essaya de percer l'obscurité. Elle était allongée. Son esprit était confus, elle ne comprenait rien. Où étaient passés les serpents et les cafards ? Ils étaient bel et bien là une seconde plus tôt, elle les avait vus de ses propres yeux.

— Écoute-moi. Rien de tout ce que tu vois n'est réel.

— D'accord, dit-elle, la bouche sèche, et elle essaya encore une fois de bouger en direction de la voix de Marta. Aïe, je suis coincée.

Elle donna un coup avec sa jambe, sans parvenir pour autant à se dégager. Il faisait nuit noire autour d'elle et elle comprit que Marta avait raison. Les bêtes ne pouvaient pas être réelles, elle n'aurait pas pu les voir dans ces ténèbres. Elle eut l'impression que les murs se resserraient autour d'elle, et ses poumons manquaient d'oxygène. Elle entendait sa propre respiration, courte et superficielle.

— Calme-toi, Molly !

Marta utilisait son ton tranchant, celui qui lui permettait de mettre les filles de l'écurie au garde-à-vous. Et il s'avéra efficace à cet instant aussi. Molly se força à respirer plus lentement, et au bout d'un moment la panique s'estompa et ses poumons se remplirent d'oxygène.

— Il faut qu'on garde notre sang-froid. Sinon on ne va jamais s'en sortir.

— Qu'est-ce qui… on est où ?

Molly se mit péniblement en position accroupie et tâta le long de sa jambe. Un anneau de métal était attaché à sa cheville et en promenant ses doigts elle put sentir les maillons d'une grosse chaîne. En vain, elle se mit à tirer dessus en poussant des hurlements.

— Je t'ai dit de te calmer ! Ça ne sert à rien, ce que tu fais, tu ne pourras pas te détacher.

Le ton était ferme et insistant, mais cette fois, la voix de Marta ne parvint pas à tempérer la panique qui montait en Molly jusqu'à ce qu'elle comprenne enfin l'évidence. Elle s'arrêta net et chuchota dans le noir :

— Celui qui a enlevé Victoria nous a enlevées aussi.

Elle s'attendait à entendre Marta parler de nouveau, mais celle-ci ne dit pas un mot. Et pour Molly, ce silence était plus effroyable que tout le reste.

Ils avaient déjeuné à la cantine de l'hôtel de police et quand la réunion reprit, ils étaient en pleine digestion et légèrement somnolents. Patrik se secoua pour émerger. Il n'avait pas beaucoup dormi ces derniers jours et la fatigue pesait sur son corps comme une enclume.

— Voilà, on reprend, dit Palle Viking en montrant la carte. Le périmètre géographique des disparitions est relativement limité, pourtant personne n'a réussi à établir de liens entre les différentes localisations. Concernant les victimes, il existe plusieurs ressemblances, physiques et familiales, mais nous n'avons trouvé aucun dénominateur commun, du genre passe-temps, échanges sur un forum Internet ou ce genre de choses. Il y a aussi plusieurs dissemblances. Minna Wahlgren se démarque particulièrement, comme l'a relevé la police de Tanum plus tôt dans la journée. Ici, à Göteborg, nous avons bien entendu consacré de gros moyens pour trouver d'autres témoins qui auraient pu apercevoir la voiture blanche. Or, comme vous le savez, nous avons fait chou blanc.

— Il faut se demander pourquoi le ravisseur a été aussi négligent dans ce cas précis, déclara Patrik, et tous les regards se tournèrent vers lui. Il n'a pas laissé une seule trace lors des autres enlèvements. Si toutefois on part du principe que c'est le conducteur de la voiture blanche qui a enlevé Minna, ce qui n'est pas du tout sûr. Toujours est-il que Gerhard Struwer, dont nous avons parlé ce matin, nous a conseillé de focaliser notre attention sur les déviances de comportement de notre homme.

— Je suis d'accord avec vous. Ici, nous avons travaillé en partant de l'hypothèse que le ravisseur la connaissait personnellement. Nous avons déjà interrogé un grand nombre de personnes de l'entourage de Minna, mais je pense que ça vaudrait le coup de continuer de creuser de ce côté-là.

La proposition de Palle rencontra un murmure d'approbation.

— Le bruit court d'ailleurs que même votre femme a parlé à la mère de Minna, ajouta-t-il avec une mine amusée.

De petits rires étouffés émergèrent ici et là, et Patrik se sentit rougir.

— Oui, mon collègue Martin Molin et moi-même sommes allés chez Mme Wahlgren, et Erica, ma femme... y était aussi.

Ça ressemblait à une forme d'excuse, il s'en rendait bien compte.

— A-t-on jamais vu une bonne femme aussi culottée, grommela Mellberg.

— Vous pouvez lire tout cela dans le rapport, se dépêcha de glisser Patrik pour tenter de le réduire au silence. Euh, enfin, la visite d'Erica n'y est pas mentionnée.

D'autres petits rires, et il soupira mentalement. Il aimait très fort sa femme, mais parfois elle lui compliquait la vie.

— Ce qu'il y a dans votre rapport sera sûrement suffisant, sourit Palle, avant de retrouver son sérieux : Mais on dit aussi qu'Erica est une forte tête, alors n'hésitez pas à lui demander si elle a appris quelque chose qui aurait pu nous échapper.

— Nous en avons déjà parlé, et je ne pense pas qu'elle ait découvert plus d'éléments que nous.

— J'insiste, discutez-en avec elle. Il faut que nous trouvions ce qui rend le cas de Minna si différent.

— Entendu, déclara Patrik, qui retrouva son aplomb.

Les heures suivantes furent consacrées à examiner les différents cas sous toutes les coutures. Des théories furent lancées, des propositions regardées à la loupe, des axes d'exploration possibles notés et répartis entre les districts. Des idées farfelues furent accueillies avec autant d'ouverture d'esprit que les suggestions les plus raisonnables. Ils voulaient tous trouver un chemin qui leur permettrait d'avancer. Ils ressentaient tous le même découragement. Chaque district gardait en souvenir les rencontres avec les proches des disparues, leur peine, leur désespoir, leur angoisse et leur épouvante de ne pas savoir ce qui était arrivé à leur enfant. Puis le désespoir plus grand encore après la réapparition de Victoria, quand ils avaient compris que leur fille avait peut-être subi le même sort.

À la fin du jour, ce fut un groupe de policiers moroses mais déterminés qui se dispersa. Ils partirent chacun de leur côté pour poursuivre les investigations. Le destin de cinq filles pesait sur leurs épaules. L'une d'elles était déjà morte. Quatre restaient disparues.

Le calme régnait à l'établissement quand Erica arriva. En habituée des lieux, elle salua les gardiens et après s'être signalée à l'accueil pour se faire enregistrer, elle gagna la salle du personnel. Elle fulminait contre elle-même d'avoir pu être aussi négligente. Elle n'aimait pas commettre ce genre d'erreur.

— Bonjour, Erica.

Betty entra et referma la porte derrière elle. À la main, elle tenait quelques cartes postales entourées d'un élastique qu'elle posa sur la table devant Erica.

— Les voici.

— Je peux les prendre?

Betty fit oui de la tête et Erica saisit le petit paquet et retira l'élastique. Puis elle s'arrêta net en pensant aux empreintes digitales, avant de comprendre que ces cartes avaient déjà été manipulées par tant de personnes que toute empreinte digne de ce nom avait disparu depuis belle lurette.

Il y en avait quatre. Erica les étala, dos contre la table. Toutes représentaient différents motifs espagnols.

— La dernière est arrivée quand?

— Laissez-moi réfléchir… Il y a trois, quatre mois peut-être.

— Laila n'a jamais évoqué un éventuel expéditeur?

— Pas un mot. Mais elle est très agitée quand elles arrivent, et reste bouleversée pendant plusieurs jours.

— Et vous dites qu'elle n'a jamais voulu les garder?

— Non, elle nous a toujours dit de les jeter.

— Vous n'avez pas trouvé ça bizarre?

— Si… dit Betty en hésitant. C'est peut-être pour ça qu'on les a conservées, après tout.

Erica observa la pièce dépouillée et impersonnelle. Seul un yucca à moitié fané posé sur le bord de la fenêtre tentait de l'égayer.

— On ne vient pas très souvent ici, sourit Betty.

— Je comprends, répliqua Erica avant de reporter son attention sur les cartes postales.

Elle les retourna. Effectivement, le verso était vierge, à part l'adresse de Laila à l'établissement, imprimée avec un tampon bleu. Toutes avaient été expédiées de différents endroits, et aucun des lieux n'avait de lien avec Laila, pour autant qu'Erica sache.

Pourquoi l'Espagne? Était-ce la sœur de Laila qui les envoyait? Pour quelle raison? Ça ne paraissait pas très probable, puisqu'elles étaient postées en Suède. Elle envisagea de demander à Patrik de vérifier les déplacements d'Agneta. Les sœurs avaient peut-être plus de contacts que ce que Laila avait prétendu. Ou bien ça n'avait rien à voir avec elle?

— Vous voulez demander à Laila si elle a un commentaire à faire? Je peux lui dire que vous êtes là, proposa Betty.

Erica réfléchit un instant, observa le yucca flétri à la fenêtre, puis secoua la tête.

— Merci, je préfère cogiter un peu d'abord, voir si j'arrive à comprendre ce qu'il y a derrière tout ça.

— Bonne chance, dit Betty en se levant.

Erica eut un faible sourire. De la chance, c'était exactement ce qu'il lui fallait.

— Je peux les emporter?

Betty hésita.

— D'accord, si vous les rapportez ensuite.

— Je vous le promets.

Elle glissa les cartes dans son sac. Rien n'était impossible. Le lien était là, quelque part, et elle n'abandonnerait pas avant de l'avoir trouvé.

Gösta se demanda si finalement il ne devait pas attendre le retour de Patrik, mais le temps pressait et il décida de suivre son instinct et d'avancer en fonction de ce qu'il avait appris.

Annika avait appelé pour prévenir qu'elle partait plus tôt parce que sa fille était malade, et il aurait sans doute mieux fait de retourner au commissariat, qui se retrouvait déserté. Mais Martin ne tarderait pas à revenir et, sans trop s'inquiéter, il prit la route pour se rendre chez les Hallberg.

Ricky lui ouvrit la porte et le fit entrer. Gösta lui avait envoyé un SMS pour s'assurer qu'il y aurait quelqu'un à la maison. La tension était manifeste quand il pénétra dans le salon.

— Tu as du nouveau ? demanda Markus.

L'espoir animait leurs visages, mais ce n'était plus l'espoir de retrouver leur fille. Désormais, ils attendaient une sorte d'explication, qui les aiderait peut-être à retrouver la paix.

— Non, en tout cas rien qui concerne la mort de Victoria. Mais il existe un fait étrange qui se rapporte à l'autre enquête que nous menons.

— Lasse ? demanda Helena.

— Oui, nous avons découvert un lien entre Victoria et Lasse. Un lien qui se réfère à une autre information que je viens d'apprendre. C'est un peu délicat.

Il s'éclaircit la gorge, sans trop savoir comment présenter les faits. Il vit l'angoisse dans le regard de Ricky, la mauvaise conscience qui allait probablement l'accompagner toute sa vie.

— Nous n'avons toujours pas trouvé le corps de Lasse, mais il y avait des traces de sang à proximité de sa voiture, que nous avons fait analyser. C'était bien le sien.

— Ah bon, dit Markus. Et qu'est-ce que ça a à voir avec Victoria ?

— Voilà, vous savez que quelqu'un surveillait votre maison. Il y avait un mégot de cigarette dans le jardin de votre voisine, que nous avons également fait analyser, déclara Gösta, en approchant du sujet qu'il aurait préféré éviter. De leur propre initiative, les techniciens du laboratoire ont comparé le sang du ponton avec l'ADN du mégot, et il s'avère que les deux correspondent. Autrement dit, c'est Lasse qui surveillait Victoria, et il est fort plausible que ce soit lui, l'auteur des lettres anonymes dont Ricky nous a parlé.

— Il nous en a parlé aussi, confirma Helena avec un regard sur son fils.

— Je suis désolé de les avoir jetées, murmura-t-il. Je ne voulais pas que vous tombiez dessus.

— Ne t'en fais pas pour ça, le rassura Gösta. C'est réglé. Toujours est-il que nous travaillons maintenant sur l'hypothèse que Lasse faisait chanter quelqu'un qui a fini par en avoir marre et l'a tué. Et j'ai une théorie sur l'identité de cette personne.

— Pardon, mais j'ai du mal à suivre, dit Helena. En quoi ça concerne Victoria ?

— Oui, pourquoi est-ce qu'il la surveillait ? demanda Markus. Qu'est-ce qu'elle avait à voir avec le chantage de Lasse ? Il faut que tu nous expliques, là.

Gösta soupira et respira à fond.

— Je pense que Lasse faisait chanter Jonas Persson parce qu'il savait que ce dernier avec une relation extraconjugale avec une fille bien plus jeune que lui. Avec Victoria.

Dès qu'il eut lâché la révélation, il sentit ses épaules se détendre. Il retint sa respiration en attendant la réaction des parents de Victoria. Qui n'eut rien à voir avec celle qu'il imaginait. Helena leva les yeux et le fixa sans s'émouvoir.

— Alors là, tu te fourvoies complètement, Gösta.

À la grande surprise de Dan, Anna s'était chargée d'accompagner les filles au centre équestre. Elle avait besoin de prendre l'air, et même la présence des chevaux n'aurait pu l'en dissuader. Elle grelottait et serra plus fort sa veste autour d'elle. Pour ajouter à toutes ses misères, son mal au cœur ne faisait qu'empirer et elle commençait à douter que ce soit un simple effet psychosomatique. Elle avait dû attraper la gastro qui sévissait à l'école. Jusque-là elle avait réussi à lui tenir tête en avalant dix grains de poivre blanc, mais elle se voyait déjà penchée sur une bassine, à vomir ses tripes.

Quelques filles se gelaient en attendant devant l'écurie. Emma et Lisen coururent les rejoindre, et Anna les suivit.

— Bonjour, pourquoi vous n'êtes pas entrées ?

— Marta n'est pas encore arrivée, dit une grande fille brune. D'habitude elle n'est jamais en retard.

— Elle ne va sûrement pas tarder.

— Mais Molly devrait être là aussi, ajouta la grande brune.

Les autres opinèrent – c'était manifestement la chef de la bande.

— Vous avez vérifié si elles ne sont pas chez elles ?

Anna regarda la maison. La lumière était allumée, il devait donc y avoir quelqu'un.

— Non, on n'oserait jamais faire ça, dit la fille, l'air épouvanté.

— Eh bien, moi, j'y vais. Attendez-moi.

Elle traversa rapidement la cour. Son empressement n'arrangea pas le mal au cœur, et elle s'appuya sur la main courante en montant les marches du perron. Elle dut sonner deux fois avant que Jonas ne vienne ouvrir. Il s'essuya les mains sur un torchon ; à en juger par l'odeur de cuisine, il était en train de préparer à manger.

— Bonjour, dit-il, l'air perplexe.

Anna se racla la gorge.

— Bonjour. Je cherche Marta et Molly, elles sont là ?

— Non, elles doivent être à l'écurie, répondit Jonas en consultant sa montre. Marta a un cours dans pas longtemps, et Molly est censée l'aider.

— Elles ne sont pas encore arrivées, dit Anna en secouant la tête. Vous avez une idée d'où elles peuvent être ?

— Aucune. Je ne les ai pas vues depuis ce matin, j'ai dû partir tôt pour une urgence et quand je suis revenu, il n'y avait personne. J'ai un peu dormi, et j'ai eu des consultations. J'étais persuadé qu'elles étaient à l'écurie cet après-midi. Molly a un concours important à préparer, je pensais qu'elles étaient en plein entraînement. Et la voiture n'a pas bougé.

Il montra la Toyota bleue garée devant la maison.

— Qu'est-ce qu'on fait alors ? Les filles attendent…

Il prit son téléphone, posé sur une commode dans le vestibule, et appela un numéro pré-enregistré.

— Non, elle ne répond pas. Bizarre. Elle a toujours son portable avec elle, dit Jonas, et il eut l'air inquiet. Je vais voir avec ma mère.

Il l'appela et Anna l'entendit expliquer de quoi il s'agissait, tout en disant à sa mère de ne pas s'inquiéter, que tout allait bien. Il termina la conversation en disant "allez ciao" plusieurs fois.

— Ah, les mamans et les téléphones, ronchonna-t-il avec une petite grimace. C'est plus facile de faire voler un cochon que de raccrocher quand on a sa mère au bout du fil.

— Oui, c'est vrai.

Anna fit comme si elle savait de quoi il parlait, alors qu'en fait, leur mère, à Erica et elle, n'avait pratiquement jamais donné de ses nouvelles.

— Elles sont passées chez elle dans la matinée, après ça, elle ne les a plus vues. Molly n'est pas allée au collège aujourd'hui, elle avait mal au ventre, mais elles avaient quand même prévu de reprendre l'entraînement cet après-midi.

Il enfila un blouson et rejoignit Anna sur le perron.

— Je viens avec vous, on va voir si on les trouve. Elles sont forcément quelque part par là.

Ils firent le tour de la cour, regardèrent dans la vieille grange et dans le manège, puis dans la salle polyvalente. Aucune trace de Molly et Marta.

Les filles étaient dans l'écurie à présent, leurs voix résonnaient quand elles parlaient aux chevaux et entre elles.

— On va attendre un moment, déclara Anna. Si elles n'arrivent pas, je pense qu'on repartira. Il y a peut-être eu un malentendu sur l'horaire.

— Oui, probablement, dit Jonas sans conviction. Je vais chercher encore un peu, ne partez pas tout de suite.

— D'accord.

Anna entra dans l'écurie, en prenant garde de rester à bonne distance des énormes bêtes.

Ils étaient sur le chemin du retour. Patrik avait insisté pour conduire, il lui fallait ça pour décompresser.

— Quelle journée! On n'a pas chômé! s'exclama-t-il. C'était une bonne chose, ce débriefing, mais j'avoue que j'avais espéré des retombées directes et immédiates. J'aurais adoré avoir une sorte d'illumination soudaine.

— Ça viendra, ne t'inquiète pas, lui répondit Mellberg gaiement.

Il était d'humeur inhabituellement joyeuse. L'euphorie d'avoir été le centre d'intérêt avec le cas Ingela Eriksson devait encore lui tourner la tête. Une telle attention allait le nourrir pendant des semaines, se dit Patrik. Mais il comprit aussi qu'il devait absolument rester optimiste. Il était hors de question de transmettre un sentiment d'enlisement quand ils feraient le bilan de la situation demain.

— Tu as raison, cette réunion aura peut-être servi à quelque chose. Palle va mobiliser des ressources supplémentaires pour éplucher l'affaire Ingela Eriksson, et si tout le monde s'y met, on va finir par comprendre en quoi la disparition de Minna Wahlberg se distingue des autres.

Il appuya sur l'accélérateur. Il était impatient de rentrer à la maison pour tout digérer et peut-être discuter de la réunion avec Erica. Elle parvenait souvent à structurer ce qui pour lui s'apparentait au chaos, et personne ne l'aidait mieux qu'elle à mettre de l'ordre dans ses idées.

D'autant qu'il voulait lui demander un service, sans rien en dire à Mellberg bien sûr, lui qui rouspétait tant contre la mauvaise habitude d'Erica de se mêler de leurs enquêtes. Même s'il arrivait que Patrik se fâche sérieusement contre elle, il devait admettre qu'elle avait un don pour trouver de nouveaux angles d'attaque. Palle lui avait demandé d'exploiter ce talent, et d'une certaine façon elle était déjà impliquée dans l'affaire. Patrik pensait au lien éventuel entre Laila et les disparitions. Il avait envisagé de l'évoquer pendant la réunion pour finalement s'en abstenir. Il fallait en savoir davantage, et ne pas courir le risque que cet élément incertain vienne déranger l'enquête et les déconcentrer au lieu de les faire progresser. Pour l'instant Erica n'avait rien trouvé pour étayer sa théorie, mais l'expérience avait appris à Patrik qu'il valait mieux l'écouter quand elle avait un pressentiment. Elle se trompait rarement, ce qui était à la fois terriblement agaçant et d'une grande aide. C'était précisément pour cela qu'il allait lui demander de visionner les entretiens filmés avec les proches. Leur grand défi était toujours de trouver un dénominateur commun entre les filles, et Erica serait peut-être en mesure de repérer un détail qui avait échappé à tout le monde.

— On pourrait tous se retrouver à huit heures demain matin pour faire le point, non ? dit-il. J'ai envie de demander à Paula de venir aussi, si c'est possible.

Le silence régnait dans la voiture et Patrik essaya de se concentrer sur la conduite. La chaussée était particulièrement glissante.

— Qu'est-ce que tu en penses, Bertil ? ajouta-t-il comme la réaction tardait à venir. Tu peux demander à Paula ?

Il ne reçut pour toute réponse qu'un ronflement sonore. Il jeta un regard sur son chef : il s'était endormi, le pauvre. Lui qui n'était pas habitué à travailler autant, cette journée l'avait complètement épuisé.

FJÄLLBACKA, 1975

La situation était devenue intenable. Les questions des voisins et des autorités étaient trop fréquentes, ils ne pouvaient pas rester à Uddevalla. Depuis le déménagement d'Agneta en Espagne, la mère de Laila, souffrant de solitude, les contactait de plus en plus souvent. Quand elle leur avait parlé d'une maison à vendre à un bon prix, près de Fjällbacka, ils s'étaient vite décidés. Ils allaient y retourner.

Laila savait pourtant que c'était de la folie, de s'installer trop près de sa mère. Mais elle n'avait pas pu éteindre tout à fait l'espoir que celle-ci pourrait les aider, que tout serait plus facile si on leur fichait la paix dans cette nouvelle maison assez isolée, loin des regards curieux.

L'espoir avait été vite douché. La patience de Vladek était presque à bout et leurs disputes se succédaient sans répit. De ce qui fut un jour, il ne restait plus rien.

La veille, sa mère s'était présentée chez eux sans prévenir. L'inquiétude la minait, et Laila eut envie de se jeter dans ses bras, de redevenir enfant et de pleurer comme un bébé. Puis elle avait senti la main de Vladek sur son épaule, elle avait deviné sa force brute, et l'instant lui avait échappé. Calmement, tranquillement, il avait dit ce qui devait être dit, bien que sa mère en fût blessée. Celle-ci avait déclaré forfait, et quand Laila l'avait vue repartir vers sa voiture, les épaules affaissées, elle aurait voulu crier qu'elle l'aimait. Qu'elle avait besoin d'elle. Mais les mots étaient restés coincés dans sa gorge.

Par moments elle se demandait comment elle avait pu être bête au point de croire que le déménagement changerait quoi que ce soit. C'était eux, le problème, et personne ne pouvait les aider. Ils étaient seuls. Elle ne pouvait laisser entrer sa mère dans leur enfer.

La nuit, il lui arrivait de se glisser près de Vladek, se rappelant les premières années, quand ils dormaient collés l'un à l'autre. Chaque soir ils s'endormaient enlacés, même s'ils avaient trop chaud sous la couverture. Désormais elle ne dormait plus. Elle restait éveillée à côté de lui, écoutait ses ronflements et sa respiration profonde. Elle le voyait tressaillir dans son sommeil et ses yeux s'agiter derrière les paupières.

La neige tombait et Einar suivait comme hypnotisé le lent voyage des flocons vers le sol. Au rez-de-chaussée il entendait les bruits habituels, ceux qu'il avait entendus jour après jour ces dernières années : Helga qui s'affairait dans la cuisine, le grondement de l'aspirateur, le cliquetis des assiettes et des couverts qu'elle rangeait dans le lave-vaisselle. Ce sempiternel ménage qu'elle s'était évertuée à faire toute sa vie.

Bon sang, comme il la méprisait, cette créature faible et minable. Il avait toujours haï les femmes. Sa mère la première, avant que d'autres prennent la suite. Elle l'avait détesté dès le premier instant, avait voulu lui couper les ailes, l'empêcher d'être lui-même. Mais elle était morte et enterrée depuis belle lurette.

Elle avait succombé à un infarctus quand il avait douze ans. Il l'avait vue mourir, c'était un de ses meilleurs souvenirs. Tel un trésor, il l'avait enfoui au fond de lui, et ne le ressortait qu'à certaines occasions. Tous les détails surgissaient alors, comme un film dont il était le spectateur : elle se touchait la poitrine, son visage se froissait sous la douleur et la stupeur, puis elle s'affaissait lentement par terre. Il n'avait pas appelé les secours, il s'était juste accroupi près d'elle pour ne rien rater du jeu de sa physionomie. Il avait minutieusement étudié son visage qui s'était d'abord figé avant de virer au bleu à cause du manque d'oxygène.

À une certaine époque, penser à son agonie et au pouvoir de vie et de mort qu'il avait eu sur elle ce jour-là le faisait presque bander. Désormais son corps lui refusait cette volupté qui lui manquait tant. Aucun des souvenirs qu'il puisait au fond de lui n'était en mesure de lui procurer la merveilleuse sensation de sang irriguant son bas-ventre. Son seul plaisir à présent était de tourmenter Helga.

Il inspira à fond.

— Helga! Helgaaa!

Les bruits au rez-de-chaussée s'arrêtèrent. Elle poussait probablement un soupir, et cette pensée remplit Einar de joie. Puis il entendit des pas dans l'escalier et Helga entra dans sa chambre.

— Il faut changer la poche.

Il l'avait lui-même détachée pour provoquer une fuite. Il savait qu'elle savait, et cela faisait partie du jeu : elle n'avait pas le choix. Jamais il n'aurait épousé une femme capable de choisir, capable d'avoir une volonté. L'homme était supérieur dans tous les domaines, et la seule mission de la femme était de mettre des enfants au monde. Dans ce domaine non plus, Helga n'avait pas excellé.

— Je sais que c'est toi qui le fais, dit-elle comme si elle avait lu dans ses pensées.

Il ne répondit pas, se contentant de la regarder. Ce qu'elle croyait n'avait aucune importance, elle serait quand même obligée de nettoyer les souillures.

— C'était qui au téléphone?

— Jonas. Il cherchait Molly et Marta, répondit-elle en déboutonnant sa chemise avec des gestes un peu trop brusques.

— Ah bon, pourquoi?

Einar se retint de lui flanquer une gifle. Autrefois, elle baissait les yeux devant ses menaces informulées, elle pliait, se soumettait. Il la contrôlait avec sa force, et ce sentiment de maîtrise lui manquait. Son corps l'avait trahi, mais il ne la laisserait jamais avoir le dessus – mentalement il la dominait encore.

— Elles ne sont pas venues à l'écurie à l'heure prévue. Les filles les attendaient pour la reprise, mais ni Marta ni Molly ne se sont montrées.

— C'est quand même incroyable, que ce soit si difficile de gérer correctement son entreprise, dit Einar, et il sursauta quand les doigts de Helga lui pincèrent la peau. Putain, mais qu'est-ce que tu fous?

— Désolée, je n'ai pas fait exprès.

Il n'y avait pas dans sa voix l'asservissement auquel il était habitué, mais il décida de s'en tenir là. Il était trop fatigué aujourd'hui.

— Où elles sont alors?

— Comment veux-tu que je le sache? cracha Helga, et elle alla dans la salle de bains chercher de l'eau.

Il tressaillit. C'était inadmissible qu'elle lui parle ainsi.

— Quand est-ce qu'il les a vues pour la dernière fois?

La réponse de Helga lui parvint assourdie par le bruit de l'eau qu'elle faisait couler dans la bassine.

— Tôt ce matin. Elles dormaient encore quand il est parti chez les Leander pour une urgence. Elles sont passées me voir dans la matinée, je n'ai pas eu l'impression qu'elles avaient prévu quelque chose de particulier pour cet après-midi. Et la voiture est là.

— Bon, ben alors elles sont forcément là aussi, trancha Einar en l'observant attentivement quand elle revint de la salle de bains avec la bassine et un gant de toilette. Enfin, il faut quand même que Marta comprenne qu'elle ne peut pas se permettre de manquer des cours comme ça. Elle risque de perdre des élèves et de quoi ils vivraient? Le cabinet de Jonas, c'est bien, mais ça ne fait pas bouillir la marmite.

Il ferma les yeux et profita de l'eau chaude et de la sensation de propreté.

— Ne t'inquiète pas, ils se débrouillent, dit Helga en essorant le gant.

— Qu'ils n'aillent pas croire qu'ils pourront venir nous emprunter de l'argent, c'est moi qui te le dis!

Il avait haussé le ton à l'idée d'avoir à se séparer du pécule qu'il avait amassé à la sueur de son front, une petite réserve dont Helga ignorait l'existence. Au fil des ans, c'était devenu une coquette somme. Il était doué dans son travail, et ses loisirs ne coûtaient pas cher. Cet argent reviendrait un jour à Jonas, mais il craignait que, dans un accès de générosité, son fils ne le partage avec sa mère. Jonas avait beau lui ressembler, il avait aussi un trait de faiblesse qu'il tenait probablement de Helga. Einar avait du mal à se l'expliquer, et ça l'inquiétait.

— Ça y est, c'est propre ? demanda-t-il pendant qu'elle lui mettait une nouvelle chemise qu'elle boutonnait avec des doigts marqués par des années de travaux ménagers.

— Oui, jusqu'à la prochaine fois où tu t'amuseras à défaire la poche.

Elle se redressa et le fixa intensément. Il sentit l'irritation ramper sous sa peau. Qu'est-ce qu'elle avait ? C'était comme si elle observait un insecte à la loupe. Son regard était froid, elle l'étudiait, l'évaluait, et surtout, elle n'avait pas peur.

Pour la première fois depuis bien longtemps, Einar éprouva un sentiment qu'il détestait profondément : l'incertitude. Il n'avait pas le dessus et il savait qu'il devait très vite rétablir l'équilibre des pouvoirs.

— Dis à Jonas de passer, ordonna-t-il sur un ton aussi cassant que possible.

Helga ne répondit pas. Elle continua simplement de le dévisager.

Molly claquait des dents tellement elle avait froid. Ses yeux s'étaient habitués au noir et elle pouvait distinguer Marta telle une ombre. Elle aurait voulu se glisser près d'elle et se réchauffer, mais quelque chose la retint. Comme toujours.

Marta ne l'aimait pas. Elle le savait depuis aussi loin que remontaient ses souvenirs, et son amour ne lui avait pas manqué. Comment peut-on ressentir le manque de ce qu'on n'a jamais eu ? Et puis Jonas était toujours là. C'est lui qui avait nettoyé ses égratignures quand elle était tombée de vélo, lui qui avait chassé les monstres sous le lit et l'avait bordée le soir. Il l'avait aidée à faire ses devoirs, il lui avait expliqué les planètes et le système solaire, il avait été omniscient et tout-puissant.

Molly n'avait jamais compris comment Jonas pouvait être aussi fasciné par Marta. Elle les voyait parfois échanger des regards à table, elle voyait ses yeux affamés. Qu'est-ce qu'il lui trouvait ? Qu'est-ce qu'il lui avait trouvé la première fois qu'ils s'étaient vus, cette rencontre dont elle avait tant entendu parler ?

— J'ai froid, dit-elle en regardant la silhouette immobile dans l'obscurité, mais Marta ne répondit pas et Molly étouffa un sanglot. Qu'est-ce qui s'est passé? Qu'est-ce qu'on fait ici? On est où?

Les questions sortaient de sa bouche sans qu'elle puisse les contrôler. Elles s'accumulaient dans sa tête, mêlant terreur et incertitude. Elle tira sur la chaîne de nouveau et fit une grimace de douleur. Sa cheville était entaillée.

— Arrête ça, lui conseilla Marta. Tu ne réussiras pas à te dégager.

— Mais on ne va pas abandonner quand même?

Par pur défi, Molly tira de nouveau sur la chaîne et fut immédiatement punie par la douleur qui fusa dans sa jambe.

— Qui a dit qu'on allait abandonner?

La voix de Marta était calme. Comment pouvait-elle être aussi maîtrisée? Son assurance n'était absolument pas communicative, elle avait plutôt tendance à terrifier Molly.

— Au secours! hurla-t-elle, et son cri rebondit entre les murs. On est là! Au secours! Au secours!

Le silence qui suivit l'écho de ses cris était assourdissant.

— Arrête ça, je te dis. Ça ne sert à rien.

La voix de Marta dégageait toujours la même indifférence glaciale. Molly voulut la frapper, la griffer, lui tirer les cheveux, lui donner des coups de pied, n'importe quoi pour obtenir une autre réaction que cette impassibilité funeste.

— On va nous secourir, finit par dire Marta. Il faut juste patienter un peu. Ne surtout pas céder à la panique. Tais-toi maintenant, ça va s'arranger.

Molly ne comprenait pas ce que Marta insinuait. C'était insensé. Qui pourrait les trouver ici? Puis l'effroi se dissipa un peu. Marta ne parlait jamais à la légère. Si elle affirmait qu'elles seraient libérées, alors c'était vrai. Molly décida de suivre ses conseils. Elle s'adossa de nouveau au mur et reposa sa tête sur ses genoux pliés.

— Mon Dieu, ce que je peux être fatigué!

Patrik se passa la main sur le visage. Gösta avait cherché à le joindre au moment où il venait de franchir la porte, sans doute pour savoir comment s'était passée la réunion, mais après une brève hésitation, il avait décidé de ne pas répondre. S'il y avait une urgence, ils n'auraient qu'à venir le chercher. Là, il n'avait qu'une chose à l'esprit, et il voulait en discuter tranquillement avec Erica.

— Ce soir, tu devrais essayer de te reposer, dit-elle.

Patrik sourit. La mine de sa femme l'avait déjà renseigné. Elle avait une révélation à lui faire.

— Non, j'ai besoin de ton aide.

Il alla dans le séjour dire bonjour aux enfants. Ils se précipitèrent sur lui, tous les trois, et se jetèrent dans ses bras. C'était un des nombreux avantages du rôle de père : après une journée d'absence, on était accueilli comme si on revenait d'un périple sur les sept mers.

— Bien sûr, pas de problème, répondit Erica, et il entendit le soulagement dans sa voix.

Il était curieux d'en savoir plus, mais sentit qu'il devait d'abord manger un morceau.

Une demi-heure plus tard, il était rassasié et prêt à écouter ce que sa femme brûlait d'envie de lui dévoiler.

— Je me suis aperçue aujourd'hui que j'avais oublié de vérifier un truc, dit-elle en s'asseyant en face de lui. J'avais demandé si Laila avait eu des visites ou des appels téléphoniques, ce qui n'était pas le cas.

— Oui, je m'en souviens.

Il la contempla à la lueur des bougies allumées sur la table. Elle était si belle. Il avait tendance à l'oublier parfois, comme s'il était tellement habitué à son visage qu'il n'y réagissait plus. Il devrait le lui dire plus souvent. Il devrait la bichonner davantage, même s'il savait qu'elle se satisfaisait de leurs petits moments privilégiés : leurs soirées dans le canapé, la tête posée sur son épaule, leurs dîners en tête à tête le vendredi autour d'un bon plat et d'un verre de vin, leur bavardage au lit avant de s'endormir – oui, tout ce qu'il adorait lui aussi dans leur vie commune.

— Pardon, tu disais ?

Il s'était perdu dans ses pensées. La fatigue l'empêchait de se concentrer.

— J'avais négligé de me renseigner sur un autre moyen de communication. Une vraie boulette, je sais, mais heureusement j'ai fini par y penser.

— Viens-en au fait, ma chérie, dit-il sur un ton taquin.

— Le courrier. J'avais oublié de vérifier si elle avait reçu du courrier ou si elle avait envoyé des lettres.

— Vu ton excitation évidente, je présume que tu as trouvé quelque chose.

— Oui, mais je ne sais pas ce que ça signifie. Attends, je vais te montrer.

Elle se leva, alla chercher son sac dans le vestibule et en sortit précautionneusement quelques cartes postales qu'elle posa sur la table.

— Elles sont adressées à Laila, mais elle n'en a pas voulu, elle a demandé au personnel de les jeter. Ce qu'ils n'ont pas fait, heureusement. Comme tu peux le voir, elles représentent toutes des motifs espagnols.

— C'est qui, l'expéditeur ?

— Aucune idée. Le cachet de la poste indique différents endroits en Suède, et je ne trouve aucun point commun entre les villes.

— Qu'est-ce qu'elle en dit, Laila ?

Patrik prit une des cartes, la retourna et vit l'adresse bleue imprimée.

— Je ne lui en ai pas encore parlé. Je veux d'abord essayer de trouver le fil rouge.

— Tu as une théorie ?

— Non, j'y réfléchis depuis qu'on me les a données. À part l'Espagne, je ne vois aucun lien.

— Laila a une sœur en Espagne, non ?

Erica opina du chef et prit une carte, elle aussi. La photo d'un matador en train d'agiter sa muleta devant un taureau furieux.

— Oui, mais apparemment, elles n'ont pas eu de contact depuis toutes ces années, et les cartes postales ont été postées en Suède, pas en Espagne.

Patrik plissa le front et essaya d'imaginer une autre approche.

— Tu as marqué sur une carte les villes où elles ont été postées ?

— Non, tiens, je n'y avais pas pensé. Allez viens, j'en ai une dans mon bureau.

Elle sortit de la cuisine et Patrik se leva péniblement pour la suivre.

Dans le bureau, Erica vérifia les cachets de la poste, puis la carte de Suède. Une fois les quatre villes localisées, elle les entoura d'un trait de marqueur. Patrik l'observa en silence, appuyé contre le chambranle. En bas, on entendit à la télé les hurlements du père d'Emil qui pourchassait son fils pour l'enfermer dans l'atelier.

— Voilà!

Elle fit un pas en arrière et observa la carte d'une mine critique. Les villes où habitaient les filles disparues étaient marquées en rouge, celles où les cartes postales avaient été postées en bleu.

— Je ne comprends toujours rien! s'exclama-t-elle.

Patrik entra dans la pièce et vint à côté d'elle.

— Moi non plus, je ne distingue aucun schéma.

— Et rien de neuf n'est ressorti de la réunion qui pourrait nous aider?

— Non, rien, répondit-il avec un haussement d'épaules résigné. Mais bon, vu que tu es déjà activement impliquée dans l'affaire, je vais te résumer ce qu'on s'est dit. Tu y verras peut-être plus clair que nous. Viens, on redescend, on est mieux en bas pour parler.

Il se dirigea vers l'escalier, et descendit les marches en continuant à parler par-dessus son épaule.

— Je voulais te demander de m'aider sur un truc. Tous les districts ont filmé les entretiens qu'ils ont eus avec les proches des filles, et on a des copies des vidéos. Avant, on n'avait que les rapports papier. J'aimerais que tu les regardes avec moi et que tu me dises tout ce que ça t'évoque.

— Pas de problème. On fera ça dès que les enfants seront au lit. Mais raconte-moi d'abord ce que vous vous êtes dit à la réunion.

Ils retournèrent dans la cuisine, et Patrik se demanda s'il n'allait pas proposer une petite razzia dans le congélateur pour voir ce qu'ils avaient en matière de glaces.

— Mon collègue de Göteborg voulait que je te demande de détailler encore une fois ton entretien avec la mère de Minna.

On a tous le sentiment que son cas est un peu à part, et la moindre petite observation pourrait être cruciale.

— Je veux bien, mais je t'ai déjà tout dit après le rendez-vous. Maintenant ce n'est plus aussi frais dans ma tête.

— Dis-moi ce dont tu te souviens, l'encouragea Patrik.

Il exulta intérieurement en la voyant se diriger vers le congélateur et sortir un pot de crème glacée Ben & Jerry's. Parfois il se demandait si à force de vivre ensemble on n'apprenait pas à lire dans les pensées l'un de l'autre.

— Quoi ?! Vous mangez de la glace ! C'est pas juste !

Maja était arrivée dans la cuisine, elle les regardait d'un œil mauvais. Patrik la vit prendre son élan et devina la suite.

— Anton ! Noel ! Papa et maman mangent de la glace et nous on en a pas eu !

Il soupira et se leva. Il sortit du congélateur une barquette de crème glacée format familial et répartit la glace dans trois bols. Certains combats ne valaient pas le coup d'être menés.

Il venait de remplir le troisième bol et se régalait à l'idée de se servir à lui-même une bonne portion de *chocolate fudge brownie* quand on sonna à la porte. Plusieurs fois, en s'acharnant sur la sonnette.

Patrik jeta un regard éberlué à Erica avant d'aller ouvrir. Sur le perron, il trouva Martin, passablement crispé.

— Putain, pourquoi tu ne réponds pas au téléphone ? Ça fait des heures qu'on essaie de te joindre !

— Qu'est-ce qu'il se passe ? demanda Patrik, et il sentit son ventre se contracter.

Martin le regarda d'un air grave.

— Jonas Persson nous a appelés. Molly et Marta ont disparu.

Derrière lui, Erica eut le souffle coupé.

Assis dans le canapé du salon, Jonas sentit son angoisse grandir. Il ne s'expliquait pas ce que la police faisait ici. Ne devrait-elle pas plutôt être sur le terrain en train de chercher ? Des crétins, des incompétents, ces flics.

Comme s'il avait compris ses ruminations, Patrik Hedström vint poser sa main sur son épaule.

— Nous allons passer au peigne fin le périmètre de la ferme maintenant, mais il va falloir attendre que le jour se lève pour chercher dans la forêt. Là où vous pourriez nous aider, c'est en établissant une liste des amis de Marta et de Molly, et en commençant à les appeler ?

— J'ai déjà joint tous ceux qui me sont venus à l'esprit.

— Faites une liste quand même. Il peut y avoir des noms auxquels vous n'avez pas pensé. Moi, je vais aller voir votre mère, elles lui ont peut-être dit ce qu'elles allaient faire cet après-midi. Est-ce que Marta a un agenda ? Et Molly ? À ce stade, tout peut nous être utile.

— Marta se servait de l'agenda de son téléphone et je suppose qu'elle l'a emporté, même si elle ne répond pas. Elle ne part jamais sans son téléphone. Celui de Molly est toujours dans sa chambre. Je ne sais pas si elle a un autre agenda.

Il secoua la tête. Qu'est-ce qu'il savait au juste de la vie de Molly ? Que savait-il de sa fille ?

— Très bien.

Patrik posa de nouveau sa main sur son épaule. Jonas fut étonné de constater que ce contact remplissait très bien sa fonction. La main de Patrik l'apaisa effectivement un tout petit peu.

— Est-ce que je peux vous accompagner chez ma mère ? dit-il en se levant pour marquer que ce n'était pas vraiment une question. Elle s'inquiète facilement et elle est bouleversée par ce qui se passe.

— Bien sûr, pas de problème.

Patrik sortit de la maison avec Jonas sur ses talons, et ils traversèrent en silence la cour jusqu'à la maison de Helga et Einar. Dans l'escalier, Jonas le doubla en quelques enjambées rapides et ouvrit la porte.

— Ce n'est que moi, maman. Et la police qui veut poser quelques questions.

— La police ? Qu'est-ce qu'elle veut, la police ? Il leur est arrivé quelque chose ? s'écria Helga en arrivant dans le vestibule.

— Ne vous inquiétez pas, dit Patrik rapidement. Nous sommes là parce que Marta et Molly ne sont toujours pas rentrées et Jonas n'arrive pas à les joindre. C'est sans doute un simple malentendu. Si ça se trouve, elles sont juste allées chez une amie en oubliant de le signaler.

Helga eut l'air un peu plus tranquille et hocha la tête.

— Oui, vous avez sans doute raison. Ce n'était pas la peine de vous déranger si vite. Vous avez sûrement assez à faire en ce moment.

Elle les précéda dans la cuisine et continua de ranger la vaisselle dans la machine.

— Assieds-toi, maman, lui dit Jonas.

Son inquiétude grandit. Il n'arrivait pas à comprendre. Où pouvaient-elles être? Il avait passé en revue tous leurs échanges des derniers jours. Il n'y avait aucune raison de croire que quelque chose n'allait pas. En même temps, la peur était là, celle qu'il avait ressentie dès leur première rencontre : la peur et la conviction qu'un jour elle le quitterait. Rien ne le terrifiait davantage. La perfection était condamnée à périr. L'équilibre devait être bouleversé. Voilà la philosophie qu'il avait adoptée. Comment avait-il pu croire que cela ne le concernerait pas? Que les mêmes règles ne s'appliqueraient pas à lui?

— Elles sont restées combien de temps ce matin?

Patrik posa ses questions avec douceur. Jonas ferma les yeux et écouta le policier parler avec sa mère. À sa voix, il pouvait entendre qu'elle n'aimait pas la situation dans laquelle elle se trouvait. Elle estimait qu'ils auraient dû gérer cela sans y mêler la police. Dans leur famille, on gérait soi-même les problèmes.

— Elles n'ont pas parlé de projets, elles ont juste dit qu'elles avaient une séance d'entraînement plus tard.

Helga fixait le plafond tout en réfléchissant, une habitude que Jonas reconnaissait bien. Tous ces gestes familiers, répétés encore et encore, en une boucle sans fin. Il faisait partie de cette boucle, c'est un fait qu'il avait accepté, et Marta l'avait accepté aussi. Mais sans elle, il ne pouvait pas, il ne voulait pas. Sans elle, plus rien n'aurait de sens.

— Elles n'ont pas mentionné un rendez-vous? Une course à faire? insista Patrik, et Helga secoua la tête.

— Non, et dans ce cas, elles auraient pris la voiture. Marta tenait quand même à son petit confort.

— Tenait? s'exclama Jonas, et sa voix monta dans les aigus. Tu veux dire "tient", j'espère?

Patrik le regarda, surpris, et Jonas posa les coudes sur la table et appuya sa tête dans ses mains.

— Excusez-moi. Je suis debout depuis quatre heures du matin, je n'ai pas eu le temps de rattraper mon sommeil. Vous comprenez, ça ne ressemble pas à Marta de louper des cours, et encore moins de partir comme ça, sans dire où elle va.

— Elles vont bientôt revenir, tu verras, et Marta se fâchera tout rouge quand elle saura que tu en as fait tout un plat, dit Helga pour le rassurer.

Jonas décela cependant une note dissonante dans sa voix et se demanda si Patrik l'avait perçue aussi. Il aurait aimé la croire, or, c'était comme si son bon sens s'y opposait. Qu'allait-il faire si elles avaient réellement disparu? À qui pourrait-il expliquer que Marta et lui formaient une entité? Dès le premier instant, ils avaient respiré au même rythme. Molly était la chair de sa chair, mais sans Marta il n'était rien.

— Il faut que j'aille aux toilettes, annonça-t-il en se levant.

— Je pense que votre mère a raison, lança Patrik en direction de son dos.

Il ne répondit rien. Son envie pressante n'était qu'un prétexte. Il devait juste se reprendre quelques minutes, ne pas laisser voir que sa vie s'écroulait.

À l'étage, il entendit son père gémir et ahaner. Il faisait sans doute du bruit exprès, après avoir perçu les voix au rez-de-chaussée. Mais Jonas n'avait pas l'intention de monter lui rendre visite. Einar était bien la dernière personne qu'il voulait voir. Dès qu'il arrivait près de son père, il sentait la chaleur cuisante comme dégagée par une flamme infernale. Il en avait toujours été ainsi. Helga avait essayé de se poser comme un écran froid entre eux, sans jamais y parvenir. Aujourd'hui, seules quelques braises persistaient, et Jonas ne savait pas combien de temps encore il aurait la force d'aider son père à les alimenter. Combien de temps encore, il lui devrait cet effort.

Il entra aux toilettes et appuya son front contre le miroir. C'était rafraîchissant. Il avait les joues en feu. En fermant les yeux, des images défilaient derrière ses paupières, souvenirs de la vie partagée avec Marta. Son nez se mit à couler et il se pencha pour prendre un bout de papier-toilette. Il n'y en avait plus. De l'autre côté de la porte, il entendit le murmure des voix dans la cuisine se mêler aux bruits d'Einar à l'étage. Il s'accroupit et ouvrit l'armoire où Helga rangeait les réserves.

Il fixa l'intérieur du petit meuble. À côté des rouleaux, quelque chose était rangé à l'abri des regards. Tout d'abord il ne comprit pas ce qu'il voyait. Puis tout devint clair.

Erica s'était proposée pour les aider à chercher, mais Patrik avait pointé l'évidence : quelqu'un devait rester à la maison avec les enfants. À contrecœur, elle lui avait donné raison, en se disant qu'elle pourrait consacrer la soirée au visionnage des vidéos. Les DVD l'attendaient dans le vestibule, mais d'expérience elle savait qu'elle ne pourrait pas les regarder avant que les trois enfants soient endormis dans leur lit. Elle alla rejoindre les petits devant le poste de télévision.

Elle leur avait mis un film d'Emil, et elle sourit de toutes ses farces une fois installée parmi eux dans le canapé. Ils voulaient se coller à elle, mais elle avait du mal à les prendre dans ses bras tous les trois en même temps. Elle finit par hisser Anton sur ses genoux et Noel et Maja à ses côtés. Ils se serrèrent contre elle, et elle ressentit une profonde reconnaissance pour tout ce que la vie lui avait donné. Elle eut une pensée pour Laila et se demanda si, à un moment ou un autre, elle avait éprouvé la même chose pour ses enfants. Pendant qu'à la télé, Emil envoyait de la soupe de myrtille à la figure de Mme Petrell, les enfants pesaient de plus en plus lourd contre elle, et elle reconnut bientôt la respiration régulière de petits êtres endormis. Précautionneusement elle se dégagea du tas d'enfants et les porta dans leur lit, l'un après l'autre. Elle s'attarda quelques secondes dans la chambre des garçons et observa leurs petites têtes blondes sur l'oreiller. Ils étaient si tranquilles et satisfaits, si ignorant du mal qui existait dans le monde.

S'en allant sur la pointe des pieds, elle descendit dans le vestibule, prit les vidéos et se réinstalla dans le canapé. Les disques numériques étaient soigneusement étiquetés et elle choisit de les visionner dans l'ordre des disparitions.

Son ventre se contracta de douleur quand elle vit les visages ravagés de la famille de Sandra Andersson. Impatients d'aider, ils faisaient de leur mieux pour répondre aux policiers, tout en étant déchirés par l'inquiétude que suscitaient ces interviews. Certaines questions étaient posées plusieurs fois, et même si Erica en comprenait la raison, elle sympathisa avec la frustration des proches à court de réponse.

Elle poursuivit avec le deuxième et le troisième film en s'efforçant d'ouvrir les yeux et de faire travailler ses méninges. Le découragement la gagna peu à peu, elle se découvrait incapable de déceler cette chose indéfinissable qu'elle cherchait. Patrik avait joué sa dernière carte en lui demandant de l'aide, sans réellement croire qu'elle trouverait de nouveaux éléments. Elle avait pourtant espéré un flash, l'instant magique où la solution saute aux yeux, où les morceaux de puzzle se mettent en place. Ce genre d'illuminations soudaines ne lui étaient pas étrangères, elle en avait déjà eu, mais dans cette affaire, elle ne voyait que des personnes endeuillées, des familles vaincues par le désespoir se débattant avec une foule de questions sans réponse.

Elle arrêta le visionnage. La souffrance dans le regard des parents venait se glisser sous sa peau. Leur douleur rayonnait sur l'écran, elle habitait leurs gestes, leurs voix qu'ils n'arrivaient pas toujours à maîtriser à force de retenir les larmes. Elle n'avait plus le courage de regarder ça, et elle décida de passer un coup de fil à Anna pour se changer les idées.

Sa sœur avait une voix lasse. Erica fut surprise d'entendre qu'elle était à l'écurie quand on avait constaté la disparition de Marta et Molly. Erica lui annonça que la police avait été alertée. Elles bavardèrent des dernières nouvelles, de la vie quotidienne, qui continuait malgré tout. Elle ne demanda pas à Anna comment elle se sentait. Ce soir elle n'avait pas envie de l'écouter débiter ses mensonges, et elle laissa sa sœur parler et faire comme si tout allait bien.

— Comment tu vas, toi ? demanda Anna.

Erica ne sut pas trop comment formuler sa réponse. Anna était déjà au courant de l'avancée de son projet, et elle avait besoin de faire le tri de ses impressions.

— C'est étrange de regarder ces films. Comme partager le deuil des familles, sentir et toucher du doigt l'horreur de vivre de telles choses. En même temps, je ne peux m'empêcher d'être soulagée de savoir mes enfants en sécurité dans leurs lits.

— Oui, Dieu merci on a les enfants. Sans eux, je ne sais pas comment j'aurais trouvé la force. Si seulement…

Anna s'interrompit, mais Erica savait ce qu'elle aurait voulu dire : il aurait dû y en avoir un de plus.

— Bon, je dois y aller, dit Anna.

Erica eut envie de lui demander si Dan avait évoqué son appel. Elle se retint cependant. C'était peut-être mieux d'attendre et de les laisser avancer à leur propre rythme.

Elles se dirent ciao et raccrochèrent, et Erica se leva pour aller introduire le DVD suivant dans le lecteur. C'était l'entretien avec la mère de Minna, elle reconnut l'appartement où elle s'était rendue quelques jours auparavant. Elle reconnut aussi l'expression abattue de Nettan. Comme les autres parents, elle essayait de répondre aux questions des policiers, se montrait désireuse d'apporter son aide, mais elle se distinguait quand même des autres familles presque trop proprettes. Ses cheveux ternes n'étaient pas coiffés, elle portait le même tricot bouloché que le jour où Erica l'avait vue. Elle fumait cigarette sur cigarette tout au long de l'entretien, les policiers toussaient de temps en temps à cause de la fumée.

Ils posaient globalement les mêmes questions qu'Erica, ce qui l'aida à rafraîchir sa mémoire pour pouvoir raconter encore une fois leur rencontre à Patrik. Contrairement aux enquêteurs, elle avait pu feuilleter les albums photos et se faire ainsi une image plus intime de Minna et Nettan. La police ne semblait pas s'embarrasser de ce genre de détails. Pour sa part, elle s'attachait toujours avant tout aux personnes mêlées à un crime, aux personnes directement touchées. Comment était leur vie privée, quelles relations entretenaient-elles ? Quels étaient leurs souvenirs ? Elle adorait parcourir les albums de famille, voir les fêtes et le quotidien à travers l'œil du photographe.

Le cadre choisi révélait un peu la façon dont celui-ci voulait décrire sa vie.

Dans le cas de Nettan, il était douloureusement évident qu'elle avait accordé une grande importance aux hommes qui allaient et venaient. La nostalgie d'une famille, d'un mari pour elle-même et d'un papa pour Minna se dégageait très nettement des albums. Des photos de Minna sur les épaules d'un homme, de Nettan sur une plage avec un autre homme, de toutes les deux avec le dernier copain en date de Nettan devant une voiture avec l'espoir de passer de bonnes vacances. Il était important pour Erica de s'imprégner de ces images même si c'était hors sujet pour la police.

Elle changea de DVD et enchaîna avec les parents et le frère de Victoria. Là non plus, elle ne remarqua rien de particulier. Elle consulta sa montre. Vingt et une heures. Patrik rentrerait sûrement tard, peut-être même pas du tout. Elle se sentait assez en forme et décida de visionner encore une fois toutes les vidéos, plus attentivement.

Deux heures plus tard, elle eut terminé et dut admettre qu'elle n'avait rien décelé. Elle décida d'aller se coucher. Pas la peine d'attendre Patrik, il ne l'avait pas appelée, ce qui signifiait qu'il était probablement fort occupé. Elle aurait donné n'importe quoi pour savoir ce qui se passait, mais toutes ces années aux côtés d'un policier lui avaient enseigné que parfois la seule option était de refréner sa curiosité, et d'attendre.

Fatiguée et la tête saturée d'impressions, elle se glissa dans le lit et tira la couverture jusqu'au menton. Ils aimaient dormir la fenêtre ouverte, Patrik et elle, il faisait souvent un brin trop froid même, de sorte qu'il fallait profiter de la chaleur sous la couette. Elle sentit presque immédiatement la somnolence la gagner, et dans le *no man's land* entre sommeil et éveil, son cerveau slalomait comme un fou parmi les vidéos. Les images passaient en trombe, dans le désordre, pour être tout de suite remplacées par d'autres. Son corps s'alourdissait et au moment où elle commençait à glisser dans la torpeur, le flot se ralentit. La projection s'arrêta sur une image. Et tout à coup elle fut complètement éveillée.

Une activité fébrile régnait au commissariat. Patrik avait pensé convoquer tout le monde pour une réunion rapide afin de coordonner les recherches de Molly et Marta. Mais de fait, le travail avait déjà commencé. Gösta, Martin et Annika étaient en train d'appeler toutes les personnes qui figuraient sur la liste rédigée par Jonas : les amis des deux disparues, des camarades de classe de Molly, des filles qui fréquentaient le club d'équitation. Ces noms menaient à d'autres, mais personne n'avait su leur dire où elles pouvaient être. Plus la soirée avançait, plus leur absence devenait inexplicable.

Il traversa le couloir pour se rendre dans la cuisine. En passant devant le bureau de Gösta, il vit du coin de l'œil son collègue bondir de sa chaise.

— Hep là, attends !

Patrik s'arrêta net.

— Qu'est-ce qu'il y a ?

Gösta vint le rejoindre, les joues écarlates.

— Eh ben, il s'est passé un truc aujourd'hui quand vous n'étiez pas là. Je n'ai pas voulu en parler devant Jonas tout à l'heure, mais voilà, Pedersen a appelé. C'était bien le sang de Lasse sur le ponton.

— Comme nous le pensions, donc.

— Oui, mais ce n'est pas tout.

— Ah ! Qu'est-ce qu'il a trouvé d'autre ? demanda Patrik en réprimant son impatience.

— Sur un coup de tête, il a comparé le sang avec l'ADN sur le mégot qu'on leur avait envoyé. Celui que j'avais trouvé dans le jardin de la voisine des Hallberg.

— Et ? dit Patrik, tous les sens en alerte.

— Il correspondait, annonça Gösta, et il attendit triomphalement la réaction de Patrik.

— C'est Lasse qui surveillait la maison ? Ce serait donc lui qui l'espionnait ?

Patrik fixa Gösta du regard pendant qu'il essayait d'assembler les différents éléments.

— Oui, et c'est probablement lui qui a envoyé les lettres de menaces aussi. Mais ça, on ne le saura jamais, puisque Ricky les a jetées.

— Donc Lasse faisait peut-être chanter celui qui d'après lui avait une aventure avec Victoria ? songea Patrik à voix haute. Quelqu'un qui avait toutes les raisons de garder cela secret. Quitte à payer.

— C'est exactement ce que je pense.

— Jonas, donc ?

— C'est ce que je croyais aussi, mais Ricky s'est trompé.

Patrik écouta attentivement l'explication de Gösta, et toutes ses certitudes s'effondrèrent.

— Il faut informer les autres. Tu appelles Martin ? Je vais chercher Annika.

Deux minutes plus tard, ils étaient tous installés dans la cuisine. Il faisait nuit noire dehors et la neige tombait doucement. Martin avait lancé la cafetière.

— Merde, où il est encore, Mellberg ? demanda Patrik.

— Il est passé, puis il est rentré manger chez lui. Il a dû s'endormir sur le canapé, répondit Annika.

— Très bien, on fera sans lui.

L'adrénaline le faisait surréagir. Même si c'était agaçant de toujours voir son chef se défiler, Patrik savait qu'ils travailleraient mieux s'il n'était pas là.

— Qu'est-ce qui s'est passé ? demanda Martin.

— Nous disposons d'une nouvelle information qui peut avoir son importance pour les recherches de Molly et Marta.

Patrik se rendit compte qu'il s'exprimait avec emphase, mais c'était presque inévitable quand la situation était aussi grave. Il se tourna vers Gösta :

— Peux-tu nous dire ce que tu as appris, s'il te plaît ?

Gösta se racla la gorge et annonça que c'était Lasse qui avait surveillé Victoria. Il leur expliqua aussi comment ils étaient arrivés à cette conclusion.

— Il a dû découvrir que Victoria entretenait une relation amoureuse. Et comme de toute évidence il estimait cette liaison moralement condamnable, il a commencé à lui envoyer des lettres de menaces, en mettant en place son chantage.

— Est-ce qu'on peut imaginer qu'il soit carrément le ravisseur de Victoria ? demanda Martin.

— C'est une théorie comme une autre, mais Lasse ne semble pas être le type de malfaiteur que décrit Struwer, et j'ai du mal à le voir orchestrer un enlèvement.

— Il faisait chanter qui alors? demanda Annika. Jonas, je suppose? Puisque c'est avec lui qu'elle avait une aventure.

— C'est évidemment la conclusion que j'avais tirée. Mais…

Gösta fit une pause oratoire et Patrik le vit savourer cet instant où toute l'attention se focalisait sur lui.

— Mais ce n'était pas lui, glissa Patrik, puis il fit signe à Gösta de poursuivre.

— Comme vous le savez, Ricky croyait que sa sœur était amoureuse de Jonas. Mais leur mère connaissait une facette de Victoria que tout le monde ignorait. Elle ne s'intéressait pas aux garçons.

— Quoi? s'écria Martin en se redressant sur sa chaise. Comment ça se fait que personne n'ait été au courant? Personne parmi ses copines et ses camarades de classe n'en a parlé. Comment sa mère pouvait-elle le savoir?

— Helena l'avait sans doute deviné, comme seules les mamans savent le faire. Puis, un jour, Victoria avait amené une amie à la maison et elle a été témoin d'un geste. Elle a abordé le sujet avec elle, pour que sa fille sache qu'elle pouvait se confier à sa famille. Mais Victoria a paniqué et lui a demandé de ne rien dire à Ricky et à son père.

— C'est évidemment un sujet sensible, dit Annika. Surtout à cet âge-là et dans une toute petite localité.

— Oui, hum. À mon avis, si elle a paniqué, c'est plutôt parce qu'elle vivait une relation avec une personne qui ne plairait pas à ses parents.

Gösta prit sa tasse de café.

— Mais qui? demanda Annika.

— Marta? suggéra Martin en plissant le front. Ça expliquerait la dispute entre Jonas et Victoria ce jour-là. Oui, pourquoi pas Marta?

Gösta opina du chef.

— Donc Jonas était probablement au courant.

— Ce qui signifie que Lasse faisait chanter Marta? Qui en aurait eu marre et l'aurait tué? Ou bien, peut-être qu'en l'apprenant, Jonas, fou de rage, a repris les choses en main ? Est-ce qu'il y a un autre scénario possible ?

Martin se gratta la tête, l'air confondu.

— Non, je mise sur l'une des deux premières options, déclara Patrik, et il regarda Gösta qui semblait d'accord avec lui.

— Alors il faut que nous ayons un autre entretien avec Jonas, décida Martin. Est-ce qu'on peut envisager que Marta et Molly n'aient pas été enlevées par la même personne que les autres filles ? Est-ce que Marta a pu fuir pour ne pas être accusée de meurtre ? En emmenant Molly ? Jonas sait peut-être où elles sont, et nous joue la comédie ?

— Dans ce cas, il est bon acteur…

Patrik s'interrompit en entendant des pas dans le couloir, puis il eut la surprise de voir sa femme débouler dans la pièce.

— Salut tout le monde. C'était ouvert, alors je suis entrée.

Patrik la fixa d'un regard ahuri.

— Qu'est-ce que tu fais là ? Et les enfants ?

— C'est Anna qui les garde, je l'ai appelée.

— Mais pourquoi ?

Patrik avait parlé avant de se souvenir du service qu'il lui avait demandé. Avait-elle trouvé quelque chose ? Il l'interrogea du regard. Elle hocha la tête.

— J'ai découvert un dénominateur commun entre les filles. Et je crois savoir aussi pourquoi Minna se distingue des autres.

L'heure du coucher était le moment que Laila détestait le plus. Dans l'obscurité, sa vie la rattrapait. Tout ce qu'elle parvenait à refouler dans la journée. La nuit, le mal pouvait l'atteindre à nouveau. Car elle savait qu'il existait, là, dehors, qu'il était aussi réel que les murs de sa chambre et le matelas trop dur sur lequel elle dormait.

Elle fixa le plafond. Sa chambre était plongée dans un noir absolu. Juste avant de s'endormir, elle avait parfois l'impression de flotter dans l'espace où le néant menaçait de l'avaler.

C'était si étrange de se dire que Vladek était mort. Si difficile à comprendre encore aujourd'hui. Elle se rappelait parfaitement le tintamarre du jour où ils s'étaient rencontrés, les rires joyeux, la musique de fête foraine, les cris d'animaux qu'elle n'avait jamais entendus avant. Les odeurs lui revenaient, aussi puissantes qu'à l'époque : du popcorn, de la sciure, de l'herbe et de la sueur. Mais le souvenir le plus fort restait celui de la voix de Vladek, qui avait rempli son cœur avant même qu'elle voie son visage. Et dans son regard, elle avait lu la même certitude que celle qui l'animait.

Elle essaya de se rappeler si elle avait eu une intuition du malheur qui découlerait de leur rencontre, mais ne trouva rien. Ils venaient de deux mondes totalement différents, vivaient des vies totalement différentes, et les difficultés avaient été nombreuses, mais nul n'aurait pu prévoir la catastrophe. Même pas Krystyna, la diseuse de bonne aventure. Avait-elle été aveugle ce jour-là, elle qui voyait tout ? Ou bien avait-elle compris mais préféré croire qu'elle se trompait, devant l'immense amour qui les réunissait ?

Rien n'avait paru impossible. Rien n'avait paru bizarre ou mal. Tout ce qu'ils avaient voulu, c'était créer un avenir commun, et la vie leur avait laissé croire qu'ils y parviendraient. C'est peut-être pour ça que le choc avait été si grand, et qu'ils avaient géré les événements d'une manière aussi indéfendable. Elle avait su dès le début que ce n'était pas la bonne façon d'agir, mais l'instinct de survie avait triomphé du bon sens. À présent il était trop tard pour regretter. Elle ne pouvait que rester allongée dans le noir et méditer leur erreur.

Jonas était surpris par son propre calme. Il prenait son temps pour tout préparer. L'éventail de souvenirs s'étalait sur de nombreuses années et il ne voulait pas faire le mauvais choix, car une fois parti, il n'y avait pas de retour possible. Il ne voyait aucune nécessité de se presser. Le doute avait alimenté son angoisse, mais maintenant qu'il savait où se trouvait Marta, il pouvait tout planifier avec une froideur glaciale, qui l'aidait à garder l'esprit vif et alerte.

Il plissa les yeux en s'accroupissant. Une ampoule était grillée, il n'avait pas eu le temps de la changer. Cette négligence le dérangea. Il fallait toujours être prêt, tenir ses affaires en ordre. Pour éviter de commettre des erreurs.

En se relevant, il se cogna la tête au plafond à l'endroit le plus bas. Il poussa un juron et s'autorisa une pause, le temps de laisser l'odeur remplir ses narines. Ils avaient tant de souvenirs ici, mais qui n'étaient pas soumis au lieu et pourraient être ressuscités, encore et encore. Il souleva le sac. Si les moments merveilleux avaient un poids, le sac devrait être impossible à porter. Or, il était léger comme une plume dans sa main, et il en fut fasciné.

Jonas remonta prudemment l'échelle en prenant garde de ne pas lâcher le sac. Il contenait sa vie, une vie partagée dans une harmonie parfaite.

Jusque-là, il avait marché dans les pas d'un autre. Il avait poursuivi un dessein qui était déjà initié, sans y laisser sa propre empreinte. À présent, l'heure était venue pour lui de s'avancer et d'abandonner le passé. Cela ne lui faisait pas peur, bien au contraire. Tout devenait soudain si limpide : il l'avait toujours eu, ce pouvoir de tout changer, de rompre avec l'ancien et de bâtir quelque chose de meilleur, qui soit bien à lui.

Cette pensée était vertigineuse, et une fois à l'air libre, il ferma les yeux et inspira l'air froid nocturne à pleins poumons. Il eut l'impression que le sol tanguait, et tendit les bras pour conserver son équilibre. Il resta ainsi un moment avant de les baisser et d'ouvrir lentement les yeux.

Puis, cédant à une impulsion, il se dirigea vers l'écurie, ouvrit la lourde porte, alluma la lumière et posa doucement le sac avec son précieux contenu. Il entra dans les box, défit les longes et poussa les chevaux vers la liberté. L'un après l'autre, les animaux perplexes franchirent la porte de l'écurie. Ils s'arrêtèrent dans la cour, humèrent le vent et poussèrent des hennissements avant de s'éloigner, queues relevées battant l'air. Il sourit en les voyant disparaître dans la nuit. Ils allaient pouvoir profiter d'un moment de liberté avant d'être rattrapés. Quant à lui, il était en route pour une nouvelle sorte de liberté et il avait bien l'intention de ne jamais se laisser rattraper.

C'était d'un repos incroyable de se trouver dans sa maison natale, avec les enfants endormis à l'étage pour seule compagnie. Ici, aucune culpabilité n'imprégnait les murs. Il n'y avait que des souvenirs d'une enfance qui, grâce à Erica et à leur père Tore, avait été radieuse et sereine. Anna n'était même plus amère ou contrariée par l'étrange froideur de leur mère. Son indifférence avait reçu son explication et depuis, Anna était plutôt encline à la plaindre. Le drame de sa jeunesse l'avait empêchée d'aimer ses propres filles. Anna préférait croire qu'elle avait juste été incapable de leur montrer son affection. Elle espérait que là-haut dans le ciel, Elsy regardait ses filles en sachant qu'elles avaient compris, qu'elles lui pardonnaient et l'aimaient.

Elle se leva du canapé et commença à faire un peu de rangement. La maison était étonnamment ordonnée et elle sourit en pensant à Kristina et Bob le Bricoleur. Les belles-mères, c'était vraiment une espèce à part. La mère de Dan était l'exact opposé de Kristina, presque trop discrète. Elle s'excusait toujours quand elle venait chez eux, tant elle avait peur de déranger. Allez savoir ce qui valait mieux. Il en allait sans doute pour les belles-mères comme pour les enfants : on devait les accepter telles qu'elles étaient. On choisissait son mari, pas sa belle-mère.

Et elle avait choisi Dan de tout son cœur, puis elle l'avait trahi. En pensant à ce qu'elle avait fait, elle fut de nouveau prise de nausées. Elle se précipita aux toilettes où elle rendit tripes et boyaux.

Elle se rinça la bouche. La sueur perlait sur son front et elle s'aspergea le visage et se regarda dans le miroir, la figure dégoulinant d'eau froide. Elle eut presque un mouvement de recul en voyant le désespoir nu dans son regard. Était-ce cela que Dan avait en face de lui tous les jours ? Était-ce pour cela qu'il ne supportait plus de la voir ?

On sonna à la porte et elle sursauta. Qui pouvait bien venir chez Erica et Patrik à cette heure-ci ? Elle s'essuya rapidement la figure et alla ouvrir.

Dan.

— Qu'est-ce que tu fais là ? dit-elle toute surprise avant que la peur plante ses griffes en elle. Les enfants ? Il est arrivé quelque chose aux enfants ?

Dan secoua la tête.

— Non, tout va bien. J'avais envie de te parler et ça ne pouvait pas attendre. Même s'il est tard, j'ai appelé Belinda pour qu'elle vienne garder les petits un moment. Je ne pourrai pas rester longtemps.

La fille aînée de Dan n'habitait plus à la maison, mais elle venait de temps en temps faire la baby-sitter, à la grande joie des petits.

— Très bien.

Ils échangèrent un long regard.

— Je peux entrer ? Je vais mourir de froid si je reste là.

— Oui, pardon, entre, dit-elle poliment comme à un étranger, et elle fit un pas de côté.

C'était donc la fin. Il ne voulait pas en parler à la maison, avec les enfants dans les pattes et tous les bons souvenirs partagés, malgré tout. Et même si elle commençait à souhaiter la fin de ce *statu quo* angoissant, n'importe quelle fin, tout son corps eut envie de hurler son désaccord. Elle était sur le point de perdre ce qu'elle avait eu de plus précieux : le grand amour de sa vie.

D'un pas lourd elle alla attendre dans le séjour et se mit à réfléchir aux choses pratiques. Erica et Patrik les accueilleraient probablement de bon cœur, les enfants et elle, dans la chambre d'amis, jusqu'à ce qu'elle trouve un appartement. Dès demain, elle apporterait quelques affaires. Une fois la décision prise, il valait mieux agir vite, et Dan serait sans doute soulagé de la voir prendre les choses ainsi. Il devait en avoir assez d'être confronté à ses sentiments de culpabilité, autant qu'elle de les trimballer partout.

Elle sentit un coup au cœur quand Dan entra dans la pièce. Il passa la main dans ses cheveux d'un geste fatigué et, comme si souvent, elle put constater combien il était beau. Il n'aurait aucun problème pour trouver une autre partenaire. Beaucoup de femmes célibataires à Fjällbacka l'avaient déjà repéré et… Elle chassa ces pensées. Ça faisait trop mal de penser à Dan dans les bras d'une autre. Elle savait être magnanime, mais pas à ce point.

— Anna… commença Dan en s'asseyant à côté d'elle.

Elle vit qu'il luttait pour prononcer les mots, et pour la millième fois, elle voulut crier "Pardon, pardon, pardon", mais elle savait qu'il était trop tard. Le regard rivé à ses genoux, elle dit :

— Je comprends, tu n'as pas besoin de le dire. Je vais demander à Patrik et Erica de nous accueillir quelque temps, on prendra ce dont on a besoin dès demain et je viendrai chercher le reste plus tard.

Dan la fixa, décontenancé.

— Tu me quittes?

— Non. Mais je croyais justement que tu étais venu pour m'annoncer ça. Ce n'est pas ce que tu voulais?

Anna pouvait à peine respirer. Ses oreilles bourdonnèrent et son cœur frétilla d'un espoir retrouvé.

Le visage de Dan exprimait tant de sentiments à la fois qu'elle eut du mal à le décrypter.

— Anna, ma chérie, j'ai essayé de concevoir le projet de te quitter, mais je ne peux pas. Erica m'a appelé aujourd'hui et… elle m'a fait comprendre que je devais faire quelque chose si je ne voulais pas te perdre. Je ne te promets pas que ce sera simple ou que tout sera réglé d'un seul coup, mais je ne peux pas imaginer une vie sans toi. Et je veux qu'on ait une belle vie. On a perdu pied tous les deux, mais on est là maintenant, ensemble, et je veux que ça continue.

Il prit sa main et la porta à sa joue. Elle sentit sa barbe naissante contre sa paume et se demanda combien de fois elle avait caressé cette peau rugueuse.

— Mais tu trembles, dit-il en serrant plus fort sa main. Tu veux bien? Tu veux qu'on continue à être ensemble, pour de vrai?

— Oui. Oui, Dan. Je le veux.

FJÄLLBACKA, 1975

Les couteaux l'effrayaient plus que tout le reste. Acérés et scintillants, ils apparaissaient soudain à des endroits insolites. Au début elle s'était contentée de les ramasser et de les remettre à leur place dans le tiroir, en espérant que son esprit stressé et épuisé lui jouait des tours. Mais ils ressurgissaient : à côté du lit, dans la commode parmi les sous-vêtements, sur la table du salon, arrangés en natures mortes macabres. Elle ne comprenait pas ce que cela signifiait, ne voulait pas comprendre.

Un soir dans la cuisine, pendant le repas, elle reçut un coup de couteau au bras, une entaille profonde. L'attaque était arrivée de nulle part, la douleur la laissa stupéfaite. Du sang rouge vif jaillit de la blessure et elle le contempla un instant avant de se précipiter vers le plan de travail et d'attraper un torchon pour stopper l'hémorragie.

La plaie mit du temps à guérir. Elle s'infecta, et quand elle la nettoyait, ça faisait tellement mal qu'elle devait se mordre la lèvre pour ne pas crier. Il aurait fallu des points de suture, mais elle se contentait de scotcher les bords comme elle pouvait. Ils avaient décidé d'éviter les médecins ici, à Fjällbacka.

Elle pressentit qu'il y aurait d'autres blessures. Tout pouvait demeurer calme pendant quelques jours, avant que l'enfer se déchaîne et qu'une fureur éclate, une haine défiant toute description. L'impuissance la paralysait. D'où venait cette envie de faire mal ? Elle ne le saurait sûrement jamais. En vérité, il n'y avait probablement pas de réponse.

Un silence absolu régnait dans la cuisine du commissariat. Pleins d'espoir, tous fixaient Erica restée debout, bien que Gösta et Martin lui aient proposé leur place. Une énergie fébrile l'empêchait de tenir en place.

— Patrik m'a demandé de visionner ça.

Elle montra le sac avec les DVD qu'elle avait posé par terre.

— C'est-à-dire, Erica est plutôt douée pour repérer ce qui a échappé aux autres, dit Patrik comme pour s'excuser, alors que personne n'avait formulé d'objection.

— Au début, je n'ai rien vu de particulier. Puis, au deuxième visionnage...

— Oui ? s'impatienta Gösta, le regard rivé à elle.

— La deuxième fois, j'ai réalisé que le dénominateur commun ne concerne pas les filles elles-mêmes, mais leurs sœurs.

— Mis à part Minna et Victoria, elles avaient toutes des petites sœurs, c'est vrai, mais quel est le rapport avec leur disparition ?

— Je ne sais pas encore comment tout ça se tient. Toujours est-il que les sœurs ont été filmées dans leur chambre, et toutes avaient des plaques et des rosettes de remise de prix de concours hippiques sur les murs. Elles sont toutes des cavalières actives. Comme Victoria, même si elle ne participait pas aux compétitions.

Il y eut un nouveau silence. On n'entendait que le chuintement de la cafetière électrique, et Erica vit qu'ils étaient tous en train d'essayer d'assembler les morceaux du puzzle.

— Et Minna ? lança Gösta. Elle n'avait ni frère ni sœur. Et elle ne faisait pas d'équitation.

— Exactement, dit Erica, et c'est pour ça qu'à mon avis, Minna ne fait pas partie des victimes. Ce n'est même pas sûr qu'elle ait été enlevée ni qu'elle soit morte.

— Où est-elle alors ? demanda Martin.

— Je ne sais pas. Mais je vais appeler sa mère demain. J'ai une théorie.

— D'accord, les petites sœurs des filles disparues faisaient de l'équitation. Quelle conclusion peut-on en tirer, d'après toi ? dit Gösta, confus. À part Victoria, aucune des disparues ne fréquentait les centres équestres et les compétitions.

— Non, mais le coupable est peut-être attiré par ce domaine. Il a pu remarquer les filles venues regarder leur sœur concourir ? On pourrait vérifier si un concours se déroulait à proximité le jour des disparitions.

— Mais les parents l'auraient mentionné dans ce cas, non ? objecta Annika. S'il y avait un concours le jour où leur fille a disparu ?

— Ils n'ont pas dû voir de lien, toutes les recherches étaient concentrées sur les filles, sur leurs fréquentations, leurs intérêts, leurs activités extrascolaires, etc. Personne n'a pensé aux sœurs.

— Putain de merde ! s'exclama Patrik.

Erica le regarda.

— Qu'est-ce qu'il y a ?

— Jonas. Il surgit sans arrêt dans cette enquête, pour différentes raisons : la kétamine, la dispute avec Victoria, la présumée relation amoureuse, l'infidélité de Marta, le chantage. Et il a écumé les concours hippiques avec sa fille. Est-ce que ça peut être lui, le coupable ?

— Il a un alibi en béton pour la disparition de Victoria, fit remarquer Gösta.

— Oui, je sais. Mais là, il y a tellement d'éléments qui pointent dans sa direction qu'on doit examiner ça de plus près. Annika, tu peux vérifier s'il y avait des concours pendant les jours qui nous intéressent ? Et si Molly figurait sur la liste des participants ?

— Bien sûr. Je vais voir ce que je peux trouver.

— Alors ce n'était peut-être pas un cambriolage, après tout, constata Gösta.

— Non, Jonas a pu nous le signaler pour éloigner les soupçons au cas où Victoria serait retrouvée. Mais outre la grande question concernant son alibi, il reste beaucoup de zones floues. Comment faisait-il pour transporter les filles si Molly et Marta se trouvaient aussi dans la voiture? Où a-t-il gardé les filles prisonnières? Où sont-elles en ce moment?

— Peut-être au même endroit que Molly et Marta, suggéra Martin. Elles ont découvert son petit passe-temps et…

— Oui, ce n'est pas impossible. Il faut qu'on fouille leur maison et le reste de la ferme. Vu l'endroit où Victoria a surgi, elle peut avoir été retenue là-bas. On y retourne.

— On n'attend pas un mandat de perquisition? demanda Gösta.

— Idéalement, on devrait, oui, mais on n'a pas le temps. Molly et Marta sont potentiellement en danger de mort.

Patrik s'approcha d'Erica et la regarda longuement. Puis il se pencha et lui fit un grand baiser, sans se soucier des regards de ses collègues.

— Du bon boulot, ma chérie.

Helga jeta un regard vide par la vitre côté passager. Ça ressemblait de plus en plus à une bonne tempête de neige, comme on en voyait autrefois.

— Quelle est l'étape suivante? demanda-t-elle.

Elle ne s'attendait pas à une réponse de Jonas, et il n'y en eut pas. Elle se tourna vers lui.

— Qu'est-ce que j'ai fait de mal? J'avais tant d'espoir pour toi.

L'état de la chaussée obligeait Jonas à concentrer toute son attention devant lui, et il répondit sans un regard pour sa mère.

— Rien du tout.

La réponse aurait dû la réjouir, ou au moins la rassurer. Mais au contraire, elle n'en fut que plus inquiète.

— Tu n'y pouvais rien, dit-il comme s'il avait lu dans ses pensées. Je ne suis pas comme toi. Je ne suis comme personne. Je suis… spécial.

Son ton était dénué de sentiments, et Helga frissonna.

— Je t'aimais. J'espère que tu le comprends. Et je t'aime toujours.

— Je le sais, dit-il calmement.

Il se pencha pour essayer de mieux voir à travers les flocons virevoltants. Les essuie-glaces balayaient le pare-brise, mais ils étaient impuissants face à une telle quantité de neige. Il roulait si lentement qu'il avait l'impression de faire du surplace.

— Tu es heureux ?

Elle se demanda d'où sortait cette question, mais elle était sincère. Avait-il été heureux ?

— Jusque-là, je pense que j'ai eu une meilleure vie que la plupart des gens, sourit-il.

Son sourire donna la chair de poule à Helga. Mais il avait sûrement raison. La vie de Jonas avait été meilleure que la sienne. Elle avait vécu soumise et dans la terreur face à une vérité qu'elle refusait de voir.

— C'est peut-être nous qui avons raison et toi qui as tort. Tu y as pensé ? ajouta-t-il.

Elle ne comprit pas exactement ce qu'il voulait dire et réfléchit un instant. Quand elle crut avoir compris, le chagrin l'envahit.

— Non, Jonas. Je ne crois pas que ce soit moi qui ai tort.

— Pourquoi pas ? Tu viens de montrer qu'on n'est pas si différents finalement.

Elle fit une grimace et se défendit contre l'éventuel bien-fondé de ses paroles.

— C'est l'instinct qui pousse une mère à protéger son enfant. Il n'y a rien de plus naturel. Tout le reste, c'est… contre nature.

— Tu trouves ? dit-il, et pour la première fois il tourna son regard vers elle. Je ne suis pas d'accord avec toi.

— Tu ne veux pas juste me dire ce qu'on va faire en arrivant ?

Helga essaya de se repérer pour voir s'il restait beaucoup de route à faire. Mais l'obscurité et l'importante chute de neige l'en empêchèrent.

— Tu verras quand on y sera.

Erica était d'humeur exécrable en arrivant à la maison. Après s'être réjouie d'apporter du neuf à l'enquête, elle s'était vu refuser le droit de les accompagner à la ferme. Elle avait fait son possible pour convaincre Patrik de l'emmener, mais il n'avait pas cédé d'un pouce et elle n'avait eu d'autre choix que de rentrer. Maintenant elle allait sans doute passer une nuit blanche à s'interroger sur les événements.

Anna sortit du séjour pour l'accueillir.

— Salut, comment c'était avec les enfants? dit Erica avant de s'arrêter. Tu as l'air en forme. Qu'est-ce qui se passe?

— Dan est venu. Merci, Erica, merci, de lui avoir parlé, dit Anna en enfilant son manteau et en glissant ses pieds dans ses bottes. Je crois qu'on a une chance de s'en sortir, je t'en parlerai demain.

Elle fit la bise à Erica avant de se lancer à l'assaut de la neige.

— Sois prudente, la chaussée est une vraie savonnette! cria Erica derrière elle, et elle referma vite la porte pour ne pas laisser trop de neige envahir le vestibule.

Elle sourit. Pourvu que sa sœur retrouve enfin le bonheur! Avec Dan et Anna en tête, elle monta dans sa chambre chercher un gilet de laine. Elle jeta aussi un coup d'œil aux enfants qui dormaient profondément. Elle se rendit ensuite dans son bureau, où elle resta un long moment à fixer la carte de Suède. Elle ferait mieux d'aller se coucher, mais les endroits marqués en bleu continuaient de la turlupiner. Elle aurait juré que d'une façon ou d'une autre ils étaient associés à tout le reste. Pourquoi Laila avait-elle conservé les coupures des articles sur les filles? Quel était son lien avec les disparitions? Comment était-il possible qu'Ingela Eriksson et Victoria aient été mutilées de la même façon? Il y avait trop d'éléments épars, et en même temps elle sentait que la réponse se trouvait là, devant elle, si seulement elle arrivait à mettre les doigts dessus.

Frustrée, elle alluma l'ordinateur et s'assit à son bureau. La seule chose qu'elle pouvait faire maintenant était de parcourir à nouveau tout le matériel rassemblé. De toute façon, elle n'arriverait pas à dormir, alors autant se rendre un peu utile.

Des pages et des pages de notes. Elle se félicita d'avoir pris l'habitude de les mettre au propre sur l'ordinateur. Dans l'état de fatigue qui était le sien, elle aurait été incapable de décrypter ses pattes de mouche.

Laila. Au centre de tout se trouvait Laila, tel un sphinx : silencieuse et insondable. Elle se contentait de regarder la vie et l'entourage en silence alors qu'elle détenait les réponses. Et si elle protégeait quelqu'un ? Qui, dans ce cas, et pourquoi ? Pourquoi ne voulait-elle pas parler de ce qui s'était passé ce jour funeste ?

Erica se mit méthodiquement à relire tous ses entretiens avec Laila. Au début elle était plus taciturne qu'aujourd'hui. Les notes de leurs premières rencontres n'étaient pas nombreuses et Erica se rappela combien elle avait trouvé bizarre de se trouver face à quelqu'un qui ne disait pratiquement rien.

Ce n'est que lorsqu'elle avait mentionné les enfants que Laila s'était ouverte. Elle évitait d'évoquer sa pauvre fille, tout tournait autour de Peter. Tout en lisant, Erica se remémora l'ambiance de la pièce et le visage de Laila quand elle parlait de son fils. Son regard était alors plus clair, mais aussi rempli de manque et de chagrin. On ne pouvait pas se tromper sur son amour. Elle décrivait ses joues douces, son rire, son caractère silencieux, son zézaiement quand il avait commencé à parler, la mèche blonde qui tombait toujours dans ses yeux, le...

Erica s'arrêta et relut le dernier passage. Puis elle le lut encore une fois, ferma les yeux et réfléchit. Et tout à coup il trouva sa place, ce morceau de puzzle essentiel qui lui avait manqué. Certes, elle piochait un peu au hasard, mais c'était suffisant pour voir une image prendre forme. Elle faillit appeler Patrik, mais se ravisa et décida d'attendre. Elle n'était pas encore entièrement sûre. Et il n'y avait qu'une façon de vérifier son hypothèse. En allant voir Laila.

Patrik sentit la tension dans l'air quand il descendit de voiture devant la maison de Jonas et Marta. Auraient-ils enfin la réponse à toutes leurs questions ? D'une certaine façon, cela lui fit peur. Si la vérité était aussi cruelle qu'il le craignait, rien ne serait facile ni pour eux ni pour les familles des disparues. Mais toutes ses années passées dans la police lui avaient appris que la certitude valait toujours mieux que le soupçon.

— On va chercher Jonas d'abord, cria-t-il à Martin et Gösta contre le vent. Gösta, tu le conduiras au commissariat pour interrogatoire, pendant que Martin et moi, on fouillera les maisons.

Épaules courbées pour se protéger de la neige, ils gravirent le perron et sonnèrent à la porte, mais personne ne vint leur ouvrir. La voiture n'était pas là, et il n'était guère probable que Jonas dorme alors que Marta et Molly avaient disparu. Patrik appuya doucement sur la poignée. La porte n'était pas verrouillée.

— On entre, dit-il, et les autres lui emboîtèrent le pas.

La maison était plongée dans l'obscurité et le silence, et ils constatèrent qu'il n'y avait personne.

— Je propose une première fouille rapide de tous les bâtiments pour établir si oui ou non Molly et Marta se trouvent ici, à la ferme. Nous reviendrons après pour un examen plus minutieux. Torbjörn se tient prêt à intervenir si on a besoin de son équipe.

— D'accord, dit Gösta en regardant autour de lui dans le salon. Je me demande où il peut bien être…

Ils sortirent et Patrik se tint à la rampe pour ne pas glisser sur les marches d'escalier recouvertes d'une épaisse couche de neige fraîche. Son regard balaya la cour. Après avoir réfléchi un instant, il décida d'attendre avant d'aller frapper chez Helga et Einar. Ça pourrait les troubler et les inquiéter encore davantage. Mieux valait explorer d'abord tranquillement les autres bâtiments.

— On va commencer par l'écurie, puis on fera le cabinet de Jonas.

— Regardez, la porte est grande ouverte, s'écria Martin, et il pointa l'index en direction du long bâtiment.

La porte battait au vent. Tous sens en éveil, ils entrèrent dans l'écurie calme et silencieuse. Martin avança dans l'allée centrale et scruta les box et les stalles.

— C'est vide, complètement vide.

Patrik sentit une grosse boule grandir dans son ventre. Quelque chose clochait sérieusement. Et dire que le coupable leur était peut-être passé sous le nez, qu'il avait toujours été dans leur district et qu'ils l'avaient découvert trop tard.

— Tu as prévenu Palle Viking? demanda Gösta.

— Oui. Il peut nous envoyer des renforts à tout moment, s'il le faut.

— Bien, dit Gösta, et il ouvrit la porte du manège. C'est vide ici aussi.

Entre-temps, Martin avait vérifié la salle polyvalente et le stock alimentaire avant de revenir dans l'écurie.

— OK, on va poursuivre avec le cabinet de Jonas.

Patrik sortit dans le froid, Gösta et Martin sur ses talons. La neige faisait l'effet de petits clous sur leurs joues quand ils retournèrent vers la maison au pas de course. Gösta essaya d'ouvrir la porte.

— C'est fermé à clé.

Du regard, il interrogea Patrik qui hocha la tête. Avec un ravissement mal contenu, Gösta fit quelques pas en arrière, prit son élan et donna un grand coup de pied dans la porte. Il répéta l'assaut deux fois et elle finit par céder et s'ouvrir en grand. Elle aurait dû être plus solide, vu les substances qui étaient conservées là-dedans. Patrik ne put s'empêcher d'esquisser un sourire. Ce n'était pas tous les jours qu'on voyait Gösta faire du kung-fu.

Le cabinet vétérinaire était petit, et ils l'eurent vite exploré. Il n'y avait aucune trace de Jonas, tout était propre et bien rangé, hormis l'armoire à pharmacie, ouverte, et dont plusieurs étagères étaient vides. Gösta examina le contenu.

— On dirait qu'il a emporté pas mal de produits.

— Merde alors! s'exclama Patrik. Est-ce qu'il a pu droguer sa femme et sa fille pour les enlever?

L'idée que Jonas se soit enfui avec de la kétamine et autres substances était très préoccupante.

— C'est un malade, ce type, dit Gösta en secouant la tête. Comment a-t-il fait pour paraître si normal? C'est ça le plus atroce. Qu'il soit si… sympathique.

— Les psychopathes arrivent à tromper tout le monde.

Patrik sortit dans l'obscurité de la nuit après un dernier regard sur la pièce de consultation. Martin et Gösta le suivirent en grelottant.

— C'est quoi, la suite? Les parents de Jonas ou la grange? demanda Martin.

— La grange.

Ils traversèrent aussi vite qu'ils le pouvaient la cour glissante.

— On aurait dû emporter des lampes de poche, regretta Patrik.

Il faisait tellement noir dans la grange qu'ils purent à peine distinguer les voitures entreposées.

— Ou alors on peut allumer la lumière, dit Martin, et il tira sur une ficelle qui pendait du plafond près du mur.

Une faible lueur spectrale éclaira le grand local. Par-ci, par-là, un peu de neige s'infiltrait par les fentes des murs, mais l'air leur paraissait quand même plus chaud ici, à l'abri du vent cinglant.

Martin frémit.

— Ça ressemble à un cimetière pour voitures.

— Oh non, ce sont de magnifiques spécimens. Avec un peu d'amour et d'entretien, on en ferait de vrais bijoux, affirma Gösta en passant amoureusement la main sur le capot d'une Buick.

Il commença à circuler entre les véhicules en regardant autour de lui. Patrik et Martin firent de même, confirmant rapidement qu'il n'y avait personne ici non plus. Patrik sentit son courage défaillir. Ils devraient se dépêcher de lancer un avis de recherche. Car Jonas n'était plus ici, à moins de se cacher chez ses parents, ce à quoi Patrik ne croyait pas une seconde. Ils ne trouveraient là-bas que Helga et Einar, en train de dormir.

— Il va falloir réveiller les parents maintenant, dit-il, et il éteignit la lumière en tirant sur la ficelle sale.

— Qu'est-ce qu'on leur dit ? demanda Martin.

Patrik réfléchit. C'était une bonne question. Comment racontait-on à un père et une mère que leur fils était probablement un psychopathe qui avait enlevé et torturé des jeunes filles ? On n'apprenait pas ce genre d'exercice à l'école de police.

— On improvisera, finit-il par dire. Ils savent que nous cherchons Marta et Molly, et voilà que Jonas aussi a disparu.

Encore une fois ils traversèrent la cour fouettée par le vent. Patrik frappa à la porte d'entrée, des coups forts et déterminés. N'obtenant pas de réponse, il frappa de nouveau. Une lampe s'alluma au premier étage, peut-être dans une chambre. Mais personne ne vint leur ouvrir.

— Et si on entrait? proposa Martin.

Patrik vérifia la porte. Elle était ouverte. À la campagne, les gens ne fermaient qu'exceptionnellement les verrous, ce qui facilitait parfois le travail de la police. Il pénétra dans le vestibule.

— Ohé? lança-t-il.

— C'est qui, bordel de merde? cria une voix colérique à l'étage.

Ils comprirent assez vite la situation. Personne n'était venu leur ouvrir car Einar était seul à la maison.

— C'est la police. Nous allons monter.

Patrik fit signe à Gösta de venir avec lui tandis qu'à voix basse il dit à Martin :

— Jette un coup d'œil pendant qu'on parle avec Einar.

— Mais où est Helga? demanda Martin.

Patrik secoua la tête. Il aurait bien aimé le savoir.

— On va voir ça avec Einar, répondit-il en grimpant l'escalier quatre à quatre.

— C'est quoi ces manières? Venir réveiller les gens en pleine nuit! cracha Einar, assis sur le lit, pas tout à fait réveillé, les cheveux en bataille et vêtu seulement d'un slip et d'un marcel blanc.

— Elle est où, votre femme? demanda Patrik, ignorant ses propos.

— Elle dort, là-bas! bougonna Einar en montrant une porte de l'autre côté du couloir.

Gösta alla l'ouvrir, regarda dans la chambre, puis secoua la tête.

— Il n'y a personne, et le lit n'est pas défait.

— Ben merde alors! Où elle est celle-là? Helgaaaa! hurla Einar, et son visage prit une teinte rougeâtre.

— Vous ne savez donc pas où elle se trouve?

— Ben non, si je le savais je vous le dirais. Qu'est-ce qu'elle fait à traîner dehors?

Un filet de salive coulait du coin de sa bouche et tomba sur sa poitrine.

— Elle est peut-être partie à la recherche de Marta et Molly, suggéra Patrik.

— Pfft, on en fait bien des tonnes pour ces deux-là, dit Einar en reniflant. Elles vont ressurgir, vous verrez. Moi je dis que Marta s'est énervée contre quelque chose que Jonas a fait ou pas fait, et pour le punir elle s'est éclipsée avec Molly. Le genre d'enfantillage que les bonnes femmes adorent.

Ses paroles dégoulinaient de mépris, et ça démangeait Patrik de lui dire ce qu'il en pensait.

— Vous ne savez donc pas où se trouve votre femme ? répéta-t-il patiemment. Ni Marta et Molly ?

— Non, je vous dis que non ! rugit Einar en frappant la couverture de sa main.

— Et Jonas ?

— Il a disparu, lui aussi ? Non, je ne sais pas où il est.

Einar leva les yeux au ciel, mais Patrik eut le temps de noter qu'il avait jeté un rapide coup d'œil par la fenêtre.

Un sentiment de calme le remplit, comme s'il s'était tout à coup trouvé dans l'œil du cyclone. Il se tourna vers Gösta.

— Je crois qu'il va falloir qu'on fouille un peu plus la grange.

L'odeur écœurante de moisi et de renfermé remplit ses narines. Molly avait l'impression d'étouffer, et elle avala sa salive pour éliminer le goût ranci de sa bouche. Elle avait du mal à rester aussi calme que Marta le souhaitait.

— Pourquoi on est ici ? demanda-t-elle dans le noir, pour la énième fois.

Elle ne reçut pas plus de réponse qu'avant.

— Ne gaspille pas tes forces pour rien, lui dit Marta.

— Mais on nous garde prisonnières ! On nous a enchaînées ! Ça doit être celui qui a enlevé Victoria, et je sais ce qu'il lui a fait ! Comment tu peux rester si calme ? Je ne comprends pas.

Elle savait combien elle avait l'air geignarde. Avec un soupir, Molly appuya sa tête contre ses genoux. La chaîne se tendit et elle se déplaça plus près du mur pour que le bracelet des menottes ne frotte pas contre sa cheville.

— Ça ne sert à rien d'avoir peur, dit Marta.

Elle répétait cela depuis des heures.

— Qu'est-ce qu'on va faire alors? On va mourir de faim et pourrir ici?

— Ne sois pas si dramatique. On va recevoir de l'aide.

— Comment tu peux le savoir? Personne n'est encore venu nous sauver.

— Ça va se régler, tu peux me faire confiance. Moi, je ne suis pas une gamine pourrie gâtée habituée à tout recevoir sur un plateau d'argent, la rabroua Marta.

Molly se mit à pleurer en silence. Même si elle savait que Marta ne l'aimait pas, elle avait du mal à supporter qu'elle soit si froide et sans cœur dans une situation pareille.

— C'était bête de dire ça, rectifia Marta sur un ton plus doux. Mais crier et lancer des jurons, ça ne sert à rien. Il vaut mieux qu'on économise nos forces en attendant que quelqu'un vienne nous secourir.

Molly se tut, un peu apaisée. On aurait dit que Marta s'excusait, ce qui était très inhabituel de sa part.

Elles restèrent silencieuses un instant, puis elle rassembla son courage.

— Pourquoi tu ne m'as jamais aimée?

Il y avait bien longtemps qu'elle voulait poser cette question à Marta, sans jamais oser le faire, mais à présent, protégée par l'obscurité, cela lui parut tout à coup moins effrayant.

— Ça ne m'allait pas de devenir mère.

Molly put deviner qu'elle haussait les épaules.

— Mais alors pourquoi tu as eu un enfant?

— C'est ton père qui le voulait. Il voulait un enfant pour lui servir de miroir.

— Mais il aurait préféré un garçon, non?

Molly s'étonna de sa propre audace. Toutes les questions qu'elle avait gardées comme des petits paquets enfouis en elle s'ouvrirent. Elle demandait sans se sentir blessée, comme s'il était question de quelqu'un d'autre. Elle voulait juste savoir.

— Avant ton arrivée, je pense que oui. Mais dès que tu es née, il a été heureux d'avoir une fille.

— Je suis contente de l'apprendre, dit Molly avec une pointe d'ironie.

Elle ne cherchait pas à se plaindre. Les choses étaient comme elles étaient.

— J'ai fait de mon mieux, mais je n'étais pas destinée à avoir un enfant.

C'était étrange que leur première vraie conversation ait lieu alors qu'il était peut-être trop tard. Il n'y avait cependant plus de raison de cacher quoi que ce soit, elles pouvaient cesser de faire semblant.

— Comment peux-tu être si certaine qu'on sera libérées?

Molly grelottait de plus en plus sur le sol froid, et sa vessie la tourmentait. Elle fut prise de panique à l'idée de se faire pipi dessus.

— Je le suis, c'est tout, répondit Marta et, comme une réponse à l'assurance de sa déclaration, elles entendirent une porte s'ouvrir.

Molly se serra contre le mur.

— C'est peut-être lui. Il va nous faire mal.

— Calme-toi! dit Marta.

Et pour la première fois depuis que Molly s'était réveillée dans le noir, elle sentit la main de Marta sur son bras.

Comme paralysés, Gösta et Martin étaient tapis dans un coin de la grange. Ils ne savaient pas comment gérer ce mal absolu qui leur faisait face.

— Oh putain de Dieu! proféra Gösta.

Martin ne comptait plus le nombre de fois où il l'avait déjà dit, mais il ne put que confirmer : oh putain de Dieu!

Ni l'un ni l'autre n'avait vraiment cru Patrik quand il était sorti de la chambre d'Einar en disant qu'il y avait quelque chose dans la grange. Mais ils l'avaient aidé à la fouiller de nouveau, plus minutieusement cette fois, et quand il avait trouvé la trappe sous une voiture, leurs objections s'étaient tues. Surexcité à l'idée d'avoir trouvé Molly et Marta, Patrik avait rapidement descendu l'étroite échelle après avoir presque arraché le battant en l'ouvrant. La lumière en bas était faible et Patrik eut du mal à distinguer ce qui l'entourait, mais il comprit rapidement qu'il n'y avait personne ici, et qu'il fallait faire venir les techniciens avant de toucher à quoi que ce soit.

À présent, Torbjörn et son équipe étaient là et de puissants projecteurs éclairaient l'intérieur de la grange, comme une scène de théâtre. Après avoir relevé des indices sur l'échelle et sur certaines parties du sol, les techniciens autorisèrent Patrik à descendre dans la petite cave, et Gösta et Martin le suivirent de près.

Martin avait entendu Gösta chercher son souffle en arrivant en bas, et il était lui-même encore sous le choc de ce qu'il avait vu. Les murs nus et le sol en terre battue, le matelas souillé dont les taches sombres étaient vraisemblablement du sang séché. Au milieu de la pièce, une barre verticale entourée de grosses cordes, elles aussi tachées de sang. L'air était quasi irrespirable, et une odeur putride les avait pris à la gorge.

La voix de Torbjörn en haut de l'échelle tira Martin de l'abominable scénario dans lequel il était plongé.

— Il y a eu un objet à cet endroit-là, probablement un pied de caméra.

— Quelqu'un aurait donc filmé ce qui s'est passé ici? demanda Patrik.

Il observa l'endroit indiqué par Torbjörn.

— Je crois, oui. Vous n'avez pas trouvé de vidéos?

— Non. Mais regarde, on dirait qu'il y a eu des trucs posés là-bas.

Patrik s'approcha d'une bibliothèque sale. Martin le suivit. Un boîtier de DVD traînait sur une étagère partiellement dépourvue de poussière. Il était vide.

— Il a dû venir les récupérer, dit Martin. Il les a emportés, va savoir où.

Martin se rendit compte que l'atmosphère nauséabonde de la cave l'incommodait de plus en plus.

— Enfin, putain, ils sont où?

— Aucune idée, dit Patrik en serrant les mâchoires. Mais il faut qu'on trouve Jonas. Et il faut qu'on trouve Molly et Marta.

— Tu crois qu'il a… commença Martin sans terminer sa phrase.

— Je ne sais pas. Je ne sais plus rien.

Le ton résigné de Patrik fit presque perdre courage à Martin, même s'il comprenait son collègue. Ils avaient fait une percée dans l'enquête, mais ils n'avaient pas réussi leur mission la plus importante : localiser Molly et Marta. Et au vu de ce qu'ils avaient découvert ici, elles étaient probablement entre les mains d'une personne très malade.

— Venez voir ! cria Torbjörn d'en haut.

Tous les trois grimpèrent l'échelle.

— Tu avais raison, dit Torbjön à Patrik alors qu'il se déplaçait d'un pas vif à l'autre bout de la grange.

Le van pour le transport de chevaux était garé là. Il était plus grand et plus robuste que la plupart des vans que Martin avait vus sur les routes, et à la réflexion, il semblait inutilement vaste lorsqu'on n'avait qu'un cheval à transporter, comme la famille Persson.

— Regarde ça. Le van a été modifié. À côté de l'emplacement du cheval, un espace a été aménagé en surélevant le sol, de la taille d'un être humain pas trop grand. La cache paraît trop évidente *a priori*, mais il y avait sans doute du foin étalé dessus et la mère et la fille avaient peut-être d'autres préoccupations.

— Putain, comment tu as… ? dit Martin en lançant un regard rempli d'admiration à Patrik.

— Je me demandais comment Jonas s'y prenait pour déplacer les filles. Il ne pouvait pas les transporter dans la voiture, où se trouvaient Molly et Marta. Du coup, le van était la seule option.

— Oui, c'est évident.

Martin se sentit bête de ne pas y avoir pensé, mais les choses s'étaient précipitées, il avait à peine eu le temps de tout assimiler. Les détails viendraient plus tard, lorsqu'il aurait une meilleure image de ce qui s'était passé.

— Relevez toutes les preuves de la présence des filles ici, dit Patrik. Nous allons avoir besoin de bons arguments. Il est rusé, ce fumier de Jonas, pour avoir fait tout ça sans éveiller de soupçons.

— *Yes sir*, répondit Torbjörn, sans esquisser le moindre sourire.

Personne n'avait envie de plaisanter. Martin avait plutôt envie de pleurer. Pleurer sur la perversité humaine, pleurer de savoir que de tels hommes pouvaient vivre si près de lui et, planqué derrière leur apparente normalité, faire les choses les plus épouvantables.

Il s'accroupit et examina la cache aménagée dans le van. Les projecteurs de l'équipe technique leur permettaient de voir distinctement alors qu'il faisait nuit noire dehors et que l'ampoule de la grange n'éclairait pas grand-chose.

— Vous imaginez vous réveiller dans un petit espace comme ça ? dit-il en sentant la claustrophobie comme un poids sur sa poitrine.

— Il devait les endormir pendant le trajet. D'une part pour des raisons pratiques, d'autre part pour que Molly et Marta n'entendent rien.

— Il était accompagné de sa propre fille quand il enlevait des adolescentes qui avaient son âge, constata Gösta.

Il se tenait un peu à l'écart, les bras croisés, et n'en croyait toujours pas ses yeux.

— Il faut qu'on trouve les vidéos, martela Patrik.

— Et Jonas, rajouta Martin. Est-ce qu'il a pu ficher le camp à l'étranger quand il s'est rendu compte qu'il allait être démasqué ? Et dans ce cas, où sont Marta et Molly ? Et Helga ?

Patrik secoua la tête. Le visage gris de fatigue, il fixa la petite cavité dans le van.

— Je ne sais pas, dit-il encore une fois.

— Enfin ! Te voilà ! dit Marta lorsque la lumière s'alluma et que les pas résonnèrent en bas de l'escalier.

— J'ai fait aussi vite que j'ai pu.

Jonas s'agenouilla et la prit dans ses bras. Comme toujours, c'était comme s'ils fusionnaient en une seule personne.

— Jonas ! cria Molly.

Mais son père resta un moment auprès de Marta avant de la lâcher et de se préoccuper de sa fille.

— Ne t'inquiète pas. Je vais vous détacher.

Molly commença à pleurer de façon hystérique et Marta eut envie de lui flanquer une gifle. Ça ne lui allait donc toujours pas ? Elles allaient être libérées, exactement ce que sa fille avait réclamé en gueulant comme un putois. Pour sa part, elle ne s'était pas inquiétée une seule seconde. Elle savait que Jonas allait les trouver.

— Qu'est-ce qu'elle fait ici, mamie? hoqueta Molly.

Marta croisa le regard de Jonas. Pendant ces heures dans l'obscurité, à force de réfléchir, elle était arrivée à la seule conclusion logique. Le thé sucré que Helga leur avait offert, le noir soudain qui s'était abattu sur elles. Elle était étonnée que sa belle-mère ait réussi à les fourrer dans la voiture et à les descendre ici. Mais les femmes sont plus solides qu'on ne le croit, et toutes ces années de travail à la ferme avaient sûrement donné à Helga les forces nécessaires.

— Mamie était obligée de venir. C'est elle qui a les clés, pas vrai?

Jonas tendit la main à sa mère qui attendait en silence derrière lui.

— C'était le seul moyen. Comprends-moi. La police était à tes trousses et j'étais obligée de faire en sorte que tu paraisses moins suspect.

— Et c'est ma femme et ma fille que tu as sacrifiées, dit Jonas.

Après avoir hésité une seconde, Helga glissa sa main dans la poche et en tira deux clés. Jonas en essaya une dans le mécanisme des menottes de Marta. Ce n'était pas la bonne, alors que l'autre déverrouilla immédiatement le cliquet. Elle se massa la cheville.

— Putain ce que ça fait mal, souffla-t-elle avec une grimace.

Elle se réjouit d'entrevoir la peur qui se reflétait dans les yeux de Helga.

Jonas s'approcha de Molly et s'accroupit à côté d'elle. Il eut du mal à introduire la clé, parce que Molly s'agrippait à lui et sanglotait contre son épaule.

— Elle n'est pas de toi, déclara Helga calmement.

Marta la fixa. Elle aurait voulu se jeter sur sa belle-mère et la faire taire, mais attendit tranquillement la suite.

— Quoi?

Jonas se dégagea de l'étreinte de Molly sans avoir ouvert les menottes.

— Molly n'est pas ta fille.

Un air de triomphe illumina le visage de Helga. Elle savourait ces mots prononcés à haute voix.

— Tu mens! s'écria-t-il en se redressant.

— Demande-lui, dit-elle en désignant Marta. Pose-lui la question si tu ne me crois pas.

À toute vitesse, Marta pesa ses chances. Différentes stratégies fusèrent dans son cerveau. Ça ne servirait à rien de raconter des bobards. Elle pourrait mentir à n'importe qui sans sourciller et sans qu'on ne doute jamais d'elle. Sauf à Jonas. Elle avait été obligée de vivre avec cette imposture pendant quinze ans, mais elle ne pouvait plus lui mentir maintenant.

— Ce n'est pas certain à cent pour cent, dit-elle, sans quitter Helga des yeux. Elle peut aussi être la fille de Jonas.

— Pfft. Je sais compter. Elle a été conçue au cours des deux semaines où Jonas est parti en formation.

— Quoi? Quand ça, tu dis?

Le regard de Jonas allait de sa mère à Marta. Même Molly s'était tue et dévisageait les adultes, décontenancée.

— Comment tu l'as su? demanda Marta en se relevant. Personne n'était au courant.

— Je vous ai vus. Je vous ai vus dans la grange.

— Est-ce que tu as vu aussi que je résistais? Est-ce que tu as vu qu'il me prenait de force?

— Ça, c'est sans importance, dit Helga avant de s'adresser à Jonas. Ton père a couché avec ta femme pendant ton absence, c'est lui le père de Molly.

— Dis-moi qu'elle ment, Marta, supplia Jonas.

Marta sentit une pointe d'irritation à le voir aussi bouleversé. Qu'est-ce que ça pouvait bien faire? Ça n'avait été qu'une question de temps avant qu'Einar la viole. Jonas aurait dû le comprendre. Après tout ce qui s'était passé, il devait quand même connaître son père. Qu'elle soit tombée enceinte était regrettable, mais Jonas ne s'était jamais douté de rien, il n'avait jamais fait le simple calcul sur ses dix doigts, tout vétérinaire qu'il soit. Il avait juste accepté Molly comme sa fille.

— Helga ne ment pas. Tu étais absent et ton père n'arrivait plus à se contrôler, la tentation était trop grande. Ça ne devrait pas te surprendre.

Elle se tourna vers Molly, silencieuse dans son coin, les larmes roulant doucement sur ses joues.

— Arrête de chialer. Tu es assez grande pour apprendre la vérité, même s'il aurait mieux valu que personne n'en sache rien. Mais voilà, trop tard ! Alors qu'est-ce que tu comptes faire, Jonas ? Me punir parce que ton père m'a violée ? Je me suis tue pour le bien de tout le monde.

— Tu es malade, constata Helga en serrant ses poings.

— Moi, malade ? riposta Marta, et elle sentit le rire monter en elle. Alors disons plutôt qu'on devient comme ceux qu'on fréquente. Toi non plus, tu ne sembles pas tout à fait en bonne santé, vu ce que tu nous as fait.

Elle montra les menottes qui maintenaient encore Molly prisonnière.

Molly se cramponna à la jambe de Jonas.

— S'il te plaît, détache-moi. J'ai peur.

Il fit un brusque pas en avant, lui faisant perdre prise. Elle émit des sanglots convulsifs et tendit les bras vers lui.

— Je ne comprends rien à ce que vous dites, mais j'ai peur. Détache-moi maintenant.

Jonas s'approcha de Marta, et elle observa son visage si près du sien. Puis elle sentit sa main contre sa joue. La connivence n'avait pas été rompue. Elle demeurait, pour toujours.

— Ce n'était pas ta faute, dit-il. Rien n'était ta faute.

Il resta un instant ainsi, sa main sur sa joue. Elle perçut la puissance qu'il dégageait, cette même force sauvage et indomptée que son instinct avait détectée dès la première fois.

— Nous avons pas mal de choses à faire, dit-il, en la scrutant longuement.

Elle hocha la tête.

— Oui, je sais.

Anna avait plongé dans un sommeil profond et sans rêves, pour la première fois depuis très longtemps. Dan et elle avaient parlé pendant plusieurs heures et avaient décidé de laisser les plaies guérir, même si ça devait prendre du temps. Ils avaient décidé de se choisir l'un l'autre encore une fois.

Elle se tourna sur le côté et tendit le bras. Dan était là, et au lieu de lui tourner le dos, il prit sa main et la posa sur sa poitrine. Avec un sourire, elle sentit la chaleur se répandre dans son corps, des orteils jusqu'au ventre et... D'un coup, elle bondit sur ses pieds, se précipita aux toilettes et eut tout juste le temps de relever l'abattant avant que son estomac ne se vide de son contenu.

— Ma chérie, qu'est-ce qui t'arrive ? s'inquiéta Dan devant la porte.

Malgré ce que la situation avait d'embarrassant, des larmes de bonheur lui montèrent aux yeux. Il l'avait appelée "ma chérie".

— Je crois que j'ai attrapé une sorte de gastro. Ça fait un moment que je la traîne.

Elle se releva sur des jambes chancelantes, fit couler de l'eau et se rinça la bouche. Elle se brossa les dents avec beaucoup de dentifrice pour faire partir le goût âcre qui collait au palais.

Dan se plaça derrière elle et la regarda dans le miroir.

— Depuis combien de temps ?

— Je ne sais pas, ça doit faire au moins deux semaines que je me sens plus ou moins nauséeuse. Comme si la maladie ne voulait pas se déclarer, articula-t-elle, la brosse à dents encore dans la bouche.

Dan posa une main sur son épaule.

— D'habitude, les gastros ne font pas ça. Tu n'as pas pensé à une autre possibilité ?

Leurs regards se croisèrent et Anna s'arrêta net. Elle recracha le dentifrice, et se retourna.

— C'était quand, tes dernières règles ? demanda Dan.

Elle réfléchit fébrilement.

— Je ne sais plus. Il y a un moment, je crois. Mais je pensais que c'était à cause de… eh bien, de tout le stress. Tu crois que… ? On ne l'a fait qu'une fois.

— Une fois peut suffire, tu le sais très bien, sourit Dan, et il caressa sa joue. Ce serait quand même une bonne chose ?

— Oui, dit-elle en sentant les larmes arriver de nouveau. Oui, ce serait une très bonne chose.

— Tu veux que j'aille acheter un test à la pharmacie ?

Muette, Anna hocha la tête. Elle ne voulait rien espérer au cas où, tout compte fait, il ne s'agirait que d'un banal virus.

— D'accord, j'y vais tout de suite.

Elle s'assit sur lit, et essaya de s'examiner en attendant. C'est vrai que ses seins étaient un peu douloureux et tendus, et son ventre aussi paraissait légèrement enflé. Était-il possible que quelque chose ait germé dans le paysage aride qu'était devenu son corps ? Si tel était le cas, elle se promit de ne plus jamais rien considérer comme acquis, de ne plus jamais mettre en péril un tel miracle.

Elle fut tirée de ses pensées par Dan qui déboulait dans la chambre, hors d'haleine.

— Tiens, dit-il en lui tendant un sachet de la pharmacie.

De ses mains tremblantes, elle en sortit la boîte et, après un regard affolé à Dan, alla dans la salle de bains. Elle s'assit sur les toilettes et tint le bâtonnet entre ses jambes en essayant de viser juste. Puis elle le posa sur le bord du lavabo et se lava les mains, qui tremblaient encore. Elle n'arrivait pas à détacher son regard de la petite fenêtre qui montrerait si leur avenir allait changer, s'ils allaient accueillir une nouvelle vie ou pas.

Elle entendit la porte s'ouvrir. Dan entra et la prit dans ses bras. Tous deux avaient le regard vissé à la petite tige. Dans l'attente.

Erica n'avait eu que quelques heures de sommeil agité. En fait elle aurait voulu partir sur-le-champ, mais elle ne pourrait pas rencontrer Laila avant dix heures puisqu'elle n'avait pas signalé sa visite à l'avance. Et puis elle devait d'abord déposer Maja et les jumeaux au jardin d'enfants.

Elle s'étira dans le lit. Son corps était raide et lourd de fatigue. Elle tâta la place vide à côté d'elle. Patrik n'était pas rentré, et elle se demanda ce qui s'était passé là-bas, à la ferme, s'ils avaient retrouvé Molly et Marta et ce que Jonas avait dit. Mais elle ne voulait pas l'appeler et le déranger, même si elle avait aussi des nouvelles à lui transmettre. Elle espérait qu'il serait content de sa contribution. Parfois, ça l'agaçait qu'elle se mêle de son boulot, mais c'était parce qu'il s'inquiétait pour elle. Dans ce cas précis, il lui avait réellement demandé son aide. En outre, il n'y avait aucun risque qu'il lui arrive quoi que ce soit. Elle allait juste discuter avec Laila, puis livrer toutes les informations à Patrik pour qu'il les utilise dans son enquête.

En chemise de nuit, les cheveux en bataille, elle sortit doucement de la chambre et descendit dans la cuisine. Avoir un petit moment pour elle et boire un café en toute tranquillité avant que les enfants se réveillent, ça valait de l'or. Elle avait emporté quelques documents pour les relire une énième fois. Il était important d'avoir tout en tête en vue de la visite. Mais elle n'eut pas le temps de lire grand-chose avant d'entendre des cris à l'étage. Avec un soupir, elle se leva pour aller s'occuper de ses enfants un peu trop pêchus.

Après avoir sacrifié à tous les rituels matinaux et être passée par le jardin d'enfants, elle avait encore un peu de temps devant elle et décida de revérifier quelques derniers détails. Elle alla se planter de nouveau devant la carte de Suède accrochée dans son bureau et y resta un long moment sans rien voir de neuf. Puis elle plissa les yeux et éclata de rire. Elle aurait dû le voir plus tôt. C'était tellement simple.

Elle appela Annika au commissariat. En raccrochant cinq minutes plus tard, elle était convaincue de ne pas se tromper.

L'image se faisait de plus en plus nette. Si Erica lui révélait ce qu'elle avait compris la veille, Laila ne pourrait plus se taire. Cette fois, elle serait obligée de raconter toute l'histoire.

Remplie d'un nouvel espoir, elle s'installa au volant de la voiture. Avant de démarrer, elle s'assura d'avoir emporté les cartes postales. Elle en aurait besoin pour inciter Laila à dévoiler ses vieux secrets.

Arrivée à l'établissement, elle se manifesta au garde.

— J'aimerais voir Laila Kowalska. Je n'ai pas annoncé ma visite au préalable, mais pourriez-vous lui demander si elle accepte de me recevoir. Dites-lui que je veux lui parler des cartes postales.

Erica retint son souffle devant la grille. Bientôt la serrure électronique bourdonna et le portail s'ouvrit. Le cœur battant la chamade, elle se dirigea vers le bâtiment. L'adrénaline fusait dans son sang, la faisant haleter, et elle s'arrêta pour inspirer plusieurs fois et retrouver son calme. À présent il ne s'agissait plus d'un ancien homicide, mais de cinq filles enlevées.

— Qu'est-ce que tu veux? lança Laila dès qu'Erica pénétra dans la salle des visites.

Elle lui tournait le dos et regardait par la fenêtre.

— J'ai vu les cartes postales, dit Erica en s'asseyant.

Elle les sortit de son sac à main et les posa sur la table. Laila ne bougea pas. Le soleil éclairait sa tête et ses cheveux coupés si ras qu'on voyait le cuir chevelu.

— Elles n'auraient pas dû les garder. Je leur avais expressément demandé de les jeter.

Elle ne parut pas fâchée, plutôt résignée, et Erica eut l'impression de percevoir aussi un brin de soulagement.

— Elles ne l'ont pas fait. Et je crois que tu sais qui te les a envoyées. Et pourquoi.

— Je me doutais que tôt ou tard, tu allais découvrir quelque chose. Au fond, je suppose que je l'espérais.

Laila se retourna et se laissa lentement tomber sur la chaise en face d'Erica. Elle gardait les yeux baissés et observait ses mains sur la table, les doigts entrecroisés.

— Tu n'as pas osé raconter, parce que ces cartes étaient des menaces déguisées. Un message que toi seule pouvais comprendre. Je me trompe?

— Non, c'est exact. Mais qui m'aurait crue? dit Laila en haussant les épaules. J'étais obligée de protéger la seule personne qui me reste. La seule qui compte encore.

348

Elle posa sur Erica ses yeux bleus de glace.

— Tu le sais, ça aussi, n'est-ce pas?

— Que Peter est vivant et que tu penses qu'il est en danger? Que c'est lui que tu protèges? Oui, je m'en suis doutée. Et je crois que ta sœur et toi, vous êtes beaucoup plus proches que ce que tu m'as laissé croire. Le prétendu désaccord entre vous n'était qu'un rideau de fumée pour cacher qu'elle s'est occupée de Peter quand votre mère est morte.

— Comment l'as-tu deviné?

Erica sourit.

— Tu as mentionné lors d'un de nos entretiens que Peter zézayait, il avait un cheveu sur la langue, disais-tu, et quand j'ai appelé ta sœur, un homme a répondu qui s'est présenté comme son fils. Il zézayait aussi, et au début j'ai pris ça pour un petit accent espagnol. Il m'a fallu un moment pour faire le rapprochement, et je n'étais sûre de rien.

— Il était comment au téléphone?

Erica eut le cœur serré quand elle réalisa que Laila n'avait pas vu son fils pendant toutes ces années, qu'elle ne lui avait même pas parlé. Spontanément, elle posa sa main sur la sienne.

— Il m'a paru agréable, sympathique. J'ai entendu ses enfants dans la maison.

Laila hocha la tête et laissa sa main sous celle d'Erica. Ses yeux étaient humides, elle luttait contre les larmes.

— Qu'est-ce qui s'est passé quand il a été obligé de s'enfuir?

— Il est rentré à la maison et a trouvé sa grand-mère, ma mère donc, morte. Il a compris qui l'avait tuée, et compris aussi qu'il était en danger. Alors il a contacté ma sœur, qui l'a aidé à rejoindre l'Espagne. Elle s'est occupée de lui comme de son propre fils.

— Mais comment a-t-il pu se débrouiller sans papiers, sans carte d'identité pendant tout ce temps?

— Le mari d'Agneta est un homme politique haut placé. Ne me demande pas comment, mais il a pu faire en sorte que Peter ait de nouveaux papiers attestant qu'il est leur fils.

— Est-ce que tu as compris le lien avec les cachets de la poste sur les cartes? demanda Erica.

Laila la regarda, surprise, et retira sa main.

— Non, ça ne m'a même pas traversé l'esprit. J'ai juste compris qu'on m'envoyait une carte chaque fois qu'une fille disparaissait, parce que quelques jours plus tard je recevais une lettre avec un article de journal s'y rapportant.

— Ah bon ? Elles étaient envoyées d'où, ces lettres ?

Erica ne put cacher son étonnement. Elle n'était pas au courant de ça.

— Aucune idée. Il n'y avait pas de nom d'expéditeur, et j'ai jeté les enveloppes. Mais l'adresse était marquée au tampon encreur, comme sur les cartes postales. J'ai eu la peur de ma vie. J'ai réalisé que Peter avait été découvert et qu'il était le prochain sur la liste. Il n'y avait pas d'autre façon d'interpréter les motifs sur les cartes.

— Et les coupures de journaux, qu'est-ce que tu en as pensé ?

— À mes yeux, il n'y a qu'une possibilité. Fille est vivante et elle veut se venger de moi en m'enlevant Peter. Les coupures de journaux sont un moyen de me dire de quoi elle est capable.

— Depuis combien de temps sais-tu qu'elle est en vie ? demanda Erica à voix basse, mais la question résonna quand même dans la pièce.

— Depuis qu'elle a tué ma mère.

— Pourquoi l'a-t-elle tuée ?

Erica ne prenait pas de notes, elle se contentait d'écouter. L'important maintenant n'était plus d'accumuler du matériel pour son livre. Elle n'était même pas sûre d'avoir la force de l'écrire.

— Comment savoir ? répondit Laila avec un haussement d'épaules. Par vengeance ? Parce qu'elle le voulait et qu'elle en jouissait ? Je n'ai jamais compris ce qui se passait dans sa tête. C'était une créature étrange, elle ne fonctionnait pas comme nous autres.

— Quand t'es-tu aperçue que tout n'était pas normal ?

— Tôt, presque dès le début. Les mères sentent quand quelque chose cloche. Mais jamais je n'aurais imaginé que…

Erica eut le temps de voir la douleur sur son visage avant qu'elle détourne la tête.

— Et pourquoi vous… ?

Erica ne sut comment formuler ce qu'elle voulait dire. Les questions étaient difficiles à poser, et les réponses allaient être difficiles à comprendre.

— On a mal agi. Je le sais. Mais on ne savait pas comment gérer la situation. Vladek venait d'un monde qui avait d'autres coutumes et d'autres idées, dit Laila en suppliant Erica du regard. C'était un homme bon confronté à un problème qui le dépassait. Et je n'ai rien fait pour l'arrêter. La situation empirait chaque jour, notre ignorance et notre peur prenaient le dessus, et j'avoue qu'à la fin je la haïssais. Je haïssais ma propre fille.

Laila étouffa un sanglot.

— Qu'est-ce que tu as ressenti en comprenant qu'elle était en vie ? demanda Erica avec circonspection.

— J'ai pleuré quand j'ai appris sa mort. Tu peux me croire sur parole, j'ai pleuré. Même si j'ai peut-être pleuré la fille que je n'ai jamais eue, dit-elle en croisant le regard d'Erica avant de pousser un soupir. Mais j'ai pleuré davantage encore quand j'ai compris qu'elle était en vie et qu'elle avait tué ma mère. Il ne me restait plus qu'à prier pour qu'elle ne me prenne pas Peter.

— Tu sais où elle se trouve ?

Laila secoua violemment la tête.

— Non, pour moi elle n'est qu'une ombre perverse qui évolue de l'autre côté de ces murs. Mais toi, tu le sais, n'est-ce pas ?

— Je ne suis pas sûre, mais j'ai des soupçons.

Erica posa les cartes postales sur la table, le dos tourné vers le haut.

— Je vais te montrer. Chaque carte a été postée sur le trajet entre Fjällbacka et un des lieux où une fille a disparu. Je l'ai découvert parce que j'ai tout marqué sur une carte de Suède.

Laila hocha la tête.

— Très bien, mais qu'est-ce que cela signifie ?

Erica comprit qu'elle avait commencé par le mauvais bout.

— La police vient de découvrir que le jour même où une fille était enlevée, un concours hippique était organisé dans la localité où elle avait disparu. Victoria, elle, a disparu en rentrant du centre équestre de Jonas et Marta, et du coup ces deux-là figurent dans l'enquête depuis le début. Quand il s'est avéré que les concours hippiques étaient le dénominateur commun, et qu'en plus j'ai découvert cette histoire avec le cachet de la poste, j'ai commencé à me demander...

— Quoi ? souffla Laila presque sans voix.

— Je vais te le dire, mais avant, je veux savoir ce qui s'est passé le jour où Vladek est mort.

Il y eut un long silence. Puis Laila commença à raconter son histoire.

FJÄLLBACKA, 1975

C'était un jour qui ressemblait aux autres, aussi sombre, aussi désespérant. Laila avait passé encore une nuit blanche, à attendre le matin tandis que les minutes s'égrenaient comme des heures.

Fille avait passé la nuit dans la cave. Le chagrin de la savoir là, en bas, s'était calmé. Toutes ses velléités de la protéger, l'idée que le devoir d'une mère était de tout faire pour son enfant, avaient été vaincues par le soulagement de ne plus avoir peur. Disparue, l'obligation pour une mère de tout faire pour le bien de son enfant. Celui que Laila devait protéger était Peter.

Elle avait cessé de prêter attention à ses propres blessures. Fille pouvait lui faire ce qu'elle voulait. Mais les ténèbres dans son regard, lorsqu'elle réussissait à infliger une souffrance à quelqu'un, étaient trop effrayantes pour être ignorées. Plusieurs fois, dans un accès de rage inattendu, elle avait blessé Peter qui ne savait pas se défendre. Une fois, il avait eu l'épaule déboîtée. Gémissant et terrorisé, il tenait son bras serré contre son corps et ils avaient dû l'emmener à l'hôpital. Le lendemain matin, Laila avait trouvé des couteaux sous le lit de Peter.

C'était à la suite de cet incident que Vladek avait franchi la limite. Soudain, il y avait eu cette chaîne dans la cave. Elle ne l'avait pas entendu l'installer, n'avait pas remarqué qu'il avait trouvé un moyen de dormir en sécurité la nuit et d'être tranquille la journée. C'était la seule solution, prétendait-il. L'enfermer dans une chambre ne suffisait pas, il fallait que Fille comprenne que ce qu'elle faisait était mal. Ils n'arrivaient pas à gérer sa fureur, ses crises étaient imprévisibles, et plus elle grandirait et deviendrait forte, plus elle ferait de dégâts. Laila savait que c'était de la folie, mais n'avait pas le courage de s'y opposer.

Fille s'était révoltée au début, elle s'était débattue, avait hurlé et griffé Vladek au visage chaque fois que, stoïquement, il la portait dans la cave et l'enchaînait. Il désinfectait les plaies et se pansait du mieux qu'il pouvait. À ses clients, il disait que le chat l'avait griffé. Personne ne songeait à en douter.

Elle avait fini par se résigner et cessé de résister. Comme une poupée de chiffon, elle s'était laissé enchaîner. Quand elle y restait longtemps, ils lui apportaient à boire et à manger, comme à un animal. Tant qu'elle jouissait de la douleur d'autrui, tant que le sang et les cris la fascinaient, ils étaient obligés de la dompter comme un fauve. Les moments où elle n'était ni dans la cave ni dans sa chambre, ils la surveillaient en permanence. Même petite, Fille était déjà forte et rapide, et Vladek ne pensait pas que Laila soit en mesure de la maîtriser. Et il avait raison. Si bien que c'était lui qui se chargeait de Fille tandis que Laila s'occupait de Peter.

Mais ce matin-là, tout était allé de travers. Vladek avait mal dormi cette nuit de pleine lune, il était resté allongé à côté d'elle à fixer le plafond, heure après heure. Au matin, il était de mauvaise humeur et étourdi de fatigue. Par-dessus le marché, il n'y avait plus de lait, et comme Peter refusait de manger autre chose que du porridge au petit-déjeuner, elle le prit avec elle dans la voiture pour aller en acheter.

Une demi-heure plus tard, ils étaient de retour. Elle sortit rapidement de la voiture, avec Peter dans les bras. Il avait attendu son repas beaucoup trop longtemps.

Dès qu'elle entra dans le vestibule, elle comprit que quelque chose n'allait pas. Un étrange silence régnait dans la maison. Elle appela Vladek, et ne reçut aucune réponse. Elle posa Peter par terre et mit son index devant ses lèvres pour montrer qu'il devait rester silencieux. Il la regarda sans trop comprendre, mais obéit.

Elle se déplaça prudemment vers la cuisine. Elle était vide. Sur la table traînaient des vestiges de petit-déjeuner. Une tasse pour Vladek et une pour Fille.

Puis elle entendit une voix provenant du salon. Une voix de fillette claire et monotone qui débitait des phrases en un flot ininterrompu. Elle essaya de distinguer les mots. Des chevaux, des lions, du feu – c'étaient les récits du cirque avec lesquels Vladek les avait enchantés.

Elle s'approcha lentement. La certitude brûlait en elle. Elle hésita à faire les derniers pas, ne voulait pas voir, mais il n'y avait pas de retour possible.

— Vladek? chuchota-t-elle, tout en sachant que ça ne servait à rien.

Elle s'avança jusqu'au canapé et ne put retenir le cri qui sortit de son ventre, de ses poumons et de son cœur. Il remplit la pièce tout entière.

Affichant un sourire presque fier, Fille ne réagit pas. Elle inclina la tête sur le côté dans un mouvement de fascination et l'observa. Elle paraissait se nourrir de son supplice. Elle était heureuse. Pour la première fois, Laila vit du bonheur dans le regard de sa fille.

— Qu'est-ce que tu as fait?

Sa voix fut à peine audible. Elle tituba jusqu'à Vladek et posa tendrement ses mains sur ses joues. Ses yeux écarquillés fixaient le plafond, et elle se remémora la journée au cirque quand leurs regards s'étaient croisés. Ils avaient tous les deux compris que leur vie prenait une nouvelle tournure. S'ils avaient su ce qui adviendrait, ils seraient probablement partis dans des directions opposées et chacun aurait repris le cours de son destin. Pour le bien de tous. Car alors ils n'auraient pas engendré cette cruauté.

— Ça. J'ai fait ça, dit Fille.

Laila leva les yeux et observa Louise, perchée sur l'accoudoir du canapé. Sa chemise de nuit était couverte de sang, et ses longs cheveux sombres pendaient en broussaille dans son dos, lui donnant l'aspect d'un enfant troll. La rage qu'elle avait dû éprouver en plantant le couteau dans le corps de son père, encore et encore, avait déjà disparu. Elle paraissait calme et docile. Satisfaite.

Laila regarda Vladek de nouveau, l'homme qu'elle avait aimé. Sur sa poitrine elle vit des traces de coups de couteau et en travers de sa gorge une profonde entaille, comme s'il portait une écharpe rouge.

— Il s'est endormi.

Fille remonta ses jambes vers son corps et appuya sa tête contre ses genoux.

— Pourquoi tu as fait ça ? demanda Laila, mais Fille se contenta de hausser les épaules.

Laila entendit un bruit dans son dos et se retourna. Peter était entré dans le salon et, les yeux pleins d'épouvante, il regarda Vladek d'abord, puis Fille.

Sa sœur le dévisagea.

— Il faut que tu me sauves, dit-elle.

Laila sentit un souffle glacial courir le long de sa colonne vertébrale. C'était à elle que Louise parlait, et elle observa la frêle fillette, en essayant de se convaincre que ce n'était qu'une enfant. Mais elle savait de quoi elle était capable. En réalité, elle l'avait toujours su. Elle comprit donc ce que ces mots voulaient dire, et elle comprit que c'était ce qu'elle devait faire : la sauver.

Elle se leva.

— Viens, on va laver le sang. Ensuite je dois t'attacher, comme faisait papa.

Fille sourit. Puis elle hocha la tête et suivit sa mère.

Mellberg rayonnait comme un soleil en arrivant dans la cuisine du commissariat.

— Vous m'avez l'air bien lessivés, dites donc!

Patrik le fusilla du regard.

— On n'a pas arrêté depuis hier soir.

Il cligna des yeux pour chasser le sommeil. Il arrivait à peine à les garder ouverts après sa nuit blanche, mais il fit un court exposé des événements à son chef en lui racontant notamment ce qu'ils avaient découvert à la ferme. Mellberg prit place sur une des chaises inconfortables qui entouraient la table.

— Alors on dirait qu'elle est bouclée, notre enquête.

— Mouais, ça ne nous a pas menés jusqu'au bout pour autant, dit Patrik en tripotant sa tasse de café. Il y a encore beaucoup trop d'éléments flous : on n'a pas retrouvé Marta et Molly, Helga semble avoir disparu, et Dieu sait où est passé Jonas. Le lien avec le meurtre d'Ingela Eriksson nous semble très vague. Même si on est presque certains que Jonas a enlevé quatre des filles qui ont disparu ces dernières années, il n'était qu'un enfant quand Ingela a été tuée. Et puis il reste à résoudre le meurtre supposé de Lasse Hansson. Si Victoria avait une relation amoureuse avec Marta, est-ce Marta qui l'a liquidé, et comment? Ou alors elle a parlé du chantage à Jonas et il a pris les choses en main…

Plusieurs fois, Mellberg avait semblé sur le point d'interrompre Patrik, sans succès. À présent, il s'éclaircit la gorge en prenant une mine satisfaite.

— Je pense avoir trouvé un rapport entre l'affaire d'Ingela Eriksson et celle de Victoria, outre les mutilations évidemment. Ce n'est pas Jonas, le coupable. Enfin si, peut-être en partie.

— Comment ça?

Patrik redressa le dos et fut tout à coup éveillé et lucide. Était-il possible que Mellberg ait découvert quelque chose?

— J'ai relu les dossiers encore une fois hier soir. Tu te rappelles ce qu'avait dit le mari d'Ingela Eriksson? Le jour où elle avait disparu, ils avaient reçu la visite d'un gars qui avait répondu à une annonce.

— Oui…? dit Patrik, prêt à se pencher en avant et à arracher les mots de la bouche de Mellberg.

— C'était pour la vente d'une voiture. L'homme était intéressé par une vieille bagnole à retaper. Tu vois à qui je pense?

Patrik visualisa la grange où il avait passé plusieurs heures au cours de la nuit passée.

— Einar? dit-il, incrédule.

Il sentit les rouages se mettre lentement en place, et une théorie commença à prendre forme. Une théorie à glacer le sang, mais pas irréaliste. Il se leva.

— Je vais prévenir les autres. Il faut qu'on retourne à la ferme.

Il ne ressentit plus la moindre fatigue.

Erica fonça sur la route qui n'était pas encore déblayée après la tempête de neige de la nuit. Elle avait du mal à se concentrer sur sa conduite et roulait sans doute trop vite. Elle ne pensait qu'à ce que Laila lui avait raconté, et au fait que Louise était en vie.

Elle avait essayé d'appeler Patrik pour lui faire part de tout ce qu'elle avait appris. Il ne répondait pas. Frustrée, elle tenta de faire le tri de ses impressions, mais une pensée dominait tout : Molly était en danger si elle se trouvait avec Louise, ou Marta comme elle se faisait appeler aujourd'hui. Erica se demanda comment elle en était venue à choisir ce prénom et comment Jonas et elle s'étaient rencontrés. Quelles étaient les chances pour que deux êtres aussi dysfonctionnels tombent l'un sur l'autre? Certes, les exemples de combinaisons humaines funestes ne manquaient pas : Myra Hindley et Ian Brady, Fred et Rosemary West, Karla Homolka et Paul Bernardo. Mais ça ne rendait pas ce duo moins effrayant.

Elle pensa soudain que Patrik et ses collègues avaient peut-être déjà retrouvé Molly et Marta, avant de réaliser que ce n'était guère probable. Non, dans ce cas, il l'aurait appelée pour le lui dire, ou lui aurait envoyé un SMS, elle en était sûre. Donc, elles n'étaient pas à la ferme. Mais où alors ?

Elle laissa derrière elle l'entrée nord de Fjällbacka *via* Mörhult et ralentit dans la descente vers les nouvelles cabanes de pêcheur. Il valait mieux ralentir dans ces virages serrés, où on se croisait difficilement. Plusieurs fois, elle passa en revue le récit qu'avait fait Laila du jour tragique, de ce qui s'était déroulé dans la maison isolée. Cette maison avait été celle de l'horreur bien avant que les gens commencent à la nommer ainsi, sans se douter de l'affreuse vérité.

Erica freina, debout sur la pédale. La voiture dérapa et son cœur s'emballa tandis qu'elle luttait pour reprendre le contrôle du véhicule. Puis elle frappa le volant de sa main. Comment avait-elle pu être aussi idiote ? Elle appuya sur l'accélérateur, passa devant l'hôtel-restaurant Richter installé dans l'ancienne conserverie, et dut se faire violence pour ne pas rouler à tombeau ouvert dans les rues de Fjällbacka, certes vides en hiver, mais très étroites. Une fois sortie de l'agglomération, elle osa reprendre de la vitesse, en se répétant de faire attention vu l'état de la chaussée.

Les yeux rivés sur la route, elle rappela Patrik. Pas de réponse. Elle essaya Gösta et Martin, en vain. Ils étaient manifestement occupés, et elle aurait donné cher pour en savoir plus. Après un instant d'hésitation, elle refit le numéro de Patrik et lui laissa un message, lui rapportant brièvement ce qu'elle avait appris et où elle se rendait. Il allait péter un plomb, mais elle n'avait pas le choix. Si elle restait sans agir, alors qu'elle avait peut-être raison, les conséquences pourraient s'avérer catastrophiques. Elle ferait attention. Il fallait penser aux enfants, ne prendre aucun risque. Elle avait appris la leçon au fil des ans.

Elle se gara assez loin pour que personne n'entende le bruit du moteur et s'approcha à pied de la maison, qui paraissait déserte et abandonnée. Il y avait cependant des traces de pneus fraîches dans la neige. Elle ouvrit la porte d'entrée le plus doucement possible, et dressa l'oreille. D'abord elle n'entendit rien, puis il lui sembla percevoir un bruit faible venant du sous-sol. Quelqu'un appelait à l'aide.

Toute prudence s'envola. Elle se rua sur la porte de la cave qu'elle ouvrit à la volée.

— Qui est là ?

Elle entendit une voix affolée de femme âgée, et tenta fébrilement de se rappeler où se trouvait l'interrupteur.

— C'est Erica Falck. Et vous, qui êtes-vous ?

— C'est moi. Et mamie, fit une voix de jeune fille paniquée, probablement celle de Molly.

— Restez calmes. Je vais essayer d'allumer la lumière.

Erica poussa un juron avant de finalement trouver l'interrupteur. Soulagée, elle tourna le bouton et pria pour que l'ampoule fonctionne encore. Quand elle s'alluma, Erica plissa les yeux par réflexe jusqu'à ce qu'ils s'habituent à la forte luminosité. Dans la cave, elle vit deux personnes blotties contre le mur, se protégeant les yeux des deux mains.

— Oh mon Dieu ! s'exclama Erica.

Elle dévala le raide escalier, se précipita sur Molly qui s'agrippa à elle en sanglotant. Elle la laissa pleurer un instant contre son épaule avant de doucement se dégager.

— Qu'est-ce qui s'est passé ? Où sont tes parents ?

— Je ne sais pas, tout est tellement bizarre… réussit à articuler Molly.

Erica regarda les menottes et la lourde chaîne. Elle la reconnaissait, elle l'avait déjà vue lors de sa première visite dans cette cave. C'était celle qui avait maintenu Louise prisonnière, bien des années auparavant. Elle se tourna vers la femme âgée et la regarda d'un air apitoyé. Son visage était sale, et les rides profondes.

— Vous savez où je peux trouver les clés pour vous libérer ?

— Celles de mes menottes sont là, dit Helga en montrant un banc en face, le long du mur. Détachez-moi, et nous chercherons l'autre clé ensemble. Je ne sais pas où elle est passée, en tout cas ce n'est pas la même.

Erica fut impressionnée par le calme de la vieille femme. Elle se releva pour aller chercher la clé, puis revint s'agenouiller à côté de Helga. Derrière elle, Molly était secouée de sanglots et murmurait des paroles incompréhensibles.

— Qu'est-ce qui s'est passé ? Où sont Jonas et Marta ? Ce sont eux qui vous ont enchaînées ici ? Bon sang, comment peut-on faire ça à son propre enfant ?

Elle bafouillait nerveusement en essayant d'ouvrir les menottes, avant de s'arrêter net. Elle parlait du père et de la mère de Molly. Qui qu'ils soient et quoi qu'ils aient fait, ils demeuraient ses parents.

— Ne vous inquiétez pas, la police va les retrouver, dit-elle à mi-voix. Ce que votre fils vous a fait, à vous et à Molly, est monstrueux, mais je vous promets qu'il sera arrêté. J'en sais suffisamment pour que sa femme et lui ne soient jamais remis en liberté.

Le mécanisme des menottes se débloqua et Erica se releva et se brossa les genoux. Puis elle tendit la main pour aider Helga à se mettre debout.

— Essayons de trouver l'autre clé maintenant, dit-elle.

La grand-mère de Molly lui jeta un regard qu'Erica eut du mal à interpréter, et l'inquiétude se mit lentement à tambouriner dans son ventre. Après un étrange silence, Helga inclina la tête sur le côté et dit calmement :

— Jonas est mon fils. Désolée, mais je ne peux pas vous laisser gâcher sa vie.

Avec une rapidité inattendue, elle se pencha et ramassa une pelle par terre. Elle la leva. La dernière chose qu'Erica entendit fut le cri aigu de Molly qui résonnait entre les murs. Puis tout devint noir.

C'était étrange de revenir à la ferme après toutes les heures qu'ils y avaient passées. À la lueur des projecteurs, ils y avaient découvert des choses dont aucun être humain ne devrait être témoin. Tout était calme et silencieux. On avait rattrapé les chevaux, ils étaient pris en charge par les fermiers alentour. Leurs propriétaires n'étant plus là, c'était la meilleure solution.

— Sachant ce qu'on sait maintenant, on aurait dû laisser un policier en faction, dit Gösta alors qu'ils traversaient la cour déserte.

— Ça, c'est sûr, renchérit Mellberg.

Patrik hocha la tête. Avec le recul, il était facile de se montrer avisé, mais Gösta avait raison. Des marques de pneus menaient à la maison d'Einar et Helga, et en partaient. En revanche, il n'y avait rien devant la maison de Marta et Jonas, pas de traces de pas ni de voiture. Ils avaient peut-être cru que leur maison était surveillée par la police. Patrik sentit son malaise grandir. Étant donné la théorie incroyable qui avait commencé à prendre forme, comment savoir ce qui les attendait ?

Martin ouvrit la porte d'entrée et entra dans le vestibule.

Ils pénétrèrent en silence, sans s'annoncer, en regardant attentivement autour d'eux. Une sorte de vide planait sur les pièces, et Patrik se dit que tous ceux qui le pouvaient étaient déjà partis d'ici. Ce serait leur prochaine tâche : localiser quatre personnes portées disparues, certaines de leur plein gré, d'autres pas. Il fallait espérer que tous seraient en vie, mais il en doutait.

— OK, Martin et moi, on monte, dit-il. Vous, vous restez au rez-de-chaussée au cas où, contre toute attente, quelqu'un arriverait.

À chaque pas, Patrik était de plus en plus certain qu'un drame s'était produit, et tout son être semblait redouter ce qu'il allait découvrir à l'étage. Mais ses pieds continuèrent d'avancer.

— Chut, dit-il en tendant un bras pour stopper Martin sur le point de le doubler. On ne sait jamais, autant se tenir prêt.

Il dégaina son pistolet et débloqua le cran de sûreté, et Martin suivit son exemple. Les armes à la main, ils montèrent doucement les quelques marches restantes. Les premières pièces qui donnaient sur le couloir étaient vides, ils poursuivirent jusqu'à la chambre du fond.

— Oh putain, dit Patrik en baissant son arme.

Son cerveau enregistra ce qu'il voyait, mais ne parvint pas à l'assimiler.

— Oh putain ! répéta Martin derrière lui, avant de reculer de quelques pas pour vomir dans le couloir.

— On n'entre pas, dit Patrik.

Il s'était arrêté sur le pas de la porte et observait la scène macabre. Einar était en position assise dans le lit. Ses moignons de jambes étaient posés sur la couverture et ses bras pendaient mollement le long de son corps. Une seringue était posée à côté de son bras, qui avait sûrement contenu de la kétamine. Ses orbites étaient vides et béantes. Cela semblait avoir été fait à la hâte, l'acide avait aussi rongé ses joues et sa poitrine. Du sang avait coulé de ses oreilles, et sa bouche n'était qu'une grimace barbouillée de rouge.

À gauche du lit, la télé était allumée et Patrik réalisa alors ce qui se déroulait sur l'écran. Incapable d'articuler un mot, il pointa un doigt sur l'appareil, puis entendit Martin déglutir derrière lui.

— Putain, mais c'est quoi ce truc ?

— Je crois que nous avons trouvé une partie des DVD qui manquaient sous la grange.

HAMBURGSUND, 1981

Elle en avait marre de leurs questions. Berit et Tony demandaient sans arrêt comment elle allait, si elle était triste. Elle ne savait pas quoi répondre, ne savait pas ce qu'ils voulaient entendre, alors elle se taisait.

Et elle se tenait à carreau. Malgré toutes les heures passées dans la cave, obligée de manger dans une gamelle comme un chien, elle avait toujours su que son papa et sa maman la protégeraient. Ce que ne feraient pas Berit et Tony. Ils pourraient très bien la renvoyer si elle se conduisait mal. Or, elle voulait rester ici. Pas parce qu'elle se sentait bien chez les Wallander ou à la ferme, mais parce qu'elle voulait être avec Tess.

Dès le premier instant, elles s'étaient reconnues l'une dans l'autre. Elles étaient pareilles. Et elle avait tant appris aux côtés de Tess. Elle était à la ferme depuis six ans maintenant, et elle avait parfois du mal à maîtriser sa rage. Elle brûlait d'envie de voir la douleur dans les yeux d'un autre, la sensation lui manquait, mais avec l'aide de Tess elle avait compris comment refouler ses pulsions et se cacher derrière une façade de normalité.

Quand l'envie devenait trop forte, il y avait les animaux. Elles faisaient toujours en sorte qu'on puisse attribuer leurs blessures à une autre cause. Berit et Tony ne soupçonnaient rien, ils se lamentaient seulement de la malchance qui les poursuivait. Ils ne comprenaient pas que Tess et elle avaient veillé la vache malade parce qu'elles se délectaient de voir les tourments de la bête, de voir la flamme dans ses yeux s'éteindre lentement. Ils étaient si bêtes, si naïfs.

Tess savait beaucoup mieux qu'elle se fondre dans le paysage sans se faire remarquer. La nuit, elle parlait en chuchotant du feu, de l'euphorie de voir quelque chose partir en flammes. Elle disait qu'elle pouvait tenir cette envie-là dans sa main et la serrer fort jusqu'à ne plus risquer d'être démasquée si elle la libérait.

C'étaient les nuits qu'elle préférait. Dès le premier jour, Tess et elle avaient partagé le même lit. Au début, en quête de chaleur et de sécurité, mais peu à peu, autre chose était venu s'interposer. Une vibration qui se propageait quand leurs peaux se touchaient sous la couverture. Elles avaient commencé à s'explorer mutuellement. D'abord hésitantes, elles avaient laissé leurs doigts courir sur des formes inconnues, jusqu'à connaître chaque millimètre du corps de l'autre.

Elle ne savait pas comment décrire la sensation. Était-ce de l'amour ? Elle ne pensait pas avoir jamais aimé quelqu'un, ni haï non plus. Maman croyait probablement que c'était le cas, mais elle se trompait. Elle ne ressentait aucune haine, seulement de l'indifférence envers ce que les autres semblaient estimer important dans la vie. Tess, en revanche, savait haïr. Parfois elle voyait la haine étinceler dans ses yeux, elle la percevait dans sa voix méprisante quand elle parlait de gens qui leur avaient fait du mal. Tess posait beaucoup de questions : sur son père, sa mère, son petit frère. Et sur sa grand-mère maternelle. Après la visite de cette dernière, Tess en avait parlé pendant des semaines, et lui avait demandé si elle faisait partie de ceux qui méritaient d'être punis. Pour sa part, elle avait du mal à comprendre cette rage. Elle ne détestait aucun membre de sa famille, ils lui étaient indifférents, voilà tout. Ils avaient cessé d'exister à l'instant où elle était arrivée chez Berit et Tony. Ils étaient son passé. Tess était son avenir.

De son ancienne vie, elle ne voulait conserver que les histoires du cirque que son père lui racontait. Tous les noms, les villes et les pays, les animaux et les artistes, les odeurs, les bruits, les couleurs qui avaient fait du cirque un feu d'artifice magique. Tess adorait les écouter. Elle voulait les entendre tous les soirs, et elle posait tout un tas de questions : sur les circassiens, comment ils vivaient, comment ils parlaient, et elle buvait littéralement ses réponses.

Plus elles apprenaient à connaître le corps l'une de l'autre, plus elle voulait raconter. Elle voulait rendre Tess heureuse, et les histoires de son père étaient comme un cadeau.

Toute son existence tournait désormais autour de Tess et elle comprenait de plus en plus qu'elle s'était comportée comme un animal. Tess lui expliquait le fonctionnement de la vraie vie. Elles ne seraient jamais faibles, elles ne se laisseraient jamais guider par ce qu'elles portaient en elles. Elles devaient apprendre la maîtrise de soi, attendre le bon moment. C'était difficile, mais elle s'y entraînait, et se sentait récompensée chaque soir en se glissant entre les bras de Tess et en sentant sa chaleur se répandre dans son corps, les doigts de Tess sur sa peau, l'haleine de Tess dans ses cheveux.

Tess était tout. Tess était le monde.

Patientant dans la cour, ils gonflaient leurs poumons d'air frais. Torbjörn était à l'intérieur. Patrik l'avait prévenu tout à l'heure, les yeux rivés sur l'écran télé. Ensuite il s'était forcé à rester dans l'embrasure de la porte pour regarder.

— Combien de temps tu crois qu'il a sévi ? demanda Martin.

— On va devoir visionner l'ensemble des films et les comparer avec les disparitions signalées. Mais ça a l'air de remonter loin. Il faudra identifier l'âge de Jonas sur les images.

— Quelle putain d'abomination ! Obliger son propre fils à regarder, et à filmer. Tu crois qu'il l'a obligé à participer aussi ?

— Je n'ai pas l'impression, mais va savoir ce que nous réservent les autres vidéos. Quoi qu'il en soit, il a manifestement repris le flambeau.

— Avec l'aide de Marta, donc, lâcha Martin en secouant la tête, incrédule. Putain, ils sont malades, ces deux-là !

— Pas une seule seconde, je n'avais envisagé qu'elle y soit mêlée, déclara Patrik. Mais là, je me fais sérieusement du souci pour Molly. Est-ce qu'ils seraient capables de s'en prendre à leur propre enfant ?

— Aucune idée. Tu sais, je pensais connaître un peu l'être humain, mais cette affaire vient tout balayer. En temps normal, j'aurais juré qu'ils ne lui feraient aucun mal, mais on peut s'attendre à n'importe quoi de la part de ces monstres.

Patrik comprit qu'ils conservaient tous les deux les mêmes images collées à la rétine. Les films granuleux, avec des rayures et des taches, transférés sur DVD, mais tournés avec un équipement ancien. Einar était grand et fort, beau même. Il se trouvait dans la pièce sous la grange, celle qui était quasi impossible à trouver à moins de la chercher expressément, ce que personne n'avait eu l'idée de faire pendant toutes ces années. Ce qu'il faisait subir aux filles encore anonymes était indescriptible, tout comme son regard dans la caméra. Les cris des filles se mêlaient aux instructions calmes et monotones qu'il donnait à son fils sur la façon de filmer. Parfois Einar prenait la caméra et la tournait vers Jonas. Un adolescent dégingandé qu'ils verraient probablement adulte dans des films plus récents. Et à une occasion : Marta, jeune.

Qu'est-ce qui avait bien pu amener Jonas à perpétuer l'immonde héritage de son père ? Depuis quand ? Et comment Marta avait-elle pu se laisser entraîner dans le monde cauchemardesque que père et fils avaient construit ? S'ils ne les retrouvaient pas, ils ne pourraient peut-être jamais comprendre tout le tableau. Patrik se demanda si Helga était au courant pendant toutes ces années. Où se trouvait-elle en ce moment ?

Il prit son téléphone et y jeta un coup d'œil. Trois appels en absence d'Erica, et un message sur le répondeur. Appréhendant le pire, il écouta ce que disait sa femme. Puis il poussa un juron si puissant qu'il fit sursauter Martin.

— Va chercher Gösta ! Je crois savoir où elles sont. Erica est avec elles.

Patrik était déjà en route vers la voiture et Martin le suivit tout en appelant Gösta, qui avait contourné la maison pour soulager sa vessie.

— Qu'est-ce qui se passe ?

— Marta, c'est Louise ! dit Patrik par-dessus son épaule.

— Qu'est-ce que ça veut dire ?

Patrik ouvrit violemment la portière du conducteur et s'engouffra dans la voiture, et Martin et Gösta suivirent son exemple.

— Erica est allée voir Laila ce matin. Marta, c'est Louise, la petite fille qui était enchaînée dans la cave de ses parents. Celle qu'on croyait morte noyée. Elle est en vie, c'est Marta ! Je n'ai pas d'autres détails, mais si Erica le dit, c'est que c'est vrai. Elle pense que Marta et Molly sont dans la maison d'enfance de Marta, de Louise donc, et elle y est allée. Il faut qu'on fonce!

Il démarra sur les chapeaux de roues et sortit de la cour. Martin ne comprenait rien de ce qui se passait et le dévisagea d'un air ahuri.

— Quelle foutue cinglée! siffla Patrik entre des dents serrées, en ajoutant aussitôt : Pardon, ma petite chérie.

Il n'avait pas l'intention de traiter sa femme adorée de cinglée, mais la peur le mettait hors de lui.

— Attention! s'écria Gösta quand la voiture dérapa sur la chaussée.

Patrik s'obligea à ralentir alors qu'il brûlait d'envie d'appuyer sur le champignon. L'inquiétude le labourait comme les griffes d'un animal sauvage.

— On devrait peut-être dire à Bertil où on est allés? suggéra Martin.

Ah oui, Mellberg. Il venait d'entrer dans la maison pour "assister à l'examen technique" quand ils avaient décidé de partir. Il devait être train de faire tourner en bourrique Torbjörn et son équipe.

— Appelle-le, dit Patrik sans quitter la route des yeux.

Martin s'exécuta, et après quelques phrases brèves, il raccrocha.

— Il dit qu'il va venir nous rejoindre.

— Il a intérêt à se tenir tranquille, celui-là, je vous le dis.

Ils bifurquèrent sur le chemin d'accès, et Patrik serra encore plus fort les dents en voyant leur Volvo break stationnée un peu plus loin. Erica s'était sûrement garée à l'écart pour ne pas être découverte, ce qui ne le rassura pas le moins du monde.

— On avance jusqu'à la maison, dit-il.

Personne ne fit d'objections. Il freina brutalement devant le bâtiment quasi en ruine et entra en courant sans attendre Gösta et Martin. Une fois la porte franchie, il les entendit arriver derrière lui.

— Chut! fit-il en posant son index sur ses lèvres.

Bien que la porte de la cave soit fermée, une intuition lui dit que c'était l'endroit logique où chercher. C'était là qu'irait Louise, il en était certain. Il ouvrit la porte, qui ne grinça pas, heureusement. Mais au moment où il posait le pied sur la première marche, un couinement se fit entendre, et aussitôt après, des cris stridents en bas :

— Au secours ! Au secours !

Il dévala l'escalier, suivi de près par Martin et Gösta. Une unique ampoule éclairait la pièce et il s'arrêta net devant le spectacle qui s'offrait à lui. Molly était assise, les genoux remontés, elle se balançait de gauche à droite en hurlant, les yeux écarquillés. Par terre, Erica était étendue à plat ventre, visiblement blessée à la tête.

Le cœur battant, Patrik se précipita sur elle et tâta son cou. Un immense soulagement s'empara de lui quand il sentit qu'elle était chaude et qu'elle respirait. Il put constater que le sang venait d'une arcade sourcilière.

Elle ouvrit lentement les yeux et gémit :

— Helga…

Martin et Gösta avaient aidé Molly à se mettre debout, et Patrik se tourna vers elle. Ils essayèrent de la détacher de la chaîne qui la tenait prisonnière, et Patrik réalisa qu'Erica aussi était attachée.

— Où est ta grand-mère ? demanda-t-il.

— Partie. Il n'y a pas très longtemps.

Il plissa le front. Ils auraient dû la croiser sur la route.

— Elle a frappé Erica, ajouta Molly, et sa lèvre inférieure tremblota.

Patrik examina le visage de sa femme. La blessure aurait pu être beaucoup plus grave. Si elle ne lui avait pas laissé le message pour lui dire où elle allait, il n'aurait peut-être jamais eu l'idée de chercher ici. Molly et elle seraient mortes de faim dans cette cave.

Il se leva et prit son téléphone. La couverture réseau était mauvaise mais suffisante. Il donna ses instructions, puis raccrocha et se tourna vers Gösta et Martin qui avaient trouvé la clé des menottes de Molly.

— J'ai eu Mellberg, je lui ai demandé d'ouvrir les yeux et d'arrêter Helga s'il la voit.

— Pourquoi a-t-elle frappé Erica ? demanda Gösta tout en passant maladroitement sa main dans le dos de Molly.

— Pour protéger Jonas, répondit Erica, et elle se redressa

370

avec un gémissement et toucha sa tête. Je saigne, constata-t-elle en regardant ses doigts poisseux.

— Ce n'est pas très profond, dit Patrik sèchement.

Maintenant que sa plus grande inquiétude s'était calmée, il avait envie de lui remonter les bretelles.

— Vous avez trouvé Jonas et Marta?

Erica se releva en chancelant, puis proféra un juron en sentant la menotte autour de sa cheville.

— Mais, c'est quoi cette co…!

— L'idée était sans doute que tu meures ici.

Des yeux, Patrik chercha une clé. Il avait bien envie de la laisser attachée un petit moment, et d'ailleurs c'était peut-être ce qui allait se passer, car il ne voyait de clé nulle part. Elle serait obligée d'attendre qu'on vienne couper les entraves.

— Non, on ne les a pas trouvés.

Il ne lui raconta pas la découverte macabre faite chez Einar et Helga, après le probable passage de Jonas et Marta. Pas avec Molly qui écoutait. Elle sanglotait, les bras autour de la taille de Gösta et le visage caché contre sa poitrine.

— J'ai le pressentiment qu'on ne les reverra jamais, déclara Erica, mais après un regard à Molly, elle se tut.

Le téléphone de Patrik sonna, c'était Mellberg. Tout en l'écoutant, il fit comprendre aux autres qu'il tenait Helga.

Il écouta encore un peu avant de parvenir, non sans une certaine peine, à interrompre le flot verbal triomphal de Mellberg.

— Il l'a croisée sur la route, apparemment. Il l'emmène au poste.

— Il faut que vous trouviez Jonas et Marta. Ils sont… ce sont des malades, dit Erica à mi-voix pour éviter que Molly ne l'entende.

— Je sais, chuchota Patrik.

Incapable de se retenir plus longtemps, il prit Erica dans ses bras et la serra fort. Bon sang, qu'aurait-il fait s'il l'avait perdue? Si les enfants l'avaient perdue? Puis il la tint à bout de bras et dit avec gravité :

— On a déjà émis un avis de recherche. Les aéroports et les frontières sont avertis. Demain, leurs photos seront dans tous les journaux. Ils ne pourront pas s'échapper.

— Tant mieux, dit Erica en passant les bras autour des épaules de Patrik et en croisant ses mains derrière sa nuque. Maintenant, dépêche-toi de me détacher!

FJÄLLBACKA, 1983

En voyant les affiches annonçant l'arrivée du Cirkus Gigantus à Fjällbacka, son cœur avait cogné fort dans sa poitrine. C'était un signe. Elle s'était immédiatement décidée. Le monde du cirque faisait partie d'elle. Elle connaissait son odeur et ses bruits, elle avait l'impression de connaître aussi les artistes et les animaux. Elles avaient joué à ce jeu tant de fois. Elle était la princesse de cirque à laquelle les chevaux obéissaient sous les applaudissements et les acclamations du public.

Elle aurait tant voulu qu'elles le fassent ensemble! Si seulement tout n'était pas allé de travers. Maintenant, elle était seule, et elle se présenterait seule au cirque.

La famille de Vladek l'accueillit à bras ouverts. Comme leur fille. Ils avaient l'intention de contacter Vladek, mais elle leur expliqua qu'il était mort d'un infarctus. Personne ne trouva cela étrange, il n'était pas le premier de la famille à avoir le cœur fragile. Elle avait eu de la chance avec ce mensonge, mais il était toujours possible qu'un habitant de Fjällbacka parle de Vladek et révèle ce qui s'était réellement passé. Pendant trois longues journées, elle marcha sur des charbons ardents, jusqu'à ce que le cirque plie bagage et quitte Fjällbacka. Alors elle put respirer, elle était sauve.

Ils lui posèrent des questions sur sa mère, si elle avait vraiment son autorisation de partir, vu qu'elle n'avait que quinze ans. Elle baissa la tête et réussit même à produire quelques larmes. Elle dit que Laila était morte d'un cancer plusieurs années auparavant. La belle-sœur de Vladek posa sa main noueuse sur sa joue et essuya ses larmes de crocodile. Après cela, ils ne posèrent plus de questions, ils lui montrèrent simplement où elle pouvait dormir et lui donnèrent des vêtements et à manger. Jamais elle n'aurait cru que ce serait aussi simple, et qu'elle deviendrait si rapidement un membre de la famille. Pour eux, les liens du sang étaient sacrés.

Elle attendit deux semaines avant d'aller trouver le frère de Vladek. Elle lui dit qu'elle voulait apprendre, elle voulait faire partie du cirque et poursuivre la tradition familiale. Tout le monde fut aux anges, comme elle s'y était attendue, et elle proposa de donner un coup de main avec les chevaux. Elle voulait prendre le même chemin que Paulina, la belle jeune femme qui à chaque représentation exécutait son numéro sur le dos des chevaux, vêtue d'un costume scintillant.

Elle devint l'assistante de Paulina. Elle la regardait s'entraîner et restait près des chevaux à toute heure du jour et de la nuit. Paulina l'avait immédiatement détestée, mais ne faisant pas partie de la famille, elle n'avait pas son mot à dire. Après que le frère de Vladek l'eut raisonnée, Paulina commença à la former, à contrecœur. Elle était une élève assidue. Elle comprenait les chevaux, et les chevaux la comprenaient. Il ne lui fallut qu'un an pour apprendre les bases, et après une autre année d'apprentissage elle était devenue aussi adroite que Paulina. Si bien que lorsque l'accident survint, elle put reprendre le flambeau.

Un matin, on avait trouvé Paulina morte près des chevaux. On supposa qu'elle avait glissé et s'était cogné la tête, ou qu'un des chevaux lui avait donné un coup de sabot malencontreux. C'était une catastrophe pour le cirque, mais heureusement, elle put endosser l'un des magnifiques costumes de Paulina et le soir même la représentation fut maintenue, comme si rien ne s'était produit. Dorénavant, c'était elle qui exécutait tous les soirs le numéro de Paulina.

Pendant trois ans, elle voyagea avec le cirque. Dans un monde où l'étrange et le fantastique se croisaient, personne ne remarquait sa différence. C'était l'endroit parfait. Mais maintenant la boucle était bouclée, elle était de retour. Le lendemain, le Cirkus Gigantus arriverait à Fjällbacka encore une fois, et il serait temps de s'attaquer aux choses trop longtemps repoussées.

Elle s'était permis de devenir quelqu'un d'autre, une princesse de cirque sur des chevaux blancs ornés de panaches majestueux et aux mors scintillants. Elle avait vécu dans un monde imaginaire. Il était temps de revenir à la réalité.

— Je vais chercher le courrier.

Patrik glissa ses pieds dans ses grosses chaussures. Ces derniers jours, il n'avait pratiquement pas vu Erica. Tous les interrogatoires et examens supplémentaires les avaient occupés du matin au soir, ses collègues et lui. Mais ce vendredi, il avait posé une matinée de congé.

— Putain, quel froid ! dit-il en rentrant. Il a dû tomber un bon mètre de neige cette nuit.

— Oui, on dirait que ça ne va jamais s'arrêter.

Assise à la table dans la cuisine, Erica lui adressa un sourire fatigué. Il s'installa en face d'elle et examina le courrier. Erica cala sa tête entre ses mains et se perdit dans ses pensées. Il posa le tas d'enveloppes sur la table et l'observa, préoccupé.

— Comment ça va, toi ?

— Je ne sais pas trop. Je crois que j'hésite sur la façon de reprendre le livre. Je ne suis même pas sûre de le vouloir. Tu comprends, il y a une suite à l'histoire maintenant.

— Mais Laila veut que tu l'écrives ?

— Oui, j'ai l'impression qu'elle considère sa publication comme une sorte de mesure de sécurité. Elle imagine que Marta n'osera pas refaire surface si un livre apprend au grand public qui elle est et ce qu'elle a fait.

— Ce n'est pas plutôt l'inverse qui risque de se produire ? demanda Patrik prudemment.

Il ne voulait pas dire à Erica ce qu'elle devait faire ou ne pas faire, mais il trouvait désagréable qu'elle écrive un livre sur des gens aussi vicieux et dangereux que Jonas et Marta. Ils pourraient bien vouloir se venger un jour.

— Non, je crois que Laila a raison. Et au fond, je sais que je dois terminer ce livre. Tu n'as pas besoin de t'inquiéter, dit Erica en croisant son regard. Fais-moi confiance.

— C'est en eux que je n'ai pas confiance. On ignore totalement où ils se trouvent, répondit Patrik, incapable de museler son angoisse.

— Ils n'oseront pas revenir, d'ailleurs il n'y a plus rien ici pour eux.

— À part leur fille.

— Ils se fichent de Molly. Marta ne l'a jamais aimée, et l'intérêt de Jonas semble s'être envolé dès qu'il a compris qu'elle n'était pas sa fille.

— Où peuvent-ils être allés ? Avec un avis de recherche national, ça paraît invraisemblable qu'ils aient réussi à quitter le pays.

— Aucune idée, dit Erica tout en ouvrant une des nombreuses enveloppes à fenêtre. Laila craint qu'ils n'essaient d'aller en Espagne pour retrouver Peter.

— Je comprends, mais à mon avis ils sont toujours en Suède, et tôt ou tard, on va leur mettre la main dessus. Et alors ils auront à répondre de leurs crimes. On a déjà réussi à identifier certaines filles sur les films. Parmi celles qu'Einar avait enlevées et parmi les victimes de Jonas et Marta.

— Comment vous avez pu supporter de regarder ça… ?

— C'était atroce, crois-moi.

Patrik songea aux images des DVD. Elles demeuraient probablement imprimées dans son esprit, comme un rappel des monstruosités dont les hommes sont capables.

— Pourquoi ont-ils choisi d'enlever Victoria ? demanda-t-il ensuite. Ça comportait un risque énorme.

Erica garda le silence un instant. Il n'existait pas de réponses évidentes. Jonas et Marta avaient disparu et les films montraient leurs actes sans révéler quoi que ce soit de leurs motivations.

— Je crois que Marta est tombée amoureuse de Victoria, mais que sa loyauté envers Jonas était inébranlable. Victoria était peut-être une sorte d'offrande à Jonas. Une manière de lui demander pardon.

— On a trop tardé à comprendre qu'elle y était mêlée, dit Patrik. C'est sans doute elle qui a enlevé Victoria.

— Comment auriez-vous pu soupçonner ça ? Les actes et les pulsions de ces gens sont incompréhensibles. J'ai essayé d'en parler avec Laila hier, elle non plus n'a aucune explication au comportement de Marta.

— Je sais, mais je m'en veux quand même. Et j'ai besoin de comprendre comment ils en sont arrivés là. Par exemple, pourquoi Marta et Jonas ont choisi de marcher sur les traces d'Einar ? Pourquoi ont-ils infligé les mêmes mutilations macabres à leurs victimes ?

Patrik déglutit. Les nausées l'envahissaient dès qu'il pensait aux films.

Erica réfléchit un moment.

— J'imagine que la folie de Jonas a germé durant sa jeunesse, quand Einar l'obligeait à filmer les sévices. Et Marta, ou Louise, était tout aussi déséquilibrée par ce qu'elle avait vécu dans son enfance. Si ce que Gerhard Struwer dit est vrai, il est avant tout question d'avoir le contrôle. Einar maintenait les filles prisonnières, sauf Ingela Eriksson et peut-être une ou deux autres dont on ignore l'existence. En les transformant en poupées sans volonté, il satisfaisait un besoin dément profond, un besoin qu'il a transféré sur Jonas, qui à son tour a initié Marta. Leur relation était peut-être nourrie par le pouvoir qu'ils exerçaient sur les filles.

— Quelle horreur, dit Patrik en avalant sa salive pour refouler les haut-le-cœur.

— Et Helga, qu'est-ce qu'elle en dit ? Elle était au courant de tout ça ?

— Elle refuse de parler. Elle dit seulement qu'elle est prête à subir sa peine et qu'on ne retrouvera jamais Jonas. Je pense qu'elle savait et qu'elle a choisi de fermer les yeux. À sa façon, elle était aussi une victime.

— Oui, elle a dû vivre un enfer pendant toutes ces années. Et même si elle percevait la vraie nature de Jonas, c'était son fils, et elle l'aimait.

— Tous ces si et ces peut-être. C'est tellement frustrant d'être obligé de spéculer. Mais tu es sûre et certaine que Marta est bien Louise Kowalska ?

— J'en suis sûre. Je n'arrive pas à l'expliquer de façon logique, mais ça m'a paru évident quand j'ai compris que Marta et Jonas avaient enlevé ces pauvres filles après des concours hippiques. Quand j'ai réalisé que c'étaient eux qui envoyaient les cartes postales et les coupures de journaux à Laila. Qui, à part Louise, avait une raison de haïr Laila et de la menacer ? Marta a le même âge que Louise. Et Laila a confirmé mes soupçons. Elle avait deviné depuis longtemps que Louise était en vie et qu'elle voulait les tuer tous les deux, Peter et elle.

Patrik la fixa d'un air grave.

— J'aurais aimé avoir ton intuition, même si je verrais d'un bon œil que tu cesses de la suivre aveuglément. Je te félicite d'avoir eu, cette fois, la présence d'esprit de me laisser un message pour me dire où tu allais.

Il frissonna à l'idée de ce qui aurait pu se passer si Erica était restée là-bas, dans la cave glaciale de la Maison de l'horreur.

— Tu vois, tout est bien qui finit bien, trancha Erica, et elle tira une autre enveloppe du tas, l'ouvrit avec le doigt et en sortit une facture. C'est quand même fou de se dire que Helga était prête à sacrifier Marta et Molly pour permettre à son fils d'être libre.

— Oh, tu sais toi-même jusqu'où peut aller l'amour d'une mère.

— Tiens, à propos, dit Erica, et son visage s'illumina, j'ai encore parlé avec Nettan, on dirait qu'elle et Minna sont en train de se retrouver.

— Quelle chance que tu aies vu ce truc avec la voiture, sourit Patrik.

— Oui, ce qui m'énerve, c'est de ne pas avoir fait le lien tout de suite, quand j'ai vu la photo dans l'album.

— C'est surtout étrange que Nettan elle-même ne l'ait pas fait. On l'avait pourtant interrogée sur cette voiture, aussi bien Palle que moi.

— Je sais, et quand je l'ai contactée, elle s'est presque fâchée. Elle a dit qu'elle l'aurait évidemment signalé à la police si elle avait connu quelqu'un qui avait ce genre de voiture. Quand je lui ai déclaré que je me rappelais une photo de son ancien compagnon devant une voiture blanche, elle s'est tue. Puis elle a prétendu que c'était impossible que Minna soit montée dans la voiture de Johan de son plein gré. Elle le détestait cordialement.

— Il y a beaucoup de choses qui nous échappent quand on a une fille adolescente, dit Patrik.

— C'est vrai. Qui aurait pu croire que Minna allait s'amouracher de l'ex de sa mère alors qu'elle était sans cesse en conflit avec lui ? Et qu'elle allait tomber enceinte par-dessus le marché et choisir de s'enfuir avec lui parce qu'elle avait peur de la réaction de Nettan !

— Effectivement, ce n'est pas la première chose sur laquelle on miserait.

— Quel soulagement ça a dû être pour Nettan quand Minna a été retrouvée saine et sauve dans la cabane de Johan ! Elle va tout faire maintenant pour que ça se passe bien. Elles sont très remontées contre ce minable qui s'est lassé de Minna dès que son ventre a commencé à s'arrondir. Nettan a promis à Minna de l'aider avec le bébé.

— Au moins une bonne chose qui ressort de tout ce malheur.

— Oui, et bientôt Laila va retrouver son fils. Après plus de vingt ans… La dernière fois qu'on s'est parlé, elle m'a dit que Peter allait venir lui rendre visite à l'établissement. Et je vais même pouvoir le rencontrer.

Les yeux d'Erica scintillèrent de plaisir et Patrik eut chaud au cœur en voyant l'enthousiasme de sa femme. Elle était si heureuse d'avoir pu aider Laila. Pour sa part, il avait surtout envie de laisser cette affaire derrière lui. Il avait eu son compte de ténèbres et de perversion.

— C'est sympa que Dan et Anna viennent dîner ce soir, dit-il pour changer de sujet.

— Oui, je suis tellement contente qu'ils aient pu se réconcilier. Anna m'a dit qu'ils avaient une bonne nouvelle à nous annoncer, mais elle n'a pas voulu m'en dire plus. Je déteste quand elle est cachottière comme ça, mais je n'ai pas réussi à la faire céder… Elle n'a rien voulu savoir, je vais être obligée de patienter jusqu'à ce soir…

Erica examina les autres lettres sur la table. Sous les nombreuses factures se trouvait une enveloppe blanche et épaisse bien plus élégante que les autres.

— C'est quoi, ça? On dirait un carton d'invitation.

Elle se leva et alla chercher un couteau pour l'ouvrir. Elle en sortit un joli bristol frappé de deux alliances en or sur la première page.

— On connaît des gens qui vont se marier?

— Non, pas que je sache, dit Patrik. La plupart de nos amis sont mariés depuis des lustres.

Erica déplia la carte.

— Ooooh…

— Quoi? dit Patrik.

Il la lui arracha des mains, puis lut à voix haute, incrédule :

— "Vous êtes chaleureusement invités à assister à la cérémonie de mariage de Kristina Hedström et Gunnar Zetterlund."

Il leva les yeux sur Erica avant de les tourner de nouveau vers l'invitation.

— C'est une blague?

— Je ne pense pas, dit Erica en pouffant. C'est génial!

— Mais ils sont si… vieux, protesta Patrik, et il fit son possible pour repousser l'image de sa mère en robe de mariée.

— Pfft, arrête de dire des bêtises, le gronda Erica, et elle se leva et l'embrassa sur la joue. Ça va être super. On aura notre propre Bob le Bricoleur dans la famille. Il ne nous restera plus rien à réparer dans cette maison, peut-être même qu'il voudra l'agrandir. Tu te rends compte, on pourrait avoir deux fois plus de place!

— Quelle idée effroyable.

Il ne put s'empêcher de rire. Elle avait raison. En réalité, il souhaitait à sa mère tout le bonheur du monde et c'était formidable qu'elle ait trouvé l'amour sur le tard. Il avait juste besoin d'un peu de temps pour s'y habituer.

— Quand même, parfois tu as des réactions vraiment puériles, dit Erica en lui ébouriffant les cheveux. Heureusement que tu es si mignon.

— Merci, je te retourne le compliment, sourit-il.

Il était temps pour lui d'oublier Victoria et les autres filles. Il ne pouvait plus rien faire pour elles. Mais sa famille était là, sa femme et ses enfants, qui avaient besoin de lui et qui lui donnaient tant d'amour. Il n'y avait rien dans sa vie qu'il aurait voulu changer. Pas un seul détail.

Ils n'avaient toujours aucune idée d'où aller, mais elle ne s'inquiétait pas. Les gens comme Jonas et elle s'en sortaient toujours. Pour eux, il n'y avait pas de frontières, pas d'obstacles. Elle avait déjà recommencé sa vie deux fois. La dernière en date, lorsqu'elle avait rencontré Jonas dans la maison abandonnée. Elle s'y était réfugiée pour dormir et en ouvrant les yeux, elle avait vu un étranger qui l'observait. Dès que leurs regards s'étaient croisés, ils avaient su qu'ils étaient faits l'un pour l'autre. Elle avait vu les ténèbres de son âme, il avait vu les ténèbres de la sienne.

Quand elle avait voyagé avec le cirque, l'Europe entière était sa maison, mais elle avait toujours su qu'elle reviendrait à Fjällbacka. Une force irrésistible l'y attirait. Jamais auparavant elle n'avait ressenti un besoin aussi puissant, et lorsque finalement elle avait atteint son but, Jonas était là pour l'accueillir.

Il était son destin, et dans l'obscurité de la maison, il lui avait tout raconté. La pièce sous la grange, ce que son père faisait aux filles, des filles qui ne manquaient à personne, qui n'avaient leur place nulle part. Des filles sans valeur.

Ayant décidé de suivre la même voie qu'Einar, ils avaient choisi, contrairement à lui, des filles qui manqueraient à quelqu'un, des filles aimées. Créer une marionnette, une poupée sans défense, à partir d'un être qui comptait pour quelqu'un, amplifiait la jouissance. C'est peut-être ce qui avait précipité leur chute, mais il n'aurait pu en être autrement.

Elle n'avait pas peur de l'inconnu. Ils seraient simplement obligés de bâtir de nouveaux mondes ailleurs. Tant qu'ils étaient ensemble, ça n'avait aucune importance. Quand elle avait rencontré Jonas, elle était devenue Marta. Sa jumelle, son âme sœur.

Jonas comblait son esprit et son existence. Et cependant, elle n'avait pas su résister à Victoria. C'était étrange. Elle qui avait toujours compris l'importance de la maîtrise de soi, qui ne s'était jamais laissé guider par ses désirs. Mais elle n'était pas bête. Elle avait vite compris que la force d'attraction de Victoria tenait à sa ressemblance avec quelqu'un qui avait été jadis comme une partie d'elle-même, et qui l'était encore. Sans s'en douter, Victoria avait réveillé de vieux souvenirs et Marta n'avait pas su résister. Elle voulait à la fois Jonas et Victoria.

Céder à la tentation de toucher la peau d'une jeune fille, une fille qui lui rappelait un amour perdu, avait été une erreur. Au bout de quelque temps, elle avait réalisé que c'était intenable, et surtout elle s'était lassée. Les différences étaient malgré tout plus nombreuses que les similitudes. Alors elle avait offert Victoria à Jonas. Il lui avait pardonné, et c'était comme si l'amour de Jonas était devenu plus fort encore.

C'était inexcusable de ne pas avoir correctement fermé la trappe ce soir-là. Ils étaient devenus négligents, ils la laissaient bouger librement dans la pièce, mais jamais ils n'auraient imaginé qu'elle puisse monter l'échelle, sortir de la grange et s'enfuir à pied dans la forêt. Ils avaient sous-estimé Victoria, et avaient pris un risque en laissant la mort arriver si près d'eux. Ils en avaient payé le prix fort, mais ni l'un ni l'autre ne considérait cet épisode comme une fin. Au contraire, c'était un nouveau départ. Une nouvelle vie. Sa troisième.

Son premier changement de vie s'était produit lors d'une de ces journées d'été qui vous donnent l'impression d'avoir le sang en ébullition. Louise et elle avaient décidé d'aller se baigner, et sur sa proposition, elles s'étaient éloignées de la plage pour aller sauter du haut des rochers.

Après avoir compté jusqu'à trois, elles avaient sauté dans l'eau, main dans la main. La chute lui coupa le souffle, et la fraîcheur de l'eau fut comme un baume. Mais l'instant d'après, on aurait dit qu'une paire de bras puissants la saisissait et la tirait vers le fond. L'eau se referma sur elle, et elle lutta de toutes ses forces contre le courant.

Quand sa tête fendit la surface à nouveau, elle nagea comme elle put vers le bord. C'était comme nager dans du goudron. Lentement, lentement, elle avança tout en essayant de tourner la tête pour chercher Louise, qui n'apparaissait nulle part. Ses poumons étaient trop exténués pour appeler, une seule pensée la tenait : survivre, rejoindre le rivage.

Soudain, le courant faiblit, chaque mouvement de ses bras la propulsait en avant. Après quelques minutes, elle atteignit la grève. Épuisée, elle resta à plat ventre sur la plage, les jambes dans l'eau et la joue contre le sable. Quand elle eut retrouvé son souffle, elle se redressa péniblement et regarda autour d'elle. Elle appela Louise, sans obtenir de réponse. Les mains en visière, elle laissa son regard balayer la surface de l'eau dans tous les sens. Elle grimpa sur le rocher d'où elles avaient sauté. De plus en plus désespérée, elle courait à droite, à gauche, cherchant, criant. Pour finir elle se laissa tomber sur le rocher où elle resta longtemps à attendre. Peut-être ferait-elle mieux d'aller chercher du secours ? Mais alors il faudrait renoncer à leur plan. Louise avait disparu, et il valait mieux partir seule que de ne pas partir du tout.

Elle abandonna sur le rocher leurs habits et toutes leurs affaires. Elle avait prêté à Louise son maillot de bain préféré, le bleu, et elle était contente que Louise ait pu l'emporter avec elle dans les profondeurs. Comme un cadeau.

Elle partit, laissant la mer derrière elle. Sur son chemin, elle vola quelques vêtements sur un étendoir à linge, puis continua de marcher avec détermination vers son avenir. Par précaution, elle passa par la forêt, si bien qu'elle n'arriva à Fjällbacka que dans la soirée. En découvrant le cirque pas loin, les couleurs vives, les cris joyeux, le brouhaha et la musique, tout lui parut étrangement familier. Elle était arrivée chez elle.

Ce jour-là, elle était devenue Louise. Celle qui avait fait ce qu'elle-même avait toujours rêvé de faire, qui avait vu le sang couler d'un corps humain, qui avait vu la flamme de la vie s'éteindre. La jalousant presque, elle avait écouté ses récits sur le cirque, la vie de Vladek, le dompteur de lions. Ça paraissait si exotique comparé à son propre passé sordide. Elle voulait être Louise, avoir son passé.

Elle avait ressenti de la haine envers Peter et Laila. Louise avait tout raconté. Comment sa mère avait endossé la responsabilité du meurtre, comment la grand-mère s'était chargée du petit-fils adoré, en refusant tout lien avec sa petite-fille. Même si Louise ne le lui avait jamais demandé, elle devait la venger. La haine avait brûlé, froide, et elle avait accompli son devoir.

Plus tard elle avait retrouvé la maison natale de Louise, sa maison, et c'est là qu'elle avait rencontré Jonas. Elle était Tess. Elle était Louise. Elle était Marta. Elle était l'autre moitié de Jonas. Et elle n'avait pas encore terminé. L'avenir lui dirait quelle serait sa prochaine identité.

Elle lui adressa un sourire, assise à côté de lui dans la voiture volée. Ils étaient libres et courageux, ils étaient forts. Ils étaient des lions indomptables.

Quelques mois s'étaient écoulés depuis le jour où Laila avait pu rencontrer Peter pour la première fois depuis toutes ces années. Elle se rappelait encore ce qu'elle avait ressenti en le voyant pénétrer dans la salle des visites. Il était si beau, il ressemblait tellement à son père, en plus svelte, comme elle.

Et elle avait enfin pu retrouver Agneta. Elles avaient toujours été proches, mais s'étaient séparées par nécessité. Sa sœur lui avait fait le plus grand des cadeaux. Elle avait pris son fils sous son aile et lui avait donné un refuge et une famille. Il avait été en sécurité chez eux en Espagne, pendant que Laila conservait tous les secrets.

À présent elle n'avait plus à se taire. C'était tellement libérateur. Il faudrait encore un moment, mais son histoire serait bientôt racontée, tout comme celle de Fille. Elle n'osait pas encore se dire que Peter était hors de danger. Mais Fille était recherchée par la police, et elle était trop futée pour s'attaquer à lui maintenant.

Elle avait fouillé au plus profond de ses sentiments pour voir s'il en restait pour Fille, la chair de sa chair. Mais non. Cette enfant avait été une créature étrangère dès le début. Elle n'avait pas été une partie d'elle ni de Vladek, contrairement à Peter.

Elle allait peut-être pouvoir sortir de la prison maintenant, si elle arrivait à les convaincre que son histoire était véridique. Elle n'était pas sûre d'en avoir envie. Elle avait passé une si grande partie de sa vie ici que cela n'avait plus d'importance. L'essentiel était que Peter et elle puissent garder le contact, qu'il puisse venir ici de temps en temps, peut-être même accompagné de ses enfants un jour. C'était suffisant pour que la vie vaille le coup d'être vécue.

Un coup discret frappé à sa porte la tira de ses pensées heureuses.

— Entre! lança-t-elle, un sourire aux lèvres.

La porte s'ouvrit et Betty apparut. Elle se tut un instant.

— Oui? finit par dire Laila.

Betty tenait quelque chose à la main, et en regardant de plus près, Laila sentit son sourire s'effacer.

— Tu as reçu du courrier.

La main de Laila était secouée d'un tremblement incontrôlé quand elle saisit la carte postale. Pas de message, et l'adresse imprimée en bleu. Elle la retourna. Un matador mettait à mort un taureau.

Laila garda le silence quelques secondes. Puis un long cri lui monta à la gorge.

REMERCIEMENTS

Tout d'abord, je voudrais dire que la responsabilité de toute erreur éventuelle ou de tout changement délibéré de faits authentiques m'incombe entièrement. J'ai pris la liberté de modifier certains événements réels, dans le temps et dans l'espace, pour le bien de l'intrigue.

Comme toujours quand j'écris un roman, je suis entourée d'un grand nombre de personnes que je voudrais remercier. En les nommant, j'ai toujours peur d'oublier quelqu'un. Je voudrais malgré tout en citer quelques-unes à qui j'adresse un merci particulier. Beaucoup de collaborateurs de Forum, ma maison d'édition, ont consacré un grand travail au *Dompteur de lions*, notamment mon éditrice, Karin Linge Nordh avec qui je travaille depuis le deuxième livre de la série. Elle est le roc solide sur lequel je peux toujours m'appuyer, même si parfois les sentiments débordent, car nous sommes toutes les deux des femmes de caractère. Nous nous engageons corps et âme dans ce que nous entreprenons et dans les livres. Merci d'être une si merveilleuse éditrice et une amie si chère. Je voudrais aussi remercier du fond du cœur Matilda Lund qui a contribué à faire du *Dompteur de lions* le livre qu'il est. Je remercie aussi Sara Lindegren – tu fais un boulot extraordinaire pour la promotion du livre, c'est une chose, mais tu mérites aussi une sorte de médaille de bravoure, voire un contrôle de ta santé mentale, pour oser me confier l'éducation religieuse de ton enfant.

Aucun roman n'aurait été écrit sans celles et ceux qui m'aident à gérer le quotidien : ma mère Gunnel Läckberg, "maman Stiina" – Christina Melin – et la dernière arrivée, Sandra Wirström. Un grand merci aussi à mes trois merveilleux enfants Wille, Meja et

Charlie, qui n'hésitent jamais à donner un coup de main quand leur maman a besoin d'écrire.

Je voudrais aussi remercier tous mes formidables amis, je choisis de n'en citer aucun parce que vous êtes si nombreux. Mais vous saurez vous reconnaître et je vous suis infiniment reconnaissante d'exister. Merci aussi à mon agent Joakim Hansson et à ses collaborateurs à Nordin Agency.

Un grand MERCI à Christina Saliba qui non seulement a été un de mes plus fidèles appuis et une grande source d'inspiration en tant que femme d'affaires, mais qui est aussi devenue une sorte de sœur libanaise pour moi. Je voudrais particulièrement te remercier d'avoir fait de la fête pour mes quarante ans un souvenir pour la vie. Merci aussi à Maria Fabricius et au reste du personnel à Mind-Markers qui travaille avec moi. Vous êtes des cracks.

Enfin, et surtout, je voudrais adresser mes remerciements tout particuliers à mon amour Simon. Toi qui es entré dans ma vie quand j'étais en pleine écriture de ce livre, toi qui m'as donné la foi, l'espérance et l'amour. Merci de me soutenir en toutes circonstances et d'avoir pour devise : *"Happy wife, happy life."* Tu me rends *happy*.

CAMILLA LÄCKBERG,
Gamla Enskede, le 30 septembre 2014.

Pour en savoir plus sur la collection Actes noirs,
tous les livres, les nouveautés, les auteurs, les actualités,
lire des extraits en avant-première :

actes-sud.fr
facebook/actes noirs

OUVRAGE RÉALISÉ
PAR L'ATELIER GRAPHIQUE ACTES SUD
ACHEVÉ D'IMPRIMER
SUR ROTO-PAGE
EN JUIN 2016
PAR L'IMPRIMERIE FLOCH
À MAYENNE
POUR LE COMPTE DES ÉDITIONS
ACTES SUD
LE MÉJAN
PLACE NINA-BERBEROVA
13200 ARLES

DÉPÔT LÉGAL
1ʳᵉ ÉDITION : MAI 2016
N° impr. : 89862
(*Imprimé en France*)